中华人民共和国法律释义丛书

全国人民代表大会常务委员会法制工作委员会　编

中华人民共和国
公务员法释义

主　编：杨景宇（全国人大法律委员会主任委员）

李　飞（全国人大常委会法制工作委员会副主任）

副主编：许安标（全国人大常委会法制工作委员会国家法室副主任）

撰稿人（以姓氏笔画为序）：

刘　玫　汪　洋　许安标　李洪雷

陈希文　陈斯喜　武　增　黄　薇

黄宇菲　黄海华　童卫东

法律出版社

图书在版编目(CIP)数据

中华人民共和国公务员法释义 / 杨景宇, 李飞主编
北京：法律出版社, 2005.5(2018.11 重印)
(中华人民共和国法律释义丛书)
ISBN 978-7-5036-5633-0

Ⅰ.①中… Ⅱ.①杨… ②李… Ⅲ.①公务员法-法律解释-中国 Ⅳ.①D922.115

中国版本图书馆 CIP 数据核字(2005)第 050929 号

中华人民共和国公务员法释义
ZHONGHUA RENMIN GONGHEGUO GONGWUYUANFA SHIYI

杨景宇　李　飞 主编

责任编辑 麦　锐
装帧设计 李　瞻

编辑统筹 法规出版分社
出版 法律出版社
开本 850 毫米×1168 毫米　1/32
总发行 中国法律图书有限公司
印张 11.625
经销 新华书店
字数 280 千
印刷 北京玺诚印务有限公司
版本 2005 年 5 月第 1 版
责任印制 吕亚莉
印次 2018 年 11 月第 6 次印刷

法律出版社/北京市丰台区莲花池西里 7 号(100073)
网址/www.lawpress.com.cn
投稿邮箱/info@lawpress.com.cn　销售热线/010-83938336
举报维权邮箱/jbwq@lawpress.com.cn　咨询电话/010-63939796

中国法律图书有限公司/北京市丰台区莲花池西里 7 号(100073)
全国各地中法图分、子公司销售电话：
统一销售客服/400-660-6393
第一法律书店/010-83938334/8335　西安分公司/029-85330678　重庆分公司/023-67453036
上海分公司/021-62071639/1636　深圳分公司/0755-83072995

书号:ISBN 978-7-5036-5633-0　**定价**:46.00 元

总　序

人类文明的历史上，还没有哪一个时代像中国的改革开放40年一样，在历史长河中掀起如此巨大的浪花——它不仅深刻改变了一个国家的面貌与精神气质、使数亿人摆脱贫困，还极大地改变了世界格局。

1978，在那一年的年底，中共中央一次全体会议——十一届三中全会扭转了中国的前进方向，开辟了一个时代。回首过去，我们发现，一些观念从那时开始在中国出现，一些声音从那时开始逐渐响起，一些人物开始登上历史舞台。从这一年开始，随着"加强社会主义民主，健全社会主义法制"历史性任务的提出，"法制"两个字进入了人们的视野；政法机关开始恢复重建；法律院系开始蓬勃发展。一部部法律从庙堂走进了人们的生活，一次次裁决推动着国家前进的脚步。从"有法可依、有法必依、执法必严、违法必究"到"科学立法、严格执法、公正司法、全民守法"；从"法制"到"法治"；从法治观念的形成到"依法治国，建设社会主义法治国家"写进宪法，再到"法治国家、法治政府、法治社会一体建设"，人们对法治的认识步步深入，中国的改革不断向前推进，结出丰硕的果实。在中国共产党的带领下，这个励精图治的古老国度，再一次创造了改革的奇迹。

40年发生了无数故事,40年产生了许多事物。为了纪念这难忘的40年,本社组织编辑出版了一批“纪念改革开放40周年”主题图书。这些图书,将40年来颁布的重要法律及其释义甄选汇集,将法学领域有代表性的学术论文萃取精编,把有关政法机关的重建、法律院系的重生与发展进行展现,将一批被时代改变命运的人物再次唤起。我们希望从法律与法律人的视角,重新审视过去的40年,认真体会这不平凡的40年。

如江河东下,逝者如斯。岁月总会过去,人事总有代谢,但一个不平凡的时代留下的深刻痕迹,永远不会磨灭。“不忘初心,牢记使命”,习近平总书记在党的十九大报告中向全党发出的号召,使我们有理由期待,下一个40年,中国将更加惊艳!

法律出版社编辑委员会

2018年10月

出 版 前 言

《中华人民共和国法律释义丛书》是由全国人大常委会法制工作委员会主持组织编辑的一套系列丛书。

该套丛书由一系列法律释义组成。邀请有关专家、学者和部分参与立法的同志编著。该丛书坚持以准确地反映立法宗旨和法律条款内容为最基本要求,在每部法律释义中努力做到观点的权威性和内容解释的准确性。

我们相信,该套丛书的陆续出版,将会给广大读者进一步学好法律提供有益的帮助。

重印说明

本次重印，是为改革开放40周年制作的特别纪念版，为了保持内容原貌，未对正文和附录作实质修改。个别法条内容有修订或修正的，以脚注形式作了标注。特此说明。

2018年10月

前　言

1993 年 8 月,国务院制定颁布了《国家公务员暂行条例》,在各级国家行政机关建立和推行公务员制度,并在党的机关、人大机关、政协机关以及民主党派、群团机关参照试行。十多年来,公务员制度的推行促进了机关干部人事管理的科学化、制度化、民主化,社会各界普遍认为这是一项成功的改革。同时,暂行条例颁布十多年来,我国的经济政治社会各方面都发生了巨大的变化,干部人事制度改革不断深化,积累了丰富的经验,形成了许多新的成果,需要通过立法,进一步加以总结完善。2005 年 4 月 27 日,第十届全国人大常委会第十五次会议审议通过了《中华人民共和国公务员法》,这是我国干部人事管理领域的第一部综合性法律,对规范公务员的管理,保障公务员的合法权益,加强对公务员的监督,建设高素质的公务员队伍,促进勤政廉政,提高工作效能,具有重要意义。

为了配合公务员法的学习、宣传和贯彻实施,参加公务员法立法工作的有关同志编写了这本公务员法释义。全书由杨景宇、李飞同志任主编。具体撰稿分工如下:许安标,第一、十二章;陈希文,第二、五、八章;黄宇菲,第四、十章;陈斯喜,第六章;黄薇,第七章;李洪雷,第九章;童卫东,第十三章;刘玫,第十五章;武增,第十六、十七、十八章;武增、李洪雷,第三章;武增、黄海华,第十一章;汪洋、陈希文,第十四章。陈希文同志收集整理有关资料。完稿之后,由许安标同志统稿,然后由杨景宇、李飞同志审改定稿。

在写作过程中，我们力求根据立法原意、立法背景和公务员制度的理论与实践，对条文所包含的理论、含义进行阐述和解释，以便对本法的学习理解和贯彻执行有所裨益。但是，由于公务员法刚颁布不久，许多具体配套制度还在研究拟定中，加之水平有限，书中的不妥之处在所难免，欢迎读者批评指正。

作者

2005 年 5 月 20 日

目　　录

第一部分　释　　义

第二部分 附 录

第一部分 释 义

第一章 总 则

总则是对法的一般性问题作出规定，主要是对立法目的、依据、调整范围、基本原则和管理体制等问题作出规定。本法的总则共十条，内容包括：立法目的和根据，调整范围，本法的指导思想，公务员管理的原则，公务员主管部门的职责和权限等。这些内容的确定和规范，为以后各章具体条文的设计确定了指导原则和理论前提。

第一条 为了规范公务员的管理，保障公务员的合法权益，加强对公务员的监督，建设高素质的公务员队伍，促进勤政廉政，提高工作效能，根据宪法，制定本法。

【释义】 本条是关于立法目的和根据的规定。

一、制定公务员法的必要性。主要体现在三个方面：一是贯彻依法治国、实现干部人事依法管理的需要。宪法明确地规定了我国法制建设的目标，即依法治国，建设社会主义法治国家。党的十六大提出，到2010年形成中国特色社会主义法律体系，党要“坚持依法执政”。干部人事管理法律规范是社会主义法律体系的重要组成部分，干部人事管理的法治化是依法治国的重要内容。建国五十多年来，我国一直没有一部干部人事管理的综合性法律。公务员法的制定颁布，填补了这一空白，具有里程碑意义。二是进一步完善公务员制度的需要。1993 年 8 月，国务院制定颁布了《国家公务员暂行条例》，在各级国家行政机关建立和推行公务员制度，并在党的机关、人大机关、政协机关以及民主党派、群团机关参照试行。十多年来，公务员制度的推行促进了机关干部人事管理的科学化、民主化、制度化，对优化干部队伍、促进勤政廉政、增强干部队伍活力、提高工作效能，发挥了重要的作用，社会各界普遍认为这是一项成功的改革。同时，暂行条例颁布十多年来，我国的政治经济社会各方面都发生了巨大的变化，干部人事制度改革不断深化，积累了丰富的经验，形成了许多新的成果，需要通过立法，进一步加以总结完善。三是加强国家管理，为社会提供高效优质服务的需要。国家的一项重要职能是为社会提供服务，而其服务职能是由广大公务员的工作来实现的。公务员的工作质量和效率直接影响国家机关工作的质量和效率。通过制定公务员法，对公务员的义务、权利和管理作出全面具体的规定；通过对公务员的严格要求、严格管理、严格考核，提高公务员的素质，规范公务员的行为，加强对公务员的监督，保障公务员的权利，使公务员为社会提供优质高效的服务。

二、公务员法的制定过程。公务员法的起草制定，大致经过了三个阶段：第一阶段是 2000 年 8 月到 2004 年 3 月，研究起草阶段。2000 年 8 月，中组部、人事部在深入调查研究，总结暂行条例实施经验的基础上，着手研究起草公务员法，组建了一个实际部门和专家学者相结合的起草班子。起草工作中，认真总结暂行条例颁布实施的经验，深入研究近十年来干部人事改革的新成果，广泛比较研究世界各主要国家公务员制度发展的情况，经反复研究论证，形成了公务员法草案送审稿，由人事部于 2004 年 3 月报送国务院。第二阶段是 2004 年 3 月到 2004 年 12 月，国务院审查提出议案阶段。国务院法制办收到草案送审稿后，立即征求了各中央部门和各省、自治区、直辖市人民政府以及有关民主党派的意见。在此基础上,法制办会同中组部、人事部对送审稿作了反复研究修改,形成公务员法草案,并报国务院常务会议讨论通过。第三阶段是2004 年 12 月到2005 年 4 月 27 日,全国人大常委会审议通过、国家主席签署公布阶段。2004 年 12 月 25 日,第十届全国人大常委会第十三次会议将公务员法草案列入议程,人事部部长张柏林受国务院的委托,在常委会全体会议上作关于公务员法草案的说明,随后常委会分组会议对草案进行了审议。会后,法制工作委员会将草案印发中央有关部门、各地和法律教学科研单位征求意见;法律委员会、内务司法委员会和法制工作委员会还联合召开了三个座谈会,听取中央有关部门和部分专家的意见。法律委员会于2005 年 4 月先后两次召开会议,根据各方面的意见,对草案进行了逐条审议,提出了修改意见。2005 年 4 月 25 日,全国人大常委会第十五次会议召开,法律委员会副主任委员胡光宝在全体会议上作关于公务员法草案审议结果的报告,随后会议对草案二次审议稿进行了分组审议。会议期间,根据常委会组成人员的审议意见作了进一步的修改完善,4 月 27 日由常委会全体会议表决通过。当日,国家主席胡锦涛签署主席令予以公布,自 2006 年 1 月 1 日起施行。

三、制定公务员法的指导思想与宗旨。立法的指导思想和宗旨是一部法律的基点,它为立法活动指明方向和提供理论依据,对于确定法律的原则、设计法律制度、起草拟订条文、处理解决分歧意见等具有重要的指导意义。

制定公务员法的指导思想是,以马克思列宁主义、毛泽东思想、邓小平理论和“三个代表”重要思想为指导,贯彻党的十六大精神,坚持党管干部的原则,体现现行干部管理体制的要求,改革和完善公务员制度,为全面建设小康社会提供组织保证和人才支持。

公务员法的立法宗旨有以下四个方面:一是规范公务员的管理。从制定该法的直接目的来看,就是为了使公务员的管理有法可依,有章可循。也就是说,总结长期以来党和国家干部人事管理的经验,借鉴国外人事行政管理中有益的、科学的管理原则和管理办法,形成科学合理的公务员管理规范,以保证公务员管理的科学化和法制化。二是保障公务员的合法权益。权益包括权利和利益。在实践中,公务员的权益会受到各种不法的侵犯,比如:有些地方长期拖欠工资,没有按时足额地发给工资、退休金等;有的公务员在职务升降、考核中受到不公正待遇等。这些会严重影响公务员工作的积极性,需要努力避免和克服。因此公务员法把保障公务员的合法权益作为立法宗旨之一。三是加强对公务员的监督,促进勤政廉政。公务员是国家的公职人员。为了防止公务员滥用手中的权力,对公务员的义务、纪律需要作特别要求。对公务员的这种特别要求不同于对普通公民的要求,也不同于对一般的在国有企业、事业单位工作的公职人员的要求。为了加强对权力的监督和制约,需要加强对公务员的监督。四是建设高素质的公务员队伍,提高工作效能。在新形势下,加强党的执政能力建设,推进民主法制建设,做好经济调节、市场监管、公共管理和社会服务等工作,需要造就一批高素质的人才,需要有一套公务员从事公务活动的科学、民主的行为规范。这就需要在制度和机制上吸引优秀人才加入公务员队伍,在他们加入公务员队伍后,通过培训、锻炼等各种形式提高公务员队伍的素质;需要进一步完善公务员的行为规范,强化公务员的服务意识和效率意识,以最少的投入争取最大的管理效益,不断提高管理水平,提高工作效能。

四、制定公务员法的依据。本法的立法依据是中华人民共和国宪法。宪法对国家机关的工作制度、国家机关工作人员的权利义务,以及中央和地方各级政权机关的职权与组织制度等作了规定。宪法确立了人民代表大会制度为国家的根本政治制度,规定了国家机构实行民主集中制的组织原则。宪法第二十七条还规定:"一切国家机关实行精简的原则,实行工作责任制,实行工作人员的培训和考核制度,不断提高工作质量和工作效率,反对官僚主义。一切国家机关和国家工作人员必须依靠人民的支持,经常保持同人民的密切联系,倾听人民的意见和建议,接受人民的监督,努力为人民服务。"这些规定都是制定立法的直接依据。

第二条　本法所称公务员,是指依法履行公职、纳入国家行政编制、由国家财政负担工资福利的工作人员。

【释义】　本条是关于公务员范围的规定。

一、国外公务员范围的一些情况。从世界各国的情况来看,各国公务员的范围不尽一致,大体说来有三种类型:第一种是以英国为代表的小范围,即公务员仅指中央政府系统中非选举产生和非政治任命的事务官,不包括由选举或政治任命产生的内阁成员及各部政务次官、政治秘书等政务官。许多英联邦国家也基本属此类型。第二种是以美国为代表的中范围,即中央政府机关中的所有公职人员,包括政务官与事务官都称为公务员,但适用于国家公务员法规的只是事务官。第三种是以法国为代表的大范围,把从中央到地方行政机关的公职人员、各级立法机关、审判机关、检察机关、国立学校及医院、国有企业等部门的所有正式工作人员都统称为公务员。其中又将公务员分为两大部分:一部分是不适用公务员法的公务员,如议会的工作人员、法院的法官、军事人员等;一部分是适用于公务员法的公务员,如中央政府和地方政府机关中从事行政事务管理的公职人员、外交人员、教师、医务人员等。日本也属此类型。总的来看,各国公务员范围各不相同,都是根据本国的政治制度、文化传统以及人事管理的实际情况确定的。

二、对公务员范围的不同意见。公务员法草案第二条曾规定:"本法所称公务员,是指依照法律规定管理国家事务和履行社会公共事务管理职能、使用国家行政编制、由国家财政负担工资福利的机关中除工勤人员以外的工作人员。”按照草案说明，草案规定的公务员范围包括中国共产党和民主党派机关的工作人员、法官、检察官等。对此，在审议和征求意见过程中，主要有三种不同意见：一是认为草案规定的公务员范围过宽。其主要理由是：政党机关工作人员以及法官、检察官在工作性质、职责权限、工作方式、权利义务、管理体制等方面都不同于行政机关工作人员，不加区别地纳入公务员的范围，会淡化公务员制度的特点，也会给科学设定公务员的纪律、义务、管理规范等带来诸多不便。从国际上看，公务员范围通常是指政府机关工作人员。建议按照分类管理的思路，分别立法、分别管理。二是认为草案规定的公务员范围应再扩大。有的建议参照法官、检察官的模式，将中国人民解放军军官纳入公务员范围；有的建议将交通海事工作人员、教师等纳入公务员范围。三是认为草案关于公务员定义的规定与所要调整的一些公务员的性质和职责不对应。

三、公务员的界定标准与范围。针对公务员范围的各种不同意见，全国人大法律委员会经反复研究认为，干部管理制度正处在改革过程中，公务员的范围需要同民主政治发展进程相适应，同我国现阶段干部管理体制相符合，草案的规定符合实际情况，建议维持草案规定的范围；同时，建议对关于公务员定义的表述作修改完善，以符合所要规范的公务员范围。最后，立法机关接受了这个建议。公务员法规定：“本法所称公务员，是指依法履行公职、纳入国家行政编制、由国家财政负担工资福利的工作人员。”按照上述规定，是否属于公务员，必须符合三个条件：一是依法履行公职。即依法从事公务活动的人员，他不是为自己工作，也不是为某个私人的企业或者组织工作或者服务。这里所依的“法”，是广义的“法”，包括宪法、法律、行政法规、地方性法规等。宪法确定了中国共产党在国家政治生活和社会生活中的领导地位，中国共产党是执政党,各民主党派是参政党。因此,政党机关及其工作人员以不同方式参与对国家政治、经济和社会事务的决策及实施的活动也是一种履行公职行为。二是纳入国家行政编制。仅以履行公职为标准,还不能作出明确的界定。有一些在国家举办的事业单位中工作的人员,他们从事的也是公务活动,但并未纳入国家的行政编制序列,因而不能认定为公务员。必须是纳入国家行政编制序列、履行公职的人员。对于"编制"一词,实践中有多种用法,除使用行政编制外,还有政法编制、国家编制、机关编制等。这里的"编制"系指各种纳入国家编制管理机关管理的机构序列及人员,不仅限于行政机关编制。三是由国家财政负担工资福利。也就是由国家为他们提供工资、退休和福利等保障。公务员属于国家财政供养的人员,但并不是财政供养的人员都是公务员。财政供养人员的很大一部分,如公立学校的老师、科研院所的科研人员等,虽然由国家负担其工资福利,但不属于公务员,因为他们不具备另外两个条件。

根据公务员法草案说明、全国人大法律委员会关于公务员法草案审议结果的报告,按照上述界定标准,公务员的范围主要是以下七类机关的工作人员:(1)中国共产党机关的工作人员。包括中央和地方各级党委、纪委的专职领导成员;中央和地方各级党委工作部门和纪检机关的工作人员;街道、乡(镇)党委机关的工作人员。(2)人大机关的工作人员。包括全国人大常委会委员长、专职副委员长、秘书长、专职常委,地方各级人大常委会主任、专职副主任、秘书长,专职常委乡(镇)人大专职主席、副主席;各级人大常委会机关工作人员;各级人大专门委员会专职组成人员及其办事机构工作人员。(3)行政机关的工作人员。包括各级人民政府的组成人员,各级人民政府工作部门及派出机构的工作人员。(4)政协机关的工作人员。包括政协各级委员会主席、专职副主席、秘书长;政协各级委员会工作机构的工作人员;政协专门委员会办事机构的工作人员。(5)审判机关的工作人员。包括最高人民法院、地方各级人民法院的法官、审判辅助人员和行政管理人员。(6)检察机关的工作人员。包括最高人民检察院、地方各级人民检察院的检察官、检察辅助人员和行政管理人员。(7)民主党派机关的工作人员。包括八个民主党派中央和地方各级委员会主席(主委)、专职(驻会)副主席(副主委)、秘书长;中央和地方各级委员会职能部门和办事机构的工作人员。

四、确立公务员范围的依据。公务员法确定公务员的上述范围,其主要的考虑如下:一是我国政治制度的特点。坚持中国共产党的领导是我国宪法确定的基本原则之一。中国共产党领导的多党合作和政治协商制度是我国的一项基本政治制度。中国共产党是执政党,各民主党派是参政党,中国人民政治协商会议是具有广泛代表性的统一战线组织。中国共产党机关、各民主党派机关、政协机关同人大、政府、法院、检察院等国家机关都是我国政治制度中不可缺少的部分,各自依法发挥着特定的作用。这是我国政治制度的基本特点,也是确定我国公务员范围必须考虑的重要因素。二是我国干部人事管理的现实情况。改革开放以来,围绕建立了同社会主义市场经济体制相适应的人事管理新体制,我国积极推行以分类管理为重要内容的人事制度改革,对过去大一统的"国家干部"队伍进行合理分解,将党政机关干部与企业、事业单位的干部区分开来,分别建立各具特点的人事制度。原则上,机关干部实行公务员制度,国有企业实行劳动合同制,国有事业单位实行聘用制和岗位管理制度。实践证明,这种人事管理制度符合我国当前国情的人事分类管理体制,也是确定公务员范围的基础。三是国际上通行的做法。尽管各国因国情不同,公务员范围大小不一,但各国对公务员范围的确定有三条共同标准:一是职能标准,公务员是从事国家公务活动的人员;二是编制标准,公务员严格执行国家编制限额;三是经费标准,公务员的工资、福利、保险都由国家财政支付。我国公务员法对公务员的界定标准与国际上的做法是基本一致的。

五、参照公务员法执行的范围。公务员法草案曾规定两类人员参照公务员法执行：一类是人民团体、群众团体中除工勤人员以外的工作人员；一类是行使公共管理职能的事业单位中除工勤人员以外的工作人员，经批准参照公务员法执行。在审议和征求意见过程中，有的提出，人民团体、群众团体属于非政府组织，规定参照适用公务员法，不利于其作为非政府组织开展活动。同时，群众团体的数量很大、情况复杂，也不宜笼统规定参照公务员法进行管理。人民团体、群众团体工作人员管理中的实际问题可以由国家或者中央有关部门另行规定解决。因此，立法机关最终删去了人民团体和群众团体中的工作人员参照公务员法执行的规定。从现实管理需要来看，在有关人民团体、群众团体工作人员管理的专门性规定出台前，作为过渡，需要区分不同情况，由中央有关部门规定哪些团体参照以及如何参照公务员法执行。对于行使公共管理职能的事业单位中的工作人员，公务员法明确作了规定。这类事业单位中的工作人员参照本法执行，必须具备三个条件：一是经法律、法规授权，二是具有管理公共事务的职能，三是经有权机关批准。

六、在机关工作而不属于公务员范围的人员。机关中的工勤人员不属于公务员范围，主要原因：一是，工勤人员的工作纯属后勤服务性质；他们是事业编制，而不是行政编制；他们的工资福利，不是完全由财政承担，有一部分来源于为机关提供服务获得的费用。二是，从历史延续性来看，工勤人员过去也不属于机关干部范畴，对他们是按劳动法规进行管理的；公务员的管理办法对他们不适用，他们的录用不需要经过公务员录用考试，他们的考核、奖惩、职务升降等等都与公务员不同。三是，通过改革，机关后勤工作将逐步社会化，从这方面看，工勤人员也不宜列入公务员范围。

第三条　公务员的义务、权利和管理，适用本法。

法律对公务员中的领导成员的产生、任免、监督以及法官、检察官等的义务、权利和管理另有规定的，从其规定。

【释义】　本条是关于本法适用范围的规定。

一、公务员法是关于公务员义务、权利和管理规范的法律。本法的内容主要是三个方面：一是公务员的义务、纪律和监督。义务是法律关系的主体必须做出或不得做出某种行为。公务员的义务是与其公职身份密切联系的义务，公务员法规定公务员必须履行的义务是：模范遵守宪法和法律；按照规定的权限和程序认真履行职责，努力提高工作效率；全心全意为人民服务，接受人民监督；维护国家的安全、荣誉和利益；忠于职守，勤勉尽责，服从和执行上级依法作出的决定和命令；保守国家秘密和工作秘密；遵守纪律，恪守职业道德，模范遵守社会公德；清正廉洁，公道正派；以及法律规定的其他义务。义务在公务员工作中的具体化就公务员的纪律。公务员法规定了公务员不得散布有损国家声誉的言论，组织或者参加旨在反对国家的集会、游行、示威等十六项纪律。为保证这些义务、纪律得到严格的履行，法律还专门规定了惩戒，以确保义务得到履行。二是公务员的权利及保障。权利是法律关系的主体可以做出或者不做出一定行为的资格。公务员的权利是因其担任公务员而取得的，与公务员身份密切联系。公务员法规定公务员的权利主要有：享有获得履行职责应当具有的工作条件；非因法定事由、非经法定程序，不被免职、降职、辞退或者处分；获得工资报酬，享受福利、保险待遇；参加培训；对机关工作和领导人员提出批评和建议；提出申诉和控告；申请辞职；以及法律规定的其他权利。为了保障公务员的权利，还规定了公务员的申诉控告制度、工资保险制度和退休制度等。三是公务员的管理制度，如职务与级别、录用考核、职务升降和任免、培训等。有关公务员的义务、权利和管理都要按本法规定办理。

二、法律对领导成员的产生、任免、监督另有规定的，从其规定。根据公务员法附则关于领导成员的解释，领导成员是指机关的领导人员，不包括机关内设机构担任领导职务的人员。如国务院各部委的部长、副部长和秘书长等，省级人民政府各委办局的正职领导人、副职领导人等即属于领导成员的范围。对于领导成员中的一部分人员，特别是国家机关的领导人员的产生、任免和监督，宪法、全国人大组织法、国务院组织法、地方各级人大和政府组织法、人民法院组织法、人民检察院组织法等作了相应规定。宪法第六十二条规定：全国人大选举中华人民共和国主席、副主席；根据中华人民共和国主席的提名，决定国务院总理的人选；根据国务院总理的提名，决定国务院副总理、国务委员、各部部长、各委员会主任、审计长、秘书长的人选；选举最高人民法院院长；选举最高人民检察院检察长。宪法第六十七条规定：全国人大常委会在全国人大闭会期间，根据国务院总理的提名，决定部长、委员会主任、审计长、秘书长的人选；在全国人大闭会期间，根据最高人民法院院长的提请，任免最高人民法院副院长、审判员、审判委员会委员和军事法院院长；根据最高人民检察院检察长的提请，任免最高人民检察院副检察长、检察员、检察委员会委员和军事检察院检察长，并且批准省、自治区、直辖市的人民检察院检察长的任免；决定驻外全权代表的任免。地方各级人民代表大会和地方各级人民政府组织法第八条规定：县级以上的地方各级人民代表大会选举省长、副省长，自治区主席、副主席，市长、副市长，州长、副州长，县长、副县长，区长、副区长；选举本级人民法院院长和人民检察院检察长；选出的人民检察院检察长，须报经上一级人民检察院检察长提请该级人民代表大会常务委员会批准。第九条规定：乡、民族乡、镇的人民代表大会选举本级人大主席、副主席；选举乡长、副乡长，镇长、副镇长。第四十四条还规定：县级以上的地方各级人大常委会在本级人大闭会期间，决定副省长、自治区副主席、副市长、副州长、副县长、副区长的个别任免;根据省长、自治区主席、市长、州长、县长、区长的提名,决定本级人民政府秘书长、厅长、局长、委员会主任、科长的任免,报上一级人民政府备案;按照人民法院组织法和人民检察院组织法的规定,任免人民法院副院长、庭长、副庭长、审判委员会委员、审判员,任免人民检察院副检察长、检察委员会委员、检察员,批准任免下一级人民检察院检察长;省、自治区、直辖市的人大常委会根据主任会议的提名,决定在省、自治区内按地区设立的和在直辖市内设立的中级人民法院院长的任免,根据省、自治区、直辖市的人民检察院检察长的提名,决定人民检察院分院检察长的任免。领导成员同其他公务员的管理,除了产生和任免明显不同以外,其他管理事项也不尽相同,如考核办法等。按照我国立法法的规定,同一个机关制定的法律,一般规定与特别规定不一致的,适用特别规定。因此,法律对领导成员的义务、权利和管理另有规定的,从其规定。

三、法律对法官、检察官的义务、权利和管理另有规定的,从其规定。法官、检察官与人大、政府、政协等机关的工作人员具有共同点。他们都是国家公职人员,他们在素质要求、工资福利、退休保障等方面具有相同的一面。特别是法院、检察院从事行政管理的人员,其性质与其他机关的工作人员相同。因此,公务员法将法官、检察官纳入调整范围。同时,考虑到我国已经颁布法官法、检察官法,对法官、检察官的义务、权利和管理等作了具体规定。如法官法针对法官职业的特点,规定法官审判案件必须以事实为根据,以法律为准绳,秉公办案;依法保障诉讼参与人的诉讼权利等。法官依法审判案件不受行政机关、社会团体和个人的干涉。检察官法也有类似的规定。这些规定与公务员法关于公务员的义务和权利的精神一致,但更具有针对性。为了使法官法、检察官法与公务员法衔接起来,对于法官法、检察官法对法官、检察官的义务、权利和管理另有规定的,从其规定。法官、检察官的义务、权利和管理与公务员相比，其不同点主要是因为其职业特点不同而产生的，更具有针对性。此外，人民警察法对人民警察的义务与纪律也有专门规定，具有较强的针对性。人民警察法对人民警察的权利、义务等另有规定的，要按照上述原则来处理。

第四条　公务员制度坚持以马克思列宁主义、毛泽东思想、邓小平理论和“三个代表”重要思想为指导，贯彻社会主义初级阶段的基本路线，贯彻中国共产党的干部路线和方针，坚持党管干部原则。

【释义】　本条是关于公务员制度原则的规定。

一、公务员制度以马克思列宁主义、毛泽东思想、邓小平理论和“三个代表”重要思想为指导。马克思列宁主义揭示了人类社会历史发展的规律，具有强大的生命力。以毛泽东同志为代表的中国共产党人，把马克思列宁主义的基本原理同中国革命的具体实践结合起来，创立了毛泽东思想。毛泽东思想是马克思列宁主义在中国的运用和发展，是被实践证明了的关于中国革命和建设的正确的理论原则和经验总结，是中国共产党集体智慧的结晶。党的十一届三中全会以来，以邓小平同志为代表的中国共产党人，带领全国各族人民，总结历史的经验教训，解放思想，实事求是，逐步形成了建设中国特色的社会主义的路线、方针、政策，阐明了在中国建设社会主义、巩固和发展社会主义的一系列基本问题，创立了邓小平理论。邓小平理论是马克思主义的基本原理同中国实践和时代特征相结合的产物，是毛泽东思想在新的历史条件下的继承和发展，是马克思主义在中国发展的新阶段，是当代中国的马克思主义。党的十三届四中全会以来，以江泽民同志为主要代表的中国共产党人，高举邓小平理论伟大旗帜，准确地把握时代特征，科学判断我们党所处的历史方位，围绕建设中国特色社会主义这个主题，集中全党智慧，对马克思主义理论进行创新，形成了“三个代表”重要思想。“三个代表”重要思想同马克思主义、毛泽东思想、邓小平理论是一脉相承而又与时俱进的科学体系，是马克思列宁主义在中国发展的最新成果，是面向21世纪的中国化的马克思主义。公务员法以马克思列宁主义、毛泽东思想、邓小平理论和“三个代表”重要思想为指导，进行制度创新和设计，致力于建设中国特色公务员制度。公务员法从现阶段的中国国情出发，与中国特色社会主义政治制度相适应，着重解决和规范公务员制度中的主要问题；同时，保持公务员制度的稳定性和连续性，吸收改革的成果，进一步完善了公务员制度。

二、公务员制度贯彻社会主义初级阶段的基本路线。宪法以国家根本法的形式，对党在社会主义初级阶段的基本路线作了完整、准确的表述。党的基本路线可以概括为“一个中心，两个基本点”，即以经济建设为中心，坚持四项基本原则，坚持改革开放。四项基本原则是指，坚持社会主义道路，坚持人民民主专政，坚持中国共产党的领导，坚持马列主义、毛泽东思想、邓小平理论和“三个代表”重要思想。宪法序言明确规定：“我国将长期处于社会主义初级阶段。国家的根本任务是，沿着中国特色社会主义道路，集中力量进行社会主义现代化建设。中国各族人民将继续在中国共产党领导下，在马克思列宁主义、毛泽东思想、邓小平理论和‘三个代表’重要思想指引下，坚持人民民主专政，坚持社会主义道路，坚持改革开放，不断完善社会主义的各项制度，发展社会主义市场经济，发展社会主义民主，健全社会主义法制，自力更生，艰苦奋斗，逐步实现工业、农业、国防和科学技术的现代化，推动物质文明、政治文明和精神文明协调发展，把我国建设成为富强、民主、文明的社会主义国家。”宪法的上述规定，集中表述了社会主义初级阶段的基本路线，这也是宪法的基本原则中核心的部分。社会主义初级阶段的基本路线符合我国实际情况，代表和反映了全国人民的共同意志和根本利益。党和国家的一切工作都要坚持基本路线，公务员制度也必须坚持这条基本路线，这是公务员制度坚持正确的政治方向，建设高素质的公务员队伍的根本保证。在社会主义初级阶段，要把集中力量发展社会生产力摆在首要地位。围绕发展社会生产力这个根本任务，把改革作为推进建设中国特色社会主义事业各项工作的动力。坚持四项基本原则是我们的立国之本，改革开放是解放和发展生产力的必由之路。

三、公务员制度贯彻中国共产党的干部路线和方针。党的干部指党的各级领导机关的工作人员，以及由共产党党员出任的机关、团体、军队、企业事业单位的领导人员和管理人员。《中国共产党章程》明确规定："党的干部是党的事业的骨干，是人民的公仆。党按照德才兼备的原则选拔干部，坚持任人唯贤，反对任人唯亲，努力实现干部队伍的革命化、年轻化、知识化、专业化。党重视教育、培训、选拔和考核干部，特别是培养、选拔优秀年轻干部。积极推进干部制度改革。党重视培养、选拔女干部和少数民族干部。"党的干部路线和方针是党在进行革命斗争过程中形成的。党的十一届三中全会后，针对党和国家干部队伍不能适应社会主义现代化建设需要的实际情况，邓小平同志提出了"革命化、年轻化、知识化、专业化"的"四化"方针。江泽民同志在党的十六大报告中提出，要"以建立健全选拔任用和管理监督机制为重点，以科学化、民主化和制度化为目标，改革和完善干部人事制度，健全公务员制度"。公务员队伍是党的干部队伍的重要组成部分，因此，应当贯彻党的干部路线和方针。公务员法全面体现和贯彻了党的干部路线和方针，其中最直接的规定是：公务员的任用，坚持任人唯贤、德才兼备的原则，注重工作实绩。对于公务员晋升职务，规定应当具备拟任职务所要求的思想政治素质、工作能力、文化程度和任职经历等方面的条件和资格。

四、公务员制度坚持党管干部的原则。党管干部主要是指各级党委坚持贯彻执行党的干部路线和方针，严格按照党的原则选拔任用干部,并对各级、各类干部进行有效的管理和监督,包括考察、选拔、推荐、任用、监督等各个环节。党管干部原则,是巩固党的执政地位的一个重要保证,是党和国家干部管理制度的根本原则,也是坚持党的领导在干部工作中的具体体现,是实现党的政治领导和思想领导的组织保证。党管干部的实质,就是要保证党对干部人事工作的领导权和对重要干部的管理权,包括制定干部人事工作的方针,管理和推荐重要干部,做好对干部人事工作的宏观管理和监督等。作为一个执政党,如果不直接选人用人,党的事业就会失去组织保证,党的领导就会成为一句空话。因此,党管干部的原则,必须始终不渝地坚持。公务员法是党的干部路线和方针的法律化、制度化,在具体制度中体现党对各类公务员的统一管理,为党管干部提供了制度保证。

以马克思列宁主义、毛泽东思想、邓小平理论和"三个代表"重要思想为指导,贯彻社会主义初级阶段的基本路线,贯彻中国共产党的干部路线和方针,坚持党管干部原则,表明了我国公务员制度的基本特点:它体现党的组织路线,是为党的政治路线服务的。这一点与西方国家的公务员制度有着本质不同。西方国家公务员制度强调所谓的"政治中立"原则,要求公务员不得参加竞选,不得参加竞选募捐等党派活动,在公务活动中不得带有所谓的"政治倾向性"等等。它们的"政治中立"主要是对党派保持中立,这是在多党竞争体制下为了保持国家行政管理的连续性和稳定性而规定的原则。我国不存在多党竞争的问题,中国共产党是领导我国社会主义事业的核心力量,公务员只有在公务活动中认真贯彻执行党的基本路线和方针政策,才能保证行政管理的正确有效。

第五条　公务员的管理,坚持公开、平等、竞争、择优的原则,依照法定的权限、条件、标准和程序进行。

【释义】 本条是关于公务员管理原则的一般规定。

一、公开的原则。公开的本意是不加隐蔽。行政程序中的公开,其基本含义是行政行为除依法应当保密的以外,应一律公开进行;行政法规、规章、行政政策以及行政机关做出影响行政相对人权利、义务的行为的标准、条件、程序应当依法公布,允许相对人依法查阅、复制;有关行政会议、会议决议、决定以及行政机关及其工作人员的活动情况应允许新闻媒介依法采访、报道和评论。公开的主要要求包括两点:一是法规、政策公开,二是行政行为公开。公务员管理贯彻体现公开的原则,既是依法行政的要求,也是政务公开的体现。其要求主要包括:一是向社会公开有关公务员制度的法律、法规和政策;二是向社会公开录用公务员、公开选拔公务员的资格条件,公开考试内容、方式和方法,公开考试成绩和录用或者选拔结果;三是对公务员公开考核、奖惩、职务升降、工资福利、辞职辞退和退休等工作的标准、依据和程序。所有这些公开,是实现公务员平等竞争的基本前提条件。没有公开,暗箱操作,平等竞争就成了一句空话。有了公开,普通公民不仅有了知情权,而且为其参加公务员录用竞争和对公务员进行监督提供了必要的条件。

二、平等的原则。我国宪法规定,中华人民共和国公民在法律面前一律平等。所有公民都平等地享有宪法和法律规定的权利,所有的公民都平等地履行宪法和法律规定的义务,国家司法机关和行政机关在适用法律时,对所有公民的合法权益都予以平等保护,任何公民个人或者组织都不得享有超越宪法和法律的特权。公务员管理的平等原则是宪法关于法律面前人人平等的原则在公务员制度中的体现和反映。平等即机会均等。即在承认人的知识、能力等差异的基础上,允许所有符合法定条件的公民参加公务员考试,都享有按照个人能力和成就依法担任公务员的权利和机会。每个符合条件的公民均有申请报考公务员的权利,并有同等的机会参加公务员的录用考试,以同一标准决定是否被录用,不因种族、民族、家庭出身、宗教信仰、性别和教育程度等受到歧视或享有特权。在进入公务员队伍以后,在考核、培训、奖惩、职务升降、工资福利和退休等方面,同样是机会均等,即依照法律规定的不同情况,平等地享有权利,在同等条件下享受同等待遇。

三、竞争择优的原则。即在公务员的录用、公开选拔和职务晋升等方面,引入竞争机制。在公开、平等的基础上,在报考者之间、公务员之间展开竞争,实行优胜劣汰,优升劣降,好中选优,以使优秀人才脱颖而出,使公务员队伍保持生机和活力,从整体上不断提高公务员的素质,提高行政效率。竞争的目的是为了择优,而择优的前提是必须存在竞争。竞争择优是公开平等的目的和必然结果。公务员法对竞争择优在制度设计方面给予了充分体现:在录用主任科员以下及其他相当职务层次的非领导职务公务员,采取公开考试、严格考察、平等竞争、择优录取的办法;根据考试成绩确定考察人选,根据考试成绩、考察情况和体检结果,提出拟录用人员名单;机关内设机构厅局级正职以下领导职务出现空缺时,可以在本机关或者本系统内通过竞争上岗的方式,产生任职人选;厅局级正职以下领导职务或者副调研员以上及其他相当职务层次的非领导职务出现空缺,可以面向社会公开选拔,产生任职人选;确定初任法官、检察官的任职人选,可以面向社会,从通过国家统一司法考试取得资格的人员中公开选拔。

四、法治的原则。依法治国是党领导人民治理国家的基本方略,它体现在行政管理领域,就是要依法行政;体现在党的执政活动上,就是要依法执政,实现执政方式的转变。依法行政,简单地说,就是法定的行政机关,在法定的权限范围内,按照法定程序履行行政管理职责,并接受监督。行政机关的设立及其职权的赋予,应当由法律规定。行政机关要按照法律规定的权限和程序行使职权,并接受司法机关和有关机关的监督。公务员管理坚持法治原则,既是依法治国,依法执政、依法行政的客观需要,也是公务员管理制度的必然要求。无论是公开平等,还是竞争择优,都需要通过法律来予以保障,也需要通过法律来统一对公开平等、竞争择优的认识。公开、平等、竞争、择优最终要体现在法律上,也就是公务员管理机关按照法定的权限、条件、标准和程序进行管理。关于公务员管理机关的管理权限,本法第十条规定,中央公务员主管部门负责全国公务员的综合管理工作。县级以上地方各级公务员主管部门负责本辖区内公务员的综合管理工作。公务员主管部门要严格按权限进行,做到职权法定。关于公务员的条件,公务员法第十一条规定:担任公务员应当具有中华人民共和国国籍,年满十八周岁,拥护中华人民共和国宪法,具有良好的品行,具有正常履行职责的身体条件,具有符合职位要求的文化程度和工作能力等。关于公务员晋升的条件,党政领导干部选拔任用工作条例作了全面规定,要坚持按法定的条件和标准选人用人。关于公务员的工资福利保险的标准,法律、法规和政策都有规定,应当严格执行。公务员的管理还要严格依照法定的程序。如公务员晋升领导职务,应当按照民主推荐、组织考察、讨论决定、履行任职手续等程序办理。程序和实体具有同等重要的意义,仅有实体的标准和条件,没有程序来保障标准和条件的实施,实体的标准和条件可能得不到实施,甚至有可能被扭曲滥用。

第六条 公务员的管理,坚持监督约束与激励保障并重的原则。

【释义】 本条是关于监督与激励并重原则的规定。

一、对公务员的监督约束。公务员是国家公职人员,掌握和行使公权力,代表和反映机关的形象。权力的本质是为公众服务,为公众谋取福利;但权力又必须由有血有肉、有个人利益和偏好的个人来行使。如果不对行使权力的个人加以限制和监督,就会滋生利用手中权力谋取私利的腐败现象。权力的运行规律表明,有权力,就必须有制约和监督。绝对的权力导致绝对的腐败,没有监督制约的权力,必然导致腐败。我国的公务员是人民的公仆,是为人民服务的,但在现实生活中,有的公务员,利用手中的权力,谋取私利;有的作风粗暴,态度蛮横,官僚习气严重。这些都严重损害了公务员在人民群众中的良好声誉。因此,无论是从对权力监督制约的需要,还是解决现实中存在的各种工作作风问题,都需要加强对公务员的监督。公务员法确立的对公务员的监督机制主要有:一是明确了公务员的义务和纪律,规范公务员的行为。包括公务员要忠于职守,勤勉尽责,服从和执行上级依法作出的决定和命令,清正廉洁等;公务员不得玩忽职守,贻误工作;不得贪污、行贿、受贿,利用职务之便为自己或者他人谋取私利等。二是加强对公务员的考核,通过定期考核和平时考核,对公务员的德、能、勤、绩、廉进行全面考核,重点考核工作实绩,促进公务员不断改进工作,提高工作质量。三是确立了惩戒制度。公务员因违法违纪应当承担纪律责任的,依法给予处分。四是规定了公务员的辞职辞退制度,确立了引咎辞职制度。领导成员因工作严重失误、失职造成重大损失或者恶劣社会影响的,或者对重大事故负有领导责任的,应当引咎辞职。五是对公务员的回避制度作了规定。回避的种类包括公务回避和地域任职回避,回避的形式包括申请回避和自行回避。六是对公务员辞职、退休后的从业限制作了规定。公务员辞职或者退休后,原系领导成员的公务员在离职三年内,其他公务员在离职二年内,不得到与工作业务直接相关的企业或者其他营利性组织任职,不得从事与原工作业务直接相关的营利性活动。

二、对公务员的激励保障。在加强对公务员监督的同时,还应当对公务员给予激励保障。公务员队伍是国家各项管理工作的执行者、实施者,在国家政治和社会生活中发挥着重要作用。长期以来,我国公务员队伍为国家的经济社会发展,改善人民生活,国家的长治久安,做出了重要贡献。有的公务员,长年工作在艰苦边远地区,付出巨大牺牲。同时,从总体上来看,公务员同企业经营管理人员的工资收入相比,还比较低。这就需要在加强监督的同时,完善各种激励保障机制，吸引优秀人才加入公务员队伍，并有效稳定公务员队伍。公务员法确立的激励保障机制主要有：一是明确了公务员的权利，公务员享有获得履行职责应当具有的工作条件，获得工资报酬，享受福利、保险待遇，非因法定事由、非经法定程序，不被免职、降职、辞退或者处分等权利。二是规定了公务员的奖励制度。公务员个人和公务员集体在工作中取得显著成绩的，给予嘉奖、记功和授予荣誉称号等形式的奖励。三是在公务员的职务晋升上，注重工作实绩，鼓励公务员在工作岗位上勤奋努力工作。工作优秀、成绩突出的，可以破格或者越级提拔。四是规定了公务员的培训制度，机关根据公务员工作职责的要求和提高公务员素质的需要，对公务员进行分级分类培训。五是规定了公务员的工资、福利和保险制度以及退休养老制度，保障公务员的工资报酬。六是规定了公务员的申诉控告制度。当公务员的权益受到侵犯的时候，公务员可以向处理机关、上级机关和监察机关依法提出申诉控告，维护自己的合法权益。

对公务员的监督约束和激励保障是相互联系、相互依承的。两者要并重，都要给予足够的重视。既要监督约束，又要激励保障，不可只强调一面。只有如此，才能调动公务员队伍的积极性，保持公务员队伍的廉洁高效。

第七条　公务员的任用，坚持任人唯贤、德才兼备的原则，注重工作实绩。

【释义】　本条是关于公务员任用原则的规定。

一、任人唯贤、德才兼备。它是党的干部路线和方针的核心内容。“任人唯贤”是指选拔干部，“应该以坚决地执行党的路线，服从党的纪律，和群众有密切的联系，有独立的工作能力，积极肯干，不谋私利为标准。”“德才兼备”是指提拔干部的两个条件。干部必须政治立场坚定，不是投机家，不是空头革命家；必须有工作能力。“任人唯贤”是相对于任人唯亲而言的。“贤”是德才的统一，也是德才与工作实绩的统一。任人唯贤，就要反对任人唯亲，坚持搞“五湖四海”，不要搞小圈子、团团伙伙；要坚决抵制用人上的不正之风，公道正派地用人。“德才兼备”就是要求公务员既要有德，又要有才，二者同时具备，不可偏废。在改革开放和社会主义现代化建设的新时期，对干部“德”的要求是：具有履行职责所需要的马克思列宁主义、毛泽东思想、邓小平理论的水平，认真实践“三个代表”重要思想；具有远大的共产主义理想和坚定的社会主义信念；坚决贯彻执行党的基本路线和各项方针、政策；努力实践党的全心全意为人民服务的宗旨，贯彻执行党的群众路线，密切联系群众，坚决维护人民群众的利益，清正廉洁，公道正派等。对干部“才”的要求是，刻苦学习业务知识，不断加强知识积累和经验积累，具备与自己所领导的工作相适应的专业知识、专业水平；懂得经济工作和现代科学技术知识，具有较丰富的工作实践经验，具有宏观决策的才能、魄力和较强的政策水平；具有处理复杂矛盾和突发事件的应变和决断能力。公务员法在体现“德才兼备”的要求方面，主要有以下一些制度性规定：一是，录用公务员，采取公开考试，严格考核，择优录用的办法，考试主要是测试适应工作的能力，考核主要考察政治思想和道德品质。公务员的调用和公开选拔，亦体现了相同的要求。二是，公务员的晋升，要考察公务员在执行党的基本路线中的表现，注重工作实绩；晋升领导职务的，还要注意考察马克思主义理论水平和组织领导能力。三是，在考核方面，坚持对德、能、勤、绩、廉全面考核。这些都体现了德才兼备的用人标准。

二、群众公认，注重工作实绩。注重工作实绩是功绩制原则的具体体现，也就是以公务员工作实绩作为评价的主要依据。它排斥以往人事管理制度中按年资高低、亲疏关系、家庭背景等条件作为公务员录用和提升的标准，进而以个人才能、道德品行、工作经验等综合素质的考察结果作为公务员录用、晋升的重要衡量标准。群众公认，注重工作实绩，它所要回答和解决的是干部由谁评价和如何评价的问题。坚持注重实绩，一要坚持德才与实绩相统一的观点。德才需要通过具体的工作实绩来体现和验证。就公务员个人来说，注重工作实绩还意味着要重实干，不仅仅是凭公务员个人口头说的，更重要的是要看公务员个人是怎样做的，效果如何。二是要根据不同领导职务的职责要求以及工作环境的差异，制定科学的实绩考核标准和可操作的实绩指标体系。三是对公务员的实绩进行科学分析，准确评价。要坚持经济效益与社会效益相统一，坚持速度规模与经济效益相统一，坚持近期效益与长远效益相统一，坚持局部效益与整体效益相统一。

第八条　国家对公务员实行分类管理，提高管理效能和科学化水平。

【释义】 本条是关于分类管理原则的规定。

一、对公务员进行分类管理的必要性。分类管理是公务员制度中的一种科学管理方法，也是实行公务员制度的国家共同遵循的基本原则。尽管各国对公务员分类的具体内容并不完全相同，但分类是客观存在的。从各国公务员制度的分类情况看，主要表现为两种分类标准：一种是因事而分的职位分类，分类主要依据职位或岗位的客观需要。美国是实行职位分类较早的国家，随后是加拿大。第二次世界大战后，日本、韩国等都相继实行职位分类制度。另一种是因人而分的品位分类制度，即主要依据公务员个人的条件如学历、年龄、资历等进行分类。职位分类与品位分类各有优缺点。实际上，每个国家的公务员分类都不是完全按某个单一标准进行分类的，往往是以某一分类为主，兼顾其他分类形式。改革开放以来，我国对分类管理进行了积极的探索。1987 年党的十三大提出，要改变集中统一管理的状况，建立科学的分类管理体制;改变用党政干部单一模式管理所有人员的现状,形成各具特色的管理制度。可以说,公务员制度的建立,本身是推行干部分类管理的结果。

二、公务员法对公务员的分类规定。我国公务员法既按职位进行了分类,也按品位(职务、级别)进行了分类。如第十四条规定:国家实行公务员职位分类制度。公务员职位类别按照公务员职位的性质、特点和管理需要,划分为综合管理类、专业技术类和行政执法类等类别。国务院根据本法,对于具有职位特殊性,需要单独管理的,可以增设其他职位类别。各职位类别的适用范围由国家另行规定。这种划分强调的是职位,以事和工作性质为标准。同时本法也按职务级别进行了分类。如第十六条规定,公务员职务分为领导职务和非领导职分,职务层次从上到下包括国家级正职、国家级副职等十二个层次,其中科员、办事员为最基层的两个层次。公务员的职务还要对应相应的级别。此外,还有领导职务公务员和非领导职务公务员,领导成员公务员和非领导成员公务员,选任制公务员、委任制公务员和聘任制公务员等划分。这些分类,一方面是按事和岗位进行的纵向划分,另一方面是按职务层次和级别进行的横向划分。一纵一横,可以准确定位每个公务员的职责、任务、待遇等,为科学管理提供了制度保证。

第九条　公务员依法履行职务的行为,受法律保护。

【释义】　本条是关于公务员履行职务,受法律保护的规定。

一、公务员职务行为的认定。职务行为通常是指国家机关或工作人员行使职务上的权力(职权)所进行的活动。如卫生局的工作人员检查卫生、警察执勤、税务人员收税、法官审理案件等都属于行使职权的活动。职务行为的认定十分重要:一是涉及行为是否要由国家来保障执行。凡是法定的职务行为,都要由国家提供条件和手段予以保障执行。二是涉及法律责任的划分问题,职务行为的责任原则上要由授权机关或者命令机关来承担。三是涉及是否要给予国家赔偿。凡是国家机关或工作人员的职务行为违法造成他人损害的,应当给予国家赔偿。

对于如何认定职务行为,实践中一般遵循以下标准:一是职权标准。即国家机关工作人员根据法律赋予的职责权限实施的行为属职务行为。二是时空标准。即国家机关工作人员在行使职权、履行职责的时间、地域范围内实施的行为通常都认定为职务行为。三是身份标准。即在通常情况下,凡以国家机关工作人员的身份和名义实施的行为都是执行职务的行为。如公务人员着装、佩戴标志、出示证件、宣布代表机关实施的行为一般都以职务行为论。四是目的标准。即国家机关工作人员为了履行法定职责和义务,维护公共利益而为的行为,通常都认定为职务行为。

应当明确,本法所说的职务行为,和国家赔偿法上所说的"行使职权"的活动既有共同的一面,也有不同的一面。就国家赔偿而言,构成国家赔偿责任的行为,必须是职务行为违法,并且这种违法的职务行为造成了损害事实,两者之间有必然的因果联系。如果一个合法的职务行为,对当事人的权益造成损害,这时构成的不是国家赔偿,而是补偿。如国家为了公共利益,依法对公民个人和企业的财产进行征收、征用,这时造成的损失不是赔偿,而是补偿。本条所讲的"职务行为",是一种合法的行为,即依法履行职务的行为。如果是一种违法的行为,是不受法律保护的。当然,一个行为是否违法,除非是一种显而易见的明显的违法行为,一般需要由有权机关经过法定程序审查决定,才能判断是否违法。在没有认定为违法之前,应当推定为是合法的,是受法律保护的。

二、公务员依法履行职务的行为,受法律保护。公务员依法履行职务受法律保护,其含义包括了四方面:一是公务员依法履行职务的行为,受法律保护,不受干扰和破坏。如税务员依法收税,纳税人必须按规定缴纳,法律保护税务员的这种收税活动。我国刑法、治安管理处罚条例对妨碍公务的行为都有规定。我国刑法第二百七十七条第一款规定:“以暴力、威胁方法阻碍国家机关工作人员依法履行职务的,处三年以下有期徒刑、拘役、管制或者罚金。”二是公务员依法履行职务,有关当事人有服从或者配合的义务。如交通警察在疏导、指挥交通时,机动车辆和行人应当服从指挥。三是公务员依法履行职务时,他的人身安全是受法律保护的,如果公务员因履行职务,人身受到伤害,国家要依法追究伤害人的责任,惩处妨碍执行公务的行为。如果公务员不是因为履行职务而受到人身伤害,那就不在本条规定范围之内,而是作为一个公民受到法律的保护。四是公务员依法履行职务,由此所发生的责任问题,原则上由所在机关来承担责任。如公安人员在追捕刑事犯罪分子过程中,征用公民、法人或者其他组织的交通工具,由此造成的损失应由所在机关给予补偿。

三、公务员履行职务免责的特殊情形。即公务员执行了错误的决定和命令,是否受法律保护,是否受法律追究的问题,也就是公务员执行上级错误的决定或者命令是否承担责任。这是一个非常复杂的理论问题,也是一个十分现实的问题。本法第五十四条对这个问题作了比较具体的规定,即公务员执行公务时,认为上级的决定或者命令错误,可以向上级提出意见。上级不予改变或者要求立即执行的,公务员应当执行,执行的后果由上级负责。但是,公务员执行明显违法的决定或者命令,依法承担相应的责任。根据这个规定,公务员执行公务,以免责为原则,以承担责任为例外。在一般情况下,公务员履行职责,执行上级的决定或者命令,即便执行了错误的决定或命令应予免责。因为公务员的义务和纪律中都包含了不得对抗依法作出的决定或者命令。决定或者命令是上级下达的,执行的后果理应由上级承担。但这里必须有一个例外,即对于明显违法的决定或者命令,如刑讯逼供、走私、做假账等,公务员应当维护法制的尊严,予以抵制。如果不加抵制而是执行这些明显违法的决定或者命令，要承担相应的责任。这样一个责任分担的设计，较好地处理了以执行决定或者命令为优先，保证政令畅通的要求与维护法制的统一和尊严，抵制和克服官僚主义的需要，使两者在价值取向上得到平衡。关于这一问题的详细解释，请参见第五十四条的释义。

第十条　中央公务员主管部门负责全国公务员的综合管理工作。县级以上地方各级公务员主管部门负责本辖区内公务员的综合管理工作。上级公务员主管部门指导下级公务员主管部门的公务员管理工作。各级公务员主管部门指导同级各机关的公务员管理工作。

【释义】　本条是关于公务员管理机关的规定。

公务员主管部门是根据管理公务员事务的需要，代表国家依法对公务员的录用、考核、晋升、工资、辞退、退休等实施管理的部门。我国的公务员管理机构，从横向看可以分为两类，一类是中央公务员管理机构，一类是县级以上地方公务员管理机构。从纵向看，按条条划分，有不同类别的公务员管理指导机关，如海关、税务等机关按系统对本系统公务员管理的指导、监督等。

一、中央公务员主管部门及其职能。公务员的范围扩大后，公务员主管机关和原来有所不同。从中央来讲，公务员的主管部门主要是中央组织部、国家人事部两家，各自在职责权限范围内负责全国公务员的综合管理工作。中央组织部是中共中央的重要工作部门，是党中央在党的组织工作方面的助手和参谋。在公务员综合管理方面，负责拟订起草有关重要的文件和法规；考察、配备和调整省级领导班子，挑选和提拔党的干部；负责考察国务院直属局和部委管理的国家局领导班子，提出调整、配备的意见和建议；按照干部革命化、年轻化、知识化、专业化的方针，积极培养、选拔优秀中青年干部。人事部是国务院主管全国人事行政工作和推行人事制度改革的国务院组成部门，在公务员的综合管理方面，其主要职责是:(1)研究制定人事制度改革规划、方案,拟定人事管理政策法规,建立科学化、法制化的人事管理制度并进行监督检查;研究拟定机构改革人员定岗和分流的政策规定。(2)拟定国家机关工作人员的总体规划、结构调整、工资分配的宏观政策,编制国家机关人员计划和工资计划。(3)完善公务员管理中的具体制度,拟定公务员管理的各项政策法规,指导和协调各地方、各部门实施公务员制度。(4)研究拟定公务员的工资制度、政策和标准及调控措施;研究建立地区津贴制度,完善艰苦岗位津贴制度;研究完善公务员的退休政策法规并组织实施。(5)承办中央管理的部分领导人员的行政任免手续有关事宜。

二、地方公务员主管部门及其职能。县级以上地方各级公务员主管部门负责对本辖区内公务员的综合管理工作。管理机关主要也是组织部门、人事部门,其管理的业务范围和中央公务员主管部门相同。不同之处在于,中央公务员主管部门比较多的任务是制定公务员管理的政策,拟订相关的法规草案,指导地方各级公务员管理机关去实施、执行。就地方公务员管理机关而言,执行公务员管理法律、法规和政策是其主要职责,制定政策法规的任务则相对减轻。

三、公务员主管部门之间的关系。主要是三层关系:(1)上级公务员主管部门指导下级公务员主管部门的公务员管理工作,如人事部负有指导和协调各地方人事部门实施公务员制度的职责。(2)各级公务员主管部门指导同级各机关的公务员管理工作,如人事部负有对政府部门的人事工作进行指导、监督检查和协调服务的职责。各机关内设人事机构负责承担本机关公务员管理的具体事务。(3)实行双重管理的机关,上级业务主管机关会同同级公务员综合管理部门对本系统的公务员管理实施指导、监督。如最高人民法院、最高人民检察院、公安部的公务员管理机关,分别对本系统公务员的管理实施指导、监督。

第二章　公务员的条件、义务与权利

第十一条　公务员应当具备下列条件：

（一）具有中华人民共和国国籍；

（二）年满十八周岁；

（三）拥护中华人民共和国宪法；

（四）具有良好的品行；

（五）具有正常履行职责的身体条件；

（六）具有符合职位要求的文化程度和工作能力；

（七）法律规定的其他条件。

【释义】 本条是关于公务员条件的规定。

公务员承担着依法履行公职、服务公众的职责。其对于整个国家社会的正常运转、社会良好秩序的维持、公民权益的维护都具有十分重要的作用。公务员所管理与服务的领域几乎是无所不包的，对外而言有国家的外交、在外国的公民权益的保护以及在外国的本国公司利益的维护等，对内而言有国家事务的管理、社会秩序的维持、公众安全的保护、公民福利的保障等等。公务员所管理与服务的领域涉及我们生活的方方面面，公务员体系一旦停止运转或者运转出现了问题就会对公民的权益甚至国家的安定造成重大影响。因此，必须严格规定公务员的条件。根据本条规定，公务员应具备以下条件：

1. 具有中华人民共和国国籍

国籍是自然人被确定属于某一国家成员的法律上的资格或者身份，是区分本国人和外国人的唯一标准。就国籍的对内意义而言,一个人一旦取得某一国家的国籍后,就可以享受该国家宪法和法律规定的权利,同时也承担该国家宪法和法律规定的义务。国籍的取得通常有两种方式:一是因为出生而自然取得国籍,这种国籍称为原始国籍;二是因加入一国而取得该国国籍,该种国籍又称取得国籍。对于因出生而取得国籍,各国的规定不尽相同,主要有三项原则:一是血统主义原则,即确定一个人的国籍以其出生时父母的国籍为依据,而不问其出生地为何国;二是出生地主义原则,即以出生地作为子女取得国籍的依据,而不问其父母属于何种国籍;三是混合主义原则,即将血统主义原则和出生地主义原则结合起来确定子女的国籍。根据我国国籍法的规定,我国国籍采取血统主义为主并辅之以出生地主义的混合方式取得,即父母双方一方为中国公民,本人出生在中国的,具有中国国籍;父母双方或者一方为中国公民,本人出生在外国的,具有中国国籍,但父母双方或者一方为中国公民并定居在外国,本人出生时即具有外国国籍的,不具有中国国籍;父母无国籍或者国籍不明,定居在中国,本人出生在中国具有中国国籍;外国人或者无国籍人愿意遵守中国宪法和法律,并符合一定条件的,可以加入中国国籍。

担任公务员是公民的一种政治权利,只有是一国的公民才能够享有此项权利。我国宪法第三十三条规定,"凡具有中华人民共和国国籍的人都是中华人民共和国公民","任何公民享有宪法和法律规定的权利,同时必须履行宪法和法律规定的义务"。具有中华人民共和国的国籍是公务员应当具备的首要条件。

2. 年满十八周岁

所谓十八周岁,是指公民从出生之日起到第十八个年份同月同日的实足年龄。将公民担任公务员的年龄规定为年满十八周岁,主要是基于人类成长的自然规律与社会实际。到了十八周岁左右,人的生理和心理已经趋于成熟,具备了辨别自我行为的能力,所以通常以十八周岁作为成年人与未成年人的一个界限。正是基于人类成长的这一规律,许多国家将年满十八周岁确定为享有法律上的权利与义务的标准。另外,规定十八周岁还因为有一部分领导成员公务员,其需要通过选举才能担任公务员。我国行使选举权的年龄是十八周岁。我国宪法第三十四条明确规定:“中华人民共和国年满十八周岁的公民,不分民族、种族、性别、职业、家庭出身、宗教信仰、教育程度、财产状况、居住期限,都有选举权和被选举权……”

3. 拥护中华人民共和国宪法

宪法是国家的根本大法,是国家根本制度的总纲领、法律体系的核心与公民权利的保障书。任何公民都应当遵守宪法。公务员作为公民也应当遵守宪法。在这里,公务员拥护宪法具有更深的含义,即忠于宪法,不得反对宪法。

4. 具有良好的品行

品行属于道德的范畴。道德是人们思想和行为上的有关善与恶、光荣与耻辱、正义与非正义等方面的观念与原则的总称,它依靠社会舆论、内心信念和传统习惯来维持与实现。道德以观念的形态存在于个人的意识或习惯性的行为之中,在人的潜意识深处发挥着重要的作用。一个人只有具备良好的道德才会行为端正,遵纪守法。公务员作为公权力的行使者,只有具备良好的道德与品行,才能够承担重大的责任,才能够实践民主与法治,维护国家秩序、国家利益与公共利益。因此,良好的品行对于公务员来说极为重要。

5. 具有正常履行职责的身体条件

公务员只有拥有健康的身体,才能够精力充沛地完成自己的工作任务。而且,健康的身体也是正常智力的物质基础。这里要求的是能够正常履行职责,不同的公务员的职位对于公务员的身体条件要求是不同的,例如对长期在野外、高原上工作的公务员的身体条件就会要求比较高。需要指出的是,具有正常履行职责的身体条件是相对职位的要求而言的,不能够对公务员的身体条件提出超出职位身体条件要求的高标准甚至不合理的标准。例如,一个简单的抄写职位的身体条件要求就可以放宽,哪怕是一个残疾人也可以胜任。要坚决制止与杜绝不合理的甚至是歧视的身体条件要求。为了保证身体条件要求的统一与合理,本法专门规定,公务员“体检的项目和标准根据职位要求确定”。

6. 具有符合职位要求的文化程度和工作能力

公务员要能够履行公职就必须具备一定的文化程度与工作能力。现代科技发展日新月异,社会管理高度复杂,这对于公务员素质提出了较高的要求,要求公务员必须具备一定的文化程度和工作能力。在公务员法草案中,原先的用词是“学历”,但在审议公务员法的过程中,考虑到学历的含义比较狭窄,已经不能够说明一个人的文化水平,故对此作了修改。文化程度的涵盖面比较宽,一个人通过自学也许没有相关的学历,但是其文化水平可能已经达到了相应的同等学力水平。工作能力主要是指分析问题与解决问题的能力,公务员必须具有与职位相应的工作能力。一个人也许有较高的文化程度,但并不意味着工作能力一定高,因此对两者同时提出了要求。需要指出的是,公务员所应具备的文化程度和工作能力应当与职位相匹配,即级别较高、处理复杂事务的公务员职位需要具备比较高的文化程度,而一些简单的职位只需要一般的文化程度与工作能力即可。在现实的公务员招考中,无论是用人单位还是报考人员都应考虑好职位的要求,以免浪费人才,浪费社会资源。

7. 法律规定的其他条件

本项规定是指法律规定的公务员需具备的与职位要求相关的其他资格条件。此处的法律为全国人大及其常委会通过的法律。

这里规定的公务员应当具备的条件,是一个公民担任公务员的最低要求,反过来说,并不是具有这些条件必然成为公务员。录用公务员时,还需要考虑每个职位任职的资格和条件。

第十二条 公务员应当履行下列义务:

(一)模范遵守宪法和法律;

(二)按照规定的权限和程序认真履行职责,努力提高工作效率;

(三)全心全意为人民服务,接受人民监督;

(四)维护国家的安全、荣誉和利益;

(五)忠于职守,勤勉尽责,服从和执行上级依法作出的决定和命令;

(六)保守国家秘密和工作秘密;

(七)遵守纪律,恪守职业道德,模范遵守社会公德;

(八)清正廉洁,公道正派;

(九)法律规定的其他义务。

【释义】 本条是关于公务员义务的规定。

一般认为,义务即应当为或者不为一定行为的限制或约束。所谓公务员的义务,是指国家法律对公务员必须作出一定行为或不得作出一定行为的约束和强制。公务员义务的含义:第一,公务员的义务以公务员的身份为前提。第二,公务员必须作出一定的行为或不得作出一定的行为,即具有作为和不作为的义务,一方面,公务员负有积极作为的义务,必须依法主动地做出某种行为,如公务员必须依法执行公务、履行职责等;另一方面,公务员负有消极的不作为的义务,不得做出某种行为,如公务员不得贪污、盗窃、行贿、受贿或者利用职权为自己和他人谋取私利等。第三,这种义务是对公务员的约束。公务员是行使公权力,执行公务的人员,对其手中掌握的权力如果不作规范加以严格限制,就可能被滥用。所以,必须严格规定公务员的义务,而且,义务具有强制性,公务员不得放弃或不履行自己的义务,否则,要承担相应的法律责

任。按照我国公务员法的规定,我国公务员应当遵守下列义务:

1. 模范遵守宪法和法律

宪法是全国各族人民根本意志和最高利益的集中体现,是国家政治、经济、文化等社会生活有序运行的基石和保证。法律是根据宪法制定的,由国家强制力保障实施的行为规范。遵守宪法与法律,是各个国家机关、各种社会组织和每个公民的义务。作为行使公权力的公务员,应当树立宪法至上的思想,维护宪法与法律的权威,自觉在宪法和法律的范围内活动,成为守法的模范和楷模。

模范遵守宪法和法律的核心意义是对于宪法的忠诚。所谓对宪法忠诚是指以最好的能力与智力,以自身的言论与行为来维护宪法的权威与促进宪法的落实。就积极方面而言,对于宪法的忠诚就是要凡是有利于宪法实施的事情都尽最大的力量去做,就消极方面而言就是凡是有害于和不利于宪法的事情都应当予以反对和回避。

2. 按照规定的权限和程序认真履行职责,努力提高工作效率

(1)公务员应当按照权限履行职责。这包含两层含义:第一,该权限是明文规定的权限。公务员行使权力、履行公职应遵循依法原则,这是建设法治国家的基本要求。公务员只能在法律明文规定的范围内行使权力,不得超出法律的规定行动,否则就是滥用职权。第二,该权限属于实体法上的权限。实体法是确认权利义务关系以及职权和责任为主要内容的法律,公务员履行职责所依照的权限是实体法上所规定的权限,例如食品卫生法第二十七条规定:食品生产经营企业和食品摊贩,必须先取得卫生行政部门发放的卫生许可证方可向工商行政管理部门申请登记。食品卫生行政主管部门相关职位的公务员在进行食品卫生执法时可以依照这一规定,审查批准食品生产经营企业的许可证件,其只能在这一范围内行使权力,而不能超越这一权限从事消防器材等方面的审批。

(2)公务员应当按照规定的程序履行职责。在这里,所谓程

序是指权利义务实现的步骤、顺序和方式。公务员应按照规定的程序履行职责,因为公正的、公开的程序能够使得实体的权利义务得到公平的实现,有利于更好地保护公众、公民的合法权益。目前,对行政程序规定比较集中的法律有行政处罚法、行政许可法等。公务员须按照法律规定的程序行使其权限,例如,食品卫生行政主管部门相关职位的公务员在审查批准食品生产经营企业的许可证的时候就必须按照行政许可法规定的有关申请受理、审查与决定、期限、听证等法律程序进行审批。

(3)公务员应当认真履行职责。在这里,认真履行职责的含义有三层:一是应亲自履行职责,非有正当理由,并依照规定程序,不应将自己的职责委托他人来履行;二是应按时办公,不得迟到早退,请假须有正当理由并经过上级领导批准;三是不能擅离职守,一般情况下应坚守岗位,遇到突发的特别紧急的事件,应经过上级领导同意后才能离开,出差、休假也应及时回到自己的岗位。

(4)公务员应当努力提高工作效率。公务员享有较好的福利待遇,工作比较稳定,这虽然有利于稳定公务员队伍、维持社会安定与秩序,但也容易带来公务员效率低下、官僚作风严重等问题。因此,规定公务员提高工作效率的义务有利于公务员高效地为公众提供优质服务。同时,公务员应努力提高工作效率也是我国宪法提出的要求,我国宪法第二十七条第一款规定:“一切国家机关实行精简的原则,实行工作责任制,实行工作人员的培训和考核制度,不断提高工作质量和工作效率,反对官僚主义。”

3. 全心全意为人民服务,接受人民监督

我国宪法第二十七条第二款规定:“一切国家机关和国家工作人员必须依靠人民的支持,经常保持同人民的密切联系,倾听人民的意见和建议,接受人民的监督,努力为人民服务。”人民群众是社会主义国家的主人,社会主义现代化建设事业必须依靠人民。国家机构及其工作人员的任务就是反映人民的愿望和要求,全心全意为人民服务。根据宪法的规定,所有的公务员都必须认真贯彻党的群众路线,采取群众路线的工作方法,深入实际,调查研究,把人民群众分散的意见科学地结合起来,形成计划、政策和法律、法规,然后再在群众中加以贯彻实施,"从群众中来,到群众中去";经常保持同人民群众的密切联系,倾听人民的意见和建议,尊重人民群众的主人翁地位和首创精神,并且依靠他们的支持来完成各项工作,自觉接受人民群众的监督,全心全意为人民服务。

公务员应当接受公民的监督,这是由我国宪法规定的,我国宪法第四十一条第一款规定:"中华人民共和国公民对于任何国家机关和国家工作人员,有提出批评和建议的权利;对于任何国家机关和国家工作人员的违法失职行为,有向有关国家机关提出申诉、控告或者检举的权利,但是不得捏造或者歪曲事实进行诬告陷害。"在国家机构及公务员履行职责的过程中,人民有权通过各种途径和形式对他们实行监督,以保证其不折不扣地代替人民行使权力,全心全意为人民服务。

4. 维护国家的安全、荣誉和利益

公务员应当积极维护国家的安全、荣誉和利益,这首先是基于公民义务而产生的,我国宪法第五十四条规定:"中华人民共和国公民有维护祖国的安全、荣誉和利益的义务,不得有危害祖国的安全、荣誉和利益的行为。"可见,维护国家的安全、荣誉和利益是我国每个公民的义务,公务员对此更是负有更大的责任和义务。国家的安全主要包括:国家的领土、主权不受侵犯;国家的政权不受威胁;国家的社会秩序不被破坏;国家的秘密不被泄露。国家的荣誉是指国家的荣誉和尊严,它主要包括:国家的尊严不受侵犯;国家的信誉不受破坏;国家的荣誉不受玷污;国家的名誉不受侮辱。国家利益的范围十分广泛,对外主要是指国家政治、经济、文化、军事等方面的权利和利益;对内主要是指相对于集体利益和个人利益的国家利益。

5. 忠于职守,勤勉尽责,服从和执行上级依法作出的决定和命令

我国宪法第二十七条规定,一切国家机关“实行工作责任制”。公务员的所有职位都是在国家机关定职能、定机构、定编制的基础上,根据工作的需要设置的,每个职位都有明确的任务和职责。因此在每个职位上的公务员都应忠于职守,勤勉尽责,用自己的全部精力,兢兢业业、专心致志地工作,严格履行工作职责,承担起本职位的责任。只有这样才能够提高工作效率,保证国家机关的正常运行。

“服从和执行上级依法作出的决定和命令”是关于公务员服从义务的规定。规定公务员的服从义务是十分必要的。首先,现代公务员体系的组织方式是科层制,公务员应当接受上级的指挥,以保证组织系统的权威性、统一性与效率性。其次,在法治化的政治体制和现代公务员制度下,公务员的首要职责是执行法律,其对上级不是人身依附关系,服从上级的决定与命令不过是执行法律的需要,服从上级的决定与命令是执行法律的手段和方式。

公务员应当服从和执行上级依法作出的决定和命令有以下含义:第一,公务员服从的决定与命令应是上级作出的。所谓“上级”,是指同一系统或组织中地位、等级较高的机构或人员。上级包括直接上级和间接上级,直接上级是指直接具有领导权、指挥权与主管权的上级,间接上级是指除直接上级以外的具有领导权、指挥权或监督权的上级。一般而言,对公务员实施领导应逐级进行。上级向公务员交代任务,一般应通过其主管的上级,但也可以越级直接向下级公务员发出决定与命令。第二,公务员服从和执行的是上级作出的决定与命令。所谓决定和命令是指上级作出的下级公务员必须作出一定行为或者不得作出某种行为的指令。就形式而言,既有抽象行政行为的形式又有具体行政行为的形式。第三,公务员服从与执行的上级的决定与命令应是依法作出的。一方

面,该决定与命令的内容应是合法的。该决定与命令应在上级的权限范围之内,否则下级公务员有权不执行;该决定与命令应与上级的职务有关,例如对上级领导的私事,公务员就可以拒绝执行;该决定与命令不属于法律所禁止之事项,对于明显违背法律的决定与命令,公务员可以拒绝服从与执行;该决定与命令不属于下级公务员独立执行职务的事项,一些特殊的部门如有关的监察部门、审计部门、统计部门等,一旦法律赋予这些部门的公务员独立执行职务的权力,上级的决定与命令即不能涉及其独立执行职务的范围。另一方面,决定与命令发布的程序须合法。上级作出的决定与命令必须是依照法定的程序作出的。程序合法是内容合法的重要保障,其具有独立的价值。在日常的行政管理活动中,行政机关实施行政许可、决定行政强制措施和进行行政执行时,都需要遵循严格的法定程序,才能保障相关行政命令内容的合法,保障行政活动的公正和效率。对于未经法定程序作出的命令,公务员有权不予服从。特别是公安机关在执行拘留、监视居住、取保候审、逮捕等刑事强制措施时,来自上级命令的程序合法性,就更应当成为公务员执行命令的前提条件。第四,公务员执行公务时,认为上级的决定或者命令有错误的,可以向上级提出改正或者撤销该决定或者命令的意见;上级不改变该决定或者命令,或者要求立即执行的,公务员应当执行该决定或者命令,执行的后果由上级负责,公务员不承担责任;但是,公务员执行明显违法的决定或者命令的,应当依法承担相应的责任。

6. 保守国家秘密和工作秘密

国家秘密是关系国家的安全和利益,依照法定程序确定,在一定时间内只限一定范围的人员知悉的事项,包括尚未公布的或不准公布的政治、经济、军事、外交和科学技术等方面的重大事项。国家秘密直接涉及国家的安全,因此,保守国家秘密是关系到国家安全和人民利益,关系到我国社会主义现代化建设的大事。我国宪法和法律对此作了规定,我国宪法第五十三条规定,中华人民共和国公民必须“保守国家秘密”;我国 1988 年 9 月通过、1989 年 5 月施行的保守国家秘密法第三条规定:“一切国家机关、武装力量、政党、社会团体、企业事业单位和公民都有保守国家秘密的义务。”公务员作为国家工作人员,必须严格遵守国家法律规定,增强保密观念,严格保密纪律。对公务员而言,履行保密义务的基本要求是:不该说的国家秘密不说;不该问的国家秘密不问;不该看的国家秘密不看;不该记录的国家秘密不记录;不在私人交往中涉及国家秘密;不在公共场所办理、谈论属于国家秘密的事项;不在没有保密保障的地方和设备中存贮、处理国家秘密信息和载体;不通过普通电话、明码电报、普通邮局、计算机公用网和普通传真递送、传输国家秘密信息和载体;不携带密件、密品参观、游览和探亲访友;此外,公务员对已知的窃取或者泄露国家秘密的行为,应当予以制止并及时向有关方面举报。国家秘密和工作秘密是有一定联系的。有的国家秘密是由一系列工作秘密组成的,泄露了工作秘密,就间接地泄露了国家秘密。公务员在工作任职期间负有保密的义务;在涉及国家秘密等特殊职位任职或者离开上述职位不满国家规定的脱密期限的,不得辞去公职。

7. 遵守纪律,恪守职业道德,模范遵守社会公德

公务员遵守纪律,恪守职业道德就是要严格遵守公务员从事公务活动应当遵守的纪律要求与道德准则。公务员法第五十三条对公务员的纪律作了全面的规定,包括公务员不得弄虚作假,误导、欺骗领导和公众;不得贪污、行贿、受贿,利用职务之便为自己或者他人谋取私利;不得滥用职权,侵害公民、法人或者其他组织的合法权益;不得参与或者支持色情、吸毒、赌博、迷信等活动;不得违反职业道德、社会公德等。社会公德是要求一般人共同遵守的公共道德准则,包括遵守纪律、讲究礼貌、讲究卫生等。公务员应当率先垂范,带头遵守。

8. 清正廉洁,公道正派

所谓清正廉洁、公道正派,是指要求公务员办事公正无私,廉洁自律,以个人利益服从国家利益,努力为人民服务。实现公务员的清正廉洁是党和国家的一贯要求,是维护党和政府的良好形象,加强党和政府同人民群众联系的重要措施。公务员代表国家执行公务,其权力是人民授予的,属于其所在的职位,不是属于个人的。公务员必须建立正确的权力观,正确运用手中的权力,为公共利益而工作,而不能利用职权搞不正之风,谋取私利。按照《中国共产党党员领导干部廉洁从政若干准则(试行)》实施办法的规定,对于党员领导干部,禁止利用职权和职务上的影响谋取不正当利益,禁止私自从事营利活动,禁止假公济私、化公为私,禁止借选拔任用干部之机谋取私利,禁止利用职权和职务上的影响为亲友及身边工作人员谋取利益,禁止讲排场、比阔气、挥霍公款、铺张浪费。

9. 法律规定的其他义务

公务员法规定的公务员的义务,有的是宪法规定的国家机关工作人员义务的具体化,有的是由公务员职业本身特点决定并衍生的义务。作为公务员,对于法律规定的义务当然应当履行。规定公务员必须履行"法律规定的其他义务",其目的和意义在于:能够弥补因职业不同,公务员法无法详细列举的公务员的其他义务,使得公务员义务的内容更加全面完整、更具体,也更能够反映时代特征与时代精神。

需要注意的是,公务员法是先规定公务员的义务、后规定公务员的权利。一般来说,法律中有关权利的规定在顺序上往往是放在义务规定的前面。而公务员法将公务员的义务放在公务员权利的前面,这种做法是与其他法律的做法有区别的,但这种顺序上的安排有其深刻的涵义,即考虑到公务员是履行公职的工作人员,需要对其严格加以约束和管理,因此,法律上先规定公务员义务可以突出强调公务员负有义务、承担着责任。有法律名言说,拥有权力的人往往会滥用其权力。公务员在履行公职的过程中,规定其义务,严格约束其行为,将其行为置于法律的管辖之下,对于维护公民权益、保持国家良好治理都是十分有益的。公务员法这种先行规定公务员义务的做法体现了控制权力的理念,也是对人民主权、公民权利理念的张扬。外国公务员法对公务员义务与权利的安排也是如此,例如,德国公务员法第三章“公务员的法律地位”中,第一节规定的是“义务”,第二节规定的才是“权利”。

第十三条 公务员享有下列权利:

(一)获得履行职责应当具有的工作条件;

(二)非因法定事由、非经法定程序,不被免职、降职、辞退或者处分;

(三)获得工作报酬,享受福利、保险待遇;

(四)参加培训;

(五)对机关工作和领导人员提出批评和建议;

(六)提出申诉和控告;

(七)申请辞职;

(八)法律规定的其他权利。

【释义】 本条是关于公务员权利的规定。

权利是指法律规定的,权利人自己或者要求他人为或者不为一定行为的能力或者资格。所谓公务员的权利,是指国家法律对公务员在履行职责、行使职权,执行公务的过程中,可以做出某种行为,要求他人为或者不为某种行为的能力和资格。其含义是:一是公务员的权利以其身份为前提;二是国家规定公务员的权利,是为了公务员有效地行使职权,执行公务;三是公务员权利的具体内容是由国家明文规定,并且公务员权利的行使是由国家法律加以保障的。按照我国公务员法的规定,公务员享有下列权利:

1. 获得履行职责应当具有的工作条件

公务员作为国家法律、政策的执行者,国家有权要求其尽职尽责,同时国家也要为公务员履行职责提供应有的工作条件保障。外国公务员法都有类似的规定。公务员享有获得履行职责应当具有的工作条件,其包含两层含义:一是公务员有权获得工作条件的保障;二是这种工作条件的保障是与公务员的职责相适应的。

公务员有权获得工作条件的保障。工作条件的保障是指公务员为了执行公务、履行职责,有权要求一定的工作条件作保证。没有一定的工作条件,公务员就无法很好地执行公务,完成其工作任务。良好的工作条件是公务员正常履行公职、完成工作任务的保证,也有利于提高公务员的效率、提高公务员的工作质量。工作条件主要包括办公地点、办公用品、办公设备、通讯联络工具、交通工具以及医疗卫生条件等。公务员有权要求国家提供必要的工作条件。另外,公务员所需的工作条件也是随着社会经济与科学的进步而不断更新的,例如现在随着电脑的广泛应用,电脑是办公必备的工具,提供电脑就是公务员工作条件的保障之一。

公务员工作条件的保障应与公务员的职责相适应。公务员有权获得的工作条件是公务员履行职责所应当具备的,其所应当获得的工作条件以满足履行职责为限。首先,公务员的工作条件应当是履行职责所必需的,即公务员如果没有该工作条件就无法正常履行其职责。例如,从事海上缉私的公务员,其所必需的工作条件是需要一定马力的缉私艇、配备可以保卫自己与打击罪犯的武器、与陆地联系的通讯器材等。如果没有这些工具与器材,从事海上缉私的公务员就无法开展缉私活动。其次,公务员的工作条件不应超出履行职责所必需的范围,超出履行职责的需要而提供的工作条件对于公务员完成工作任务并无裨益,也容易造成腐败。再次,公务员的工作条件应当是公务员履行职责期间所需要的,即公务员只能够在履行职责的期间内使用这些配备的工具、器材等,例如,公务员的交通工具只能在公务员履行职责期间使用,公务员下班后,不得将其用于私人活动。

2. 非因法定事由、非经法定程序,不被免职、降职、辞退或者处分

该权利是指国家实行公务员职务常任制,公务员一经任用,非因法定事由、非经法定程序,不被免职、降职、辞退或者处分,这被称为公务员的身份保障权。外国公务员法无一例外,都规定了公务员的身份保障权。规定公务员的身份保障权的原因是:第一,这是保持公务员队伍稳定和行政管理的连续性的需要。一般而言,外国公务员实行职务常任制,不与政党共进退,职务的变动仅仅限于少数政务官的范围之内。这就维持了政局的稳定,保持了国家行政管理的连续性,有利于国家机器的正常运转,有利于维护社会的稳定与发展。虽然我国根本的政治制度是人民代表大会制度,不实行西方的多党制度,但是实行公务员职务常任制同样有利于保持公务员队伍稳定,保持国家管理的连续性,维护社会的稳定与持续发展。第二,这是保证公务员公正履行职责的需要。公务员在依法执行公务、履行职责的过程中,有可能触犯某些个人或集团的利益。这些个人或集团就有可能凭借权势对公务员施加不正当的影响或压力,甚至加以迫害,其结果就是公务员被非法免职、降职、辞退或处分。在这种情况下,为了保障公务员正常有效地执行公务,公正无私地履行职责,法律就必须为公务员提供一定的保障,使公务员免受非法的惩处,能够顺利地履行自己的职责,维护国家和人民的利益。第三,这是现代社会发展日益复杂化、专业化的需要。现代社会经济科技发展日新月异,各种新事物、新现象层出不穷。要维持国家机器的良好运转、维护社会的稳定与持续发展,就需要有一大批的专业人士从事国家管理与社会管理。公务员在固定的职位上工作,时间长,经验与知识的积累随着时间的推移越来越丰富,这是国家管理所需要的。保持公务员队伍的稳定,

有利于各种复杂问题的顺利处理，有利于各种复杂、专业工作的完成。

公务员身份保障权的内容包括：第一，公务员非因法定事由，不被免职、降职、辞退或者处分。所谓法定事由，是指公务员的行为确实触犯了国家的法律或公务员的纪律，构成了被依法免职、降职、辞退或处分的情形或事由。公务员的免职的情形一般有：转换职位；晋升或者降低职务；因身体健康状况不能坚持正常工作一年以上；退休，等等。公务员降职或处分的事由主要是指违反公务员纪律的行为。公务员辞退的事由主要有：在年度考核中，连续两年被确定为不称职；不胜任现职工作，又不接受其他安排；因所在机关调整、撤销、合并或者缩减编制员额需要调整工作，本人拒绝合理安排；不履行公务员义务，不遵守公务员纪律，经教育仍无转变，不适合继续在机关工作，又不宜给予开除处分；旷工或者因公外出，请假期满无正当理由逾期不归连续超过十五天，或者一年内累计超过三十天。第二，非经法定程序，不被免职、降职、辞退或者处分。所谓法定程序是指国家规定的公务员免职、降职、辞退或者处分所必须经过的全部法定过程。公务员违纪的，应当由处分机关决定对公务员违纪的情况进行调查，并将调查认定的事实及拟给予处分的依据告知公务员本人。公务员有权进行陈述和申辩。

3. 获得工资报酬，享受福利、保险待遇

公务员具有双重身份，公务员一方面基于公务员的身份产生管理国家和社会公共事务的权力和职责，另一方面基于自然人的身份产生的宪法赋予公民的基本权利和义务。公务员基于其劳动具有要求国家支付对价的权利。获得工资报酬权与享受福利保险待遇权是公务员的基本权利，是公务员工作和生活的经济保障。公务员的工作是国家和社会不可缺少的有效劳动，没有公务员的辛勤劳动，就没有国家正常的运行，经济和社会活动将会陷于无序状态。因此，公务员应享有与其地位和作用相称的经济权利。同时,公务员获得工资报酬,享受福利、保险待遇也是一种调动公务员的积极性,促使其圆满地执行公务、履行职责的激励措施。

公务员的劳动报酬,在我国一般表现为工资,它是社会根据按劳分配原则,分配给个人的消费品的货币表现形式。公务员的工资是公务员得以维持生活的必要条件,是公务员在社会中的地位和作用的合理反映。公务员的工资包括基本工资、津贴、补贴和奖金。公务员的津贴包括,按照国家规定享受的地区附加津贴、艰苦边远地区津贴、岗位津贴等。公务员按照国家规定享受住房、医疗等补贴、补助。公务员在定期考核中被确定为优秀、称职的,按照国家规定享受年终奖金。公务员的工资由国家财政予以保障。公务员的工资报酬与私人间的劳务合同关系不同,公务员虽然有获得工资报酬的权利,但是在工资报酬标准上,公务员没有协商请求权和决策权,也即公务员不能与国家约定自己的工资标准,国家单方面确定公务员的工资报酬标准。公务员有获得工资报酬权意味着公务员的工资应按时足额发放,任何机关不得扣减或者拖欠公务员的工资。为了保障公务员的工资水平,国家实行工资调查制度,建立公务员工资的正常增长机制。但是,任何机关不得违反国家规定擅自提高或降低公务员的工资。

公务员享受福利、保险待遇,其内容是:公务员按照国家规定享受休假,在法定工作日以外加班的,应当予以补休;公务员在退休、患病、工伤、生育、失业等情况下获得帮助和补偿;公务员因公致残的,享受国家规定的伤残待遇;公务员因公牺牲、因公死亡或者病故的,其亲属享受国家规定的抚恤和优待。公务员的福利、保险待遇所需经费由国家财政予以保障。国家根据经济社会发展水平提高公务员的福利、保险待遇,任何机关不得违反国家规定,擅自提高或者降低公务员的福利、保险待遇。

4. 参加培训

公务员享有参加培训的权利。首先,公务员参加培训是宪法的要求。我国宪法第四十六条规定:“中华人民共和国公民有受教育的权利和义务。”公务员的学习权利同公民受教育的权利是一致的,或者说,公务员的学习权利,是公民受教育的权利在公务员身上的具体化。其次,公务员参加培训是现代社会经济科技发展对公务员提出的必然要求。随着社会经济的发展、科学技术的进步、知识经济时代的到来,社会分工越来越细密,国家管理的事务不断增加,公务员的工作内容、工作方法、工作手段及工作环境也处在不断发展的过程中,公务员的工作越来越具有专业性、复杂性、科学性的特点,公务员只有接受终身教育,不断充实、不断提高,才能适应现代社会的要求。最后,参加培训也是公务员自身发展的需要。公务员为了求得自身的发展,也要求有学习和培训的机会,以补充更新知识、完善自己的知识结构、挖掘自己的潜力,只有这样才能适应社会发展的要求,才能够履行职责,胜任工作并创造性地执行公务。另外,公务员培训情况、学习成绩是公务员考核的内容和任职、晋升的依据之一。参加培训也是公务员职务晋升的需要。

为了保证公务员的培训权,国家建立专门的公务员培训机构,机关根据需要也可以委托其他培训机构承担公务员的培训任务。机关根据公务员工作职责的要求和提高公务员素质的需要,对公务员进行分级分类培训。机关对新录用人员应当在试用期内进行初任培训;对晋升领导职务的公务员应当在任职前或者任职后一年内进行任职培训;对从事专项工作的公务员应当进行专门业务培训;对全体公务员应当进行更新知识、提高工作能力的在职培训,其中对担任专业技术职务的公务员,应当按照专业技术人员继续教育的要求,进行专业技术培训。国家有计划地加强对后备领导人员的培训。

5. 对机关工作和领导人员提出批评和建议

我国宪法第四十一条规定:“中华人民共和国公民对于任何

国家机关和国家工作人员,有提出批评和建议的权利。”宪法第四十一条的规定是设定公务员这项权利的直接依据,作为公民,可以根据这项权利向任何国家机关和国家工作人员提出批评和建议;而作为公务员来说,他们更有权利向本机关或上级机关及其领导人员的工作提出批评和建议。这是因为公务员是直接参与国家管理的,在国家管理活动中具体贯彻党和国家的方针政策,他们对于本机关和上级机关及其领导人的情况最了解,对于国家管理活动各个环节上的缺陷比较清楚。因此,强调公务员的这一权利,具有更为重要的意义。它有利于各级机关克服官僚主义,提高工作效率,改善工作质量。任何机关的领导人都不能压制公务员的批评和建议。

所谓批评,即指出机关及其领导人员工作中存在的缺点和不足的活动。开展批评,是公务员责任心的体现。建议则是公务员对改进工作提出的意见,是公务员主动性的表现。公务员的批评建议权,包括几层含义。一是批评建议的对象。公务员既可向本部门或有隶属关系的行政机关及其领导人员提出批评和建议,也可以向其他部门或无隶属关系的行政机关及其领导人员提出批评和建议。二是批评建议的内容。公务员既可就与自己工作、权益有关的问题提出批评和建议,也可针对行政机关的工作程序、工作内容、领导人的工作方式和作风等问题提出批评和建议。三是批评建议的形式。公务员可以用书面的、口头的或其他合理的形式在任何时期提出批评和建议。

6. 提出申诉和控告

公务员的申诉权利,是指公务员如对涉及本人的人事处理决定(包括处分决定和被降职、被辞退的决定等)不服时,可以向原处理机关申请复核,同时有权向同级公务员主管部门或者作出该人事处理的机关的上一级机关提出申诉,其中行政机关的公务员对处分决定不服的,也可以向监察机关提出申诉。公务员的控告权利，是指公务员对于机关及其领导人员侵犯其合法权利的行为或者违法、违纪、失职及渎职的行为，有权向上级机关或者监察机关提出控告。

规定公务员的申诉控告权是十分有必要的。首先，允许公务员依法提出申诉和控告有利于纠正公务员处分工作中的失误和不当，保障与救济公务员的权利，防止个别负责人对公务员打击报复。其次，对于国家机关及其公务员来讲，公务员的申诉控告权是纠正国家机关及其公务员违法失职行为的有效的监督机制，有利于国家管理活动的民主化和法制化，对于监督机关及其工作人员依法办事、尽职尽责，都有重要的意义。

公务员提出申诉的程序是：公务员对本人申诉范围内的人事处理不服的，可以自知道该人事处理之日起三十日内向原处理机关申请复核；对复核结果不服的，可以自接到复核决定之日起十五日内，按照规定向同级公务员主管部门或者作出该人事处理的机关的上一级机关提出申诉；也可以不经复核，自知道该人事处理之日起三十日内直接提出申诉。

7. 申请辞职

公务员由于主观或客观原因不愿意继续担任公职时，国家允许公务员辞去公职。规定公务员可以辞职，就赋予了公务员一定的选择职业的权利。国家赋予公务员这一权利的目的是为了调动、发挥公务员的积极性，促进人才合理流动，以增强人事管理的生机与活力。由于公务员的工作性质和职业特点的不同，其实现辞职权的方式和程序与一般从业人员的辞职权不同。公务员的辞职必须严格按照国家的法律规定进行。

按照我国公务员法的规定，公务员辞去公职，应当向任免机关提出书面申请。任免机关应当自接到申请之日起三十日内予以审批，其中对领导成员辞去公职的申请，应当自接到申请之日起九十日内予以审批。公务员有下列情形之一的，不得辞去公职：(1)未满国家规定的最低服务年限的;(2)在涉及国家秘密等特殊职位任职或者离开上述职位不满国家规定的脱密期限的;(3)重要公务尚未处理完毕,且须由本人继续处理的;(4)正在接受审计、纪律审查,或者涉嫌犯罪,司法程序尚未终结的;(5)法律、行政法规规定的其他不得辞去公职的情形。担任领导职务的公务员,因工作变动依照法律规定需要辞去现任职务的,应当履行辞职手续。

8. 法律规定的其他权利

公务员除享有公务员法规定的权利外,还享有法律规定的其他权利。主要包括两部分内容:一部分是法律规定的一般公民的权利,另一部分是法律所特别规定的机关工作人员应享有的权利。规定公务员可以享有法律规定的其他权利,使得公务员的权利成为一个开放的体系,体现了公务员权利的广泛性和全面性。

第三章 职务与级别

第十四条 国家实行公务员职位分类制度。

公务员职位类别按照公务员职位的性质、特点和管理需要，划分为综合管理类、专业技术类和行政执法类等类别。国务院根据本法，对于具有职位特殊性，需要单独管理的，可以增设其他职位类别。各职位类别的适用范围由国家另行规定。

【释义】 本条是对职位分类制度的规定。

一、职位分类制度

（一）职位分类的含义

分类是管理的基础，没有科学的分类就没有科学的管理。职位分类制度是适应社会化大生产的发展而兴起的一种科学的人事分类制度，它在现代人事管理中占有基础性和决定性地位。职位分类制度，是公务员各项管理制度的基础和依据。

职位分类是一种以工作职位为主要依据的人事分类制度。所谓“职位”，是指上级组织分配给工作人员的职务及其应承担的相应责任。职位是职位分类的最基本元素，它具有如下特点：第一，职位是以“事”为中心而设置的，不因人设置。即先有职位，后有相应的公务人员。当缺乏合适的公务人员时，会出现“职位空缺”现象。第二，职位的数量是有限的，其数量是由组织机构的职能、工作量、经费等因素决定的。根据这些因素所决定的职位数量，即为该组织机构的编制。第三，职位具有相对稳定性。同一职能在不同时间可由不同的人担任，不随公务人员的去留而变动。第四，职位的确定必须依据一定的标准，包括职位名称、工作内容、具体责任、任职条件等。职位分类的具体方式，是按公务员职位性质和内容的异同，依次划分为职门、职组和职系；再对各职系内的职位按其责任轻重、工作难易和所需资格条件，划分若干高低有序的级别，并在级别划分的基础上，进行级别列等，使处于不同职系的职位可以依职责轻重统一排列等级。因此，职位分类为公务员的考试、录用、考核、培训、奖惩、工资待遇等各项人事管理提供依据。

各国的人事分类制度，除职位分类外，还有一些国家实行品位分类。中国古代对文官的管理即实行品位制。品位分类非常重视公务员的资格条件，并把它与公务员的官等紧密地结合起来。在品位分类中，官等是对公务员个人资格的认定，是对公务员个体差异价值的承认，它与职位虽有联系，但不是必然联系。职位分类具有高度非人格化的特点。它严格按照公务员职位的特点来进行分类，而不直接涉及公务员个人资格在分类中的影响。虽然品位分类与职位分类在一定意义上是两种不同的分类制度，但两种制度在发展的过程中也在逐步演化，各自汲取对方的因素。因此，从一定意义上说，严格的职位分类与品位分类已不复存在，在实际的人事制度中，可以把它们结合在一起。

（二）实行职位分类制度的意义

第一，实行职位分类制度，使对公务员的考试录用可以根据不同职位的特点和要求，有针对性地进行，从而达到因事择人、人事结合的目标。第二，职位分类为考核工作提供了客观的标准。第三，职位分类有利于贯彻专业化原则，可以避免学非所用、用非所长的现象，有利于合理地使用人才。第四，实行职位分类，可以根据工作特点和公务员的具体情况，有利于有针对性地进行培训，使培训收到良好的效果。第五，职位分类通过对职位工作的分析，有助于明确机构所担负的功能与实际职位数目设置之间的关系，从而为机构改革提供合理的方案。

鉴于职位分类制度的上述功用，我国在 1993 年制定《国家公务员暂行条例》时即规定建立公务员职位分类制度,但当时主要是侧重职位设置,并未从整体上对公务员职位进行划分和归类。公务员法总结公务员制度实施以来的经验,针对公务员管理中存在的突出问题,对公务员的职务与级别进行了重新设计,将公务员的职位划分为综合管理类、专业技术类和行政执法类,并根据不同的职位类别设置其职务序列,从而改变了单一的职务设置,为公务员提供多样化的职业发展阶梯,强化公务员激励机制,为提高公务员管理的科学化水平奠定了良好的基础。

二、职位类别的划分、增设与适用范围

职位类别的划分,是根据一定的标准将所有公务员职位划分为若干类别。划分职位类别,是职位的性质、特点和管理的需要。根据本法的规定,目前我国的公务员职位类别划分为综合管理类、专业技术类和行政执法类等类别。

(一)职位类别划分

1. 综合管理类是指除专业技术类、行政执法类以及其他职位类别以外的公务员职位类别。综合管理类职位是机关中数量最多的主体类别。需要说明的是,虽然机关工作需要各类专业知识,综合管理类公务员中有不少为具有专业资格的人员,在其工作领域从事研究、政策制定工作,具有丰富的知识、经验和造诣,但这些人员的工作仍然属于机关的行政管理工作,因此,不作为专业技术类公务员。

2. 专业技术类是指在机关中承担专业技术职责,为实施公共管理提供直接的技术支持和保障的公务员职位类别。专业技术类职位的本质特征是指在公务员队伍中履行专业技术职责,为实施公共管理提供专门的技术支持与保障的职位。

专业技术类职位具有三个显著特点:一是职位具有只对专业技术本身负责的纯技术性特点。专业技术类公务员在自己的专业岗位上,只对专业技术业务本身负责,不直接参与公共管理,不具备行政决策权和行政执法权。二是低替代性。决定专业技术类职位任职资格条件的主要因素是专业技术知识水平的高低。因此，专业技术类职位与其他职位之间的替代性不强，应尽量避免跨类别的人员流动。三是技术权威性。专业技术类公务员提供的技术结论不受行政领导干预，不因行政领导意志的改变而受影响。但这种权威性仅体现在技术层面上，仅为行政领导决策提供参考和支持，最终的行政决策权仍掌握在行政领导手中。

根据上述特点，专业技术职位首先体现为某些行业特有专业的技术岗位，如公安的法医、海关的商品归类、原产地管理专家等；其次，体现为一些社会通用性专业的技术岗位，如工程技术、化验技术等。

面对政府管理与服务内容日趋专业化，各级行政领导越来越需要依赖各类专家、各类专业技术人才的专业技术支撑，以更好地承担法定的领导责任。因此，设立专业技术类职位，有利于提高决策的科学性与执行的准确性；同时，为从事专业技术工作的公务员提供职业发展阶梯，吸引和稳定机关不可缺少的专业技术人才，激励他们立足本职岗位，成为本职工作的专家。

3. 行政执法类是指在工商、税务、质检、环保等履行市场监管与社会管理职能的行政执法部门的基层单位的行政执法职位中设置的公务员职位类别。行政执法类公务员主要履行行政监管、行政处罚、行政强制、行政稽查等现场执法职责。与综合管理类相比，行政执法类只有对法律的执行权，而无解释权，出现纠纷时不具备裁定权。

设置行政执法类对于完善和加强对基层公务员队伍的管理具有重要意义。第一，设立行政执法类职位，是建立一线公务员执法队伍的长效约束机制的需要。一线公务员执法队伍，是政府形象的“窗口”，是政府社会管理与市场监管职能的直接履行者，对维护人民群众的切身利益，对社会秩序和市场经济秩序的建立具有直接的影响和重大意义。第二，设立行政执法类职位，有利于促进建立一线行政执法类公务员的基本素质标准，规范录用进口，克服实际中的“近亲繁殖”。过去许多部门没有对行政执法岗位制定专门的任职资格条件，使培训失去针对性，执法的专业水准不高；同时，由于一线公务员执法队伍的职务层次低，而执法权限又比较大，造成权责失衡，产生一些行政违法的现象。第三，设立行政执法类职位，可以更好地激励一线执法公务员。过去由于一线公务员所处的机构规格低，人数较多，职数少，晋升台阶较少，其职业发展空间不大。据统计，科员、办事员占全部一线行政执法公务员的70%，绝大多数人在30～40年的职业生涯中只有办事员与科员两个晋升台阶，严重挫伤了一线执法公务员的积极性。设立行政执法类职位，对解决基层执法部门公务员职业发展空间狭小、职务晋升困难的问题，激励一线执法公务员更好地做好本职工作，加强一线执法公务员的管理和约束，促进依法行政具有重要意义。

4. 关于法官与检察官职位

与1993年国务院制定的《国家公务员暂行条例》相比，本法在公务员的范围上有新的变化，法官和检察官也纳入了公务员的范围。在本法的立法过程中，曾有一种意见主张在职位分类中设置司法类公务员，将法官、检察官纳入这一类别，但法律并未明确。其主要考虑是，本法第三条第二款规定：“法律对公务员中的领导成员的产生、任免、监督以及法官、检察官等的义务、权利和管理另有规定的，从其规定。”这一规定就是考虑到法官、检察官与行政机关以及其他机关工作人员相比具有自身的特殊性，而且我国已经制定了法官法和检察官法，因此，在本法有关职位分类制度中，未将法官、检察官与其他公务员合并在一起进行分类。在这里，对法官、检察官不作职位分类上的调整，实际上正是贯彻和体现了对公务员实行分类管理的原则。

（二）职位类别的增设

除专业技术类与行政执法类职务具有职位特殊性以外，还有其他一些公务员职位类别具有一定的特殊性，实践中需要单独进行管理。例如，在制定公务员法的过程中，有的意见主张，应当专门设置人民警察职务，进行单独管理，这是将来需要进一步研究的问题。为将来增设职位类别留下空间，本条对此作了规定。对于条件成熟，并且管理确实需要的职位，国务院可以规定增设除综合管理类、专业技术类和行政执法类以外的其他职位类别。

（三）关于各职位类别的适用范围

目前，虽然存在大量从事专业技术和行政执法工作的公务员，但在本法实施之前法律并未在职位类别上予以确认。公务员法明确设置专业技术类和行政执法类公务员后，具体将哪些机关中的哪些人员纳入专业技术类和行政执法类，并享受有关的待遇，法律没有明确规定，尚需在对不同部门、不同机构职能以及不同职位的职责、工作性质、特点进行充分地调查研究的基础上，由国家另行作出规定。所谓由国家另行规定，既可以是由全国人大及其常委会制定法律来规定，也可以由国务院制定行政法规或者发布决定、命令的方式予以规定，或者是中央有关部门规定。

第十五条　国家根据公务员职位类别设置公务员职务序列。

【释义】　本条是对职务序列设置依据的规定。

所谓职务序列，包括职务的层次和职务的级别。对公务员管理来说，基本的分类方法有两个：一是职位分类，即把各种不同的职位，按照内容和性质的特点，并同区异，分为若干种类；二是分等，即根据职位的工作繁简难易，责任轻重大小，所需资格高低等因素，把所有职位分为若干高低不同的等级。这种横向的职位划分与纵向的等级划分结合起来，就构成了一个具有相对稳定性的人事分类框架或者一个明确的坐标，每一个职位、职务都可以在其中找到自己的位置。因此，对公务员管理，要在职位分类的基础上，再设置一定的等级，使公务员职务形成一个高低有致的序列。

1993年国务院制定的《国家公务员暂行条例》第八条规定："国家行政机关根据职位分类，设置国家公务员的职务和等级序列。"但由于暂行条例未具体规定不同的职位类别，因此，当时国家行政机关公务员的职务序列基本上是统一的，即十二个职务层次对应十五个级别。这种职务序列难以满足不同职位公务员的需求，造成专业技术职位的人员、机构规格低的人员职务的晋升空间过于狭窄，相应地待遇也难以得到提高。根据本法的规定，公务员职位划分为综合管理类、专业技术类和行政执法类等不同的职位类别后，相应地对于不同的职位类别可以有针对性地设置不同的职务序列。

第十六条　公务员职务分为领导职务和非领导职务。

领导职务层次分为：国家级正职、国家级副职、省部级正职、省部级副职、厅局级正职、厅局级副职、县处级正职、县处级副职、乡科级正职、乡科级副职。

非领导职务层次在厅局级以下设置。

【释义】　本条是对领导职务和非领导职务序列以及职务层次的规定。

一、领导职务与非领导职务

1993年《国家公务员暂行条例》根据公务员是否承担领导职责的标准，将公务员分为领导职务与非领导职务。领导职务是指机关中具有组织、管理、决策、指挥职能的职务。非领导职务是指不具有领导职责的职务。设置非领导职务，主要是基于两个考虑：一是当时的司、处、科级领导职数较多，为了减少领导职数，因此设置一定限额的非领导职务。二是为了解决"独木桥"的难题。因领导职数有限，可以解决部分没有承担领导职务的公务员的待遇；特别是因取消公务员评职称后，设置非领导职务可以解决专业技术人员的待遇问题。

十多年来的实践表明,非领导职务设置解决了公务员管理的一些问题,但也带来了一些管理上的难题。第一,根据国务院《国家公务员非领导职务设置办法》的规定,“非领导职务根据工作需要设置,是实职,但不具有行政领导职责”。但现实中往往不是根据工作需要,主要是为解决待遇而任命。第二,根据《国家公务员非领导职务设置办法》的规定,各级非领导职务的设置,要依据领导职务的设置情况确定适当比例限额。相同规格的机构,领导职务职数是一定的。但现实中相同规格、不同部门的人数存在巨大差距,用“一刀切”的办法确定领导职务职数与非领导职务职数,使一些基层部门的非领导职务职数与其他部门相比出现巨大差距。非领导职务设置不平衡,难以适应队伍基数比较大的行政机关的管理需要。这种情况在公安等执法机关尤为突出。第三,设置非领导职务的初衷,是为了精兵简政、提高效率、理顺关系。但领导职务与非领导职务的区分,实际上在公务员队伍内设置了“两个跑道”。领导职务系列的吸引力依然大于非领导职务的吸引力,人们还是往领导职务系列中去挤,还是一种“官本位”的制度设计思路。在任何机关中,行政领导的毕竟是少数。以行政领导职务系列作为所有公务员的职业发展阶梯,不符合不同人才的成长规律。最终结果是,难以稳定队伍、吸引人才。

由于存在上述问题,在立法过程中,如何处理非领导职务,存在两种意见:一种意见主张,取消非领导职务,将职务与级别完全分离。将公务员分为两大类:一类是承担领导职务的公务员,其待遇只按职务层次来确定;另一类是不承担领导职务的公务员,其待遇只按照级别来确定。第二种意见主张,每一个公务员都有职务,公务员可以分为领导职务与非领导职务,但非领导职务根据职位类别特点来设置。根据职位的类别特点和各类人才的成长规律,设置相应的职务层次与职务名称。实施这种方案的关键是,科学划分职位类别。

由于本法将公务员职位划分为综合管理类、专业技术类和行政执法类，在职位分类的基础上，本法对公务员的职务依然保留了非领导职务的设置。这主要是考虑到，在机关中，有些职位在本机关不负领导责任，但职位本身又很重要，特别是有些职位在其分管的业务方面对其管理对象有较大的检查、监督、管理权，根据需要，设置一些与领导职务相对应的非领导职务是必要的。

二、职务层次

1. 领导职务层次的设置。根据本法的规定，领导职务层次分为：国家级正职、国家级副职、省部级正职、省部级副职、厅局级正职、厅局级副职、县处级正职、县处级副职、乡科级正职、乡科级副职。

2. 非领导职务层次的设置。职务层次是根据工作繁简难易，责任轻重大小，所需资格高低设置的。由于非领导职务不承担领导职责，因此，在职务层次上不应、也不必设置到高等级的职务层次上，因此，本法规定，非领导职务层次在厅局级以下设置，在省部级以上不设置非领导职务。

第十七条　综合管理类的领导职务根据宪法、有关法律、职务层次和机构规格设置确定。

综合管理类的非领导职务分为：巡视员、副巡视员、调研员、副调研员、主任科员、副主任科员、科员、办事员。

综合管理类以外其他职位类别公务员的职务序列，根据本法由国家另行规定。

【释义】　本条是对公务员职务序列的原则规定。

一、综合管理类领导职务的设置

公务员法对综合管理类的领导职务的设置未作具体规定，但规定了设置的原则，即综合管理类的领导职务根据宪法、法律、职务层次和机构规格设置确定。这主要是考虑到公务员的调整范围与1993年《国家公务员暂行条例》相比发生了较大的变化，公务员范围扩大后，综合管理类领导职务的情况比较复杂，需要根据不同的机关区分情况予以确定，故不在法律中作出具体规定。总体上，综合管理类的领导职务可以分为两类：一类是实行选任制的领导职务，另一类是实行委任制的领导职务。

（一）实行选任制的领导职务，例如各级政府的组成人员。实行选任制的领导职务，根据宪法和有关法律的规定确定。根据宪法、地方各级人民代表大会和地方各级人民政府组织法的规定，这一类领导职务包括：国家主席、副主席；国务院总理、国务院副总理、国务委员、各部部长、各委员会主任、审计长、秘书长；中央军事委员会主席、中央军事委员会委员；最高人民法院院长、最高人民法院副院长、审判员、审判委员会委员、军事法院院长、最高人民检察院检察长、最高人民检察院副检察长、检察员、检察委员会委员和军事检察院检察长；省长、副省长，自治区主席、副主席，市长、副市长，州长、副州长，县长、副县长，区长、副区长；乡长、副乡长，镇长、副镇长；本级人民政府秘书长、厅长、局长、委员会主任、科长；地方各级人民法院院长、副院长、庭长、副庭长、审判委员会委员、审判员，地方各级人民检察院副检察长、检察委员会委员、检察员。根据目前公务员的范围，实行选任制的领导职务，还包括各级党委、人大、政协机关实行选任制的领导职务。

（二）实行委任制的领导职务，例如国务院各部委的副职领导人、县级以上地方各级人民政府组织部门的副职领导人，以及各机关内设机构的领导职务。对于实行委任制的领导职务，需要根据本法第十六条规定的职务层次和机构规格予以确定。

二、综合管理类的非领导职务

与综合管理类领导职务的情况不同，由于本法第十六条规定，非领导职务层次只在厅局级以下设置，因此，对于综合管理类非领导职务的名称比较容易统一，故本法对综合管理类非领导职务作出了具体规定,即分为巡视员、副巡视员、调研员、副调研员、主任科员、副主任科员、科员、办事员。

三、综合管理类以外其他职位类别的职务序列

本法第十五条规定:“国家根据公务员职位类别设置公务员职务序列。”本条第一款和第二款规定了综合管理类公务员的职务层次。对于专业技术类、行政执法类以及其他职位类别公务员的职务序列,作为公务员管理的一个基本的法律,本法未作具体规定,而是规定根据本法由国家另行规定。

第十八条　各机关依照确定的职能、规格、编制限额、职数以及结构比例,设置本机关公务员的具体职位,并确定各职位的工作职责和任职资格条件。

【释义】 本条是关于公务员具体职位的规定。

一、职位的概念与特性

职位是机关分配给其所属公务员担任的具体岗位。公务员的职位具有如下特性:(1)职位是机关职能的微观载体。机关作为组织体,需要将自身职能加以分解后分配给其管辖的具体公务员来承担。职位是人和事结合的微观单元,它一方面对应着对事的管辖职能,另一方面对应着具体公务员,适合作为机关职能的载体。(2)职位作为机关的一个岗位,应由具体的公务员担任,但它本身存在于公务员之先,人员变动对职位也没有影响。在没有合适的人选时职位也可以空缺。(3)职位是职权与职责的统一,职位赋予公务员个人具体的工作任务,其中既包括职权又包括职责。(4)职位数量具有有限性。

二、设置职位的依据

职位设置是公务员管理和实行职位分类的重要环节。进行职位设置时,应当依照确定的职能、规格、编制限额、职数以及结构比例。

职位设置应遵循严格、高效、精干的原则,按批准的“三定”(定职能、定机构、定人员)方案确定的编制、职数等进行。在职位设置上,应遵循突出重点、兼顾一般的原则。既要突出机关的重要职能任务,又要兼顾服务性、保障性的工作。职位的设置必须与机构规格相符,不得超过其机构规格设置职位或者搞变相升格。不同职位之间应当保持一定的结构比例,以保证各个职位能够协调配合,相互协作。

职位设置还应考虑每一职位有适当的工作量,按照满负荷工作的要求,保障每个职位的任职人员,既不会超负荷工作,也不会无所事事。

职位设定以后,应尽量保持相对稳定,不能随意变化。由于机关职能的增加或者减少、办公手段和条件的改善、工作效率的提高或者内设机构职能的调整等原因,可以增设、减少或者变更职位。增设、减少或者变更职位时应说明理由并报经有关部门批准。

三、职位的工作职责和任职资格条件

机关应当明确具体职位的工作职责和任职资格条件,前者要明确需要干什么,后者明确由什么样的人来干。

机关一般通过制定职位说明书的方式确定职位的工作职责和任职资格条件。职位说明书的内容包括下列内容:(1)职位名称。(2)职位代码,指每一职位的代表号码。(3)工作项目,指按照工作职责列出职位应承担的全部工作项目。(4)工作概述,指按照工作项目简要说明工作的内容、程序、职责及权限。(5)所需知识和能力,指完成本职位工作所需的学识、才能、技术和经验。(6)转任和升迁的方向。(7)工作标准,指每个工作项目所应达到的质量和数量的基本标准。

职位说明书要求简明、实用。职位说明书可由职位任职人员按照本职位的职责填写,也可由各岗位的直接领导人员或人事部门负责填写。岗位的直接领导人员和上级领导人员审核职位说明后应交机关人事部门复核，并报机关领导人员审定。职位说明书经机关领导人员审定后即可作为人员录用、考核、培训、晋升的依据之一。

增设或者变更职位的，应按照设置职位的程序，明确新职位的职责任务和任职资格条件，制定职位说明书。

第十九条　公务员的职务应当对应相应的级别。公务员职务与级别的对应关系，由国务院规定。

公务员的职务与级别是确定公务员工资及其他待遇的依据。

公务员的级别根据所任职务及其德才表现、工作实绩和资历确定。公务员在同一职务上，可以按照国家规定晋升级别。

【释义】　本条是关于公务员级别的规定。

一、公务员级别的概念

公务员除了其所任职务以外，还有级别。公务员的级别高低，既体现公务员所任职务的等级高低、责任轻重和职位难易程度，又反映公务员的德才表现、工作实绩和资历等素质条件和工作状况。这是我国公务员制度的一个特色。

各国公务员都有级别，但确定级别的依据和级别所反映的内容不尽相同。在美国等实行职位分类的国家，公务员级别反映的是公务员所在职位的责任轻重和难易程度，与公务员本身的资历条件无关，级别不随人变化。责任轻重和难易程度相同的职位划入同一级职位，职位的工作任务和责任不变，级别也不变。而在实行品位分类的国家，公务员的级别主要反映公务员本身的学历、资历等条件，级别随人走，同一职位可由级别不同的人来担任。我国公务员的级别，既考虑了职位分类的因素，又吸取了我国传统的官员品位制度、干部等级制度以及现代品位分类的因素。

二、职务与级别的对应关系

《国家公务员暂行条例》中曾经规定，国家公务员的级别分为十五级。职务与级别的对应关系分别是:(一)国务院总理:一级;(二)国务院副总理,国务委员:二至三级;(三)部级正职,省级正职:三至四级;(四)部级副职,省级副职:四至五级;(五)司级正职,厅级正职,巡视员:五至七级;(六)司级副职,厅级副职,助理巡视员:六至八级;(七)处级正职,县级正职,调研员:七至十级;(八)处级副职,县级副职,助理调研员:八至十一级;(九)科级正职,乡级正职,主任科员:九至十二级;(十)科级副职,乡级副职,副主任科员:九至十三级;(十一)科员:九至十四级;(十二)办事员:十至十五级。

根据中共中央组织部1993年9月发布的《关于中国共产党机关参照试行〈国家公务员暂行条例〉的实施意见》,党的机关工作者的级别划分,参照国家公务员暂行条例执行。职务与级别的对应关系是:(1)中央总书记,中央政治局常委:一级;(2)中央政治局委员、候补委员,中央书记处书记,中纪委书记:二至三级;(3)中央各部部长,省(自治区、直辖市)委书记,中纪委副书记:三至四级;(4)中央各部副部长,省(自治区、直辖市)委副书记、常委,中纪委常委,省(自治区、直辖市)纪委书记:四至五级;(5)中央各部局长,省(自治区、直辖市)委各部部长,地(市、州、盟、直辖市的区)委书记,省(自治区、直辖市)纪委副书记,巡视员:五至七级;(6)中央各部副局长,省(自治区、直辖市)委各部副部长,地(市、州、盟、直辖市的区)委副书记,地、盟(市、州、直辖市的区)委委员(常委),省(自治区、直辖市)纪委常委,地(市、州、盟、直辖市的区)纪委书记,助理巡视员:六至八级;(7)处长,地(市、州、盟、直辖市的区)委各部部长,县(市、旗、省辖市的区)委书记,地(市、州、盟、直辖市的区)纪委副书记,调研员:七至十级;(8)副处长,地(市、州、盟、直辖市的区)委各部副部长,县(市、旗、省辖市的区)委副书记、常委,地、盟(市、州、直辖市的区)纪委委员(常委),县(市、旗、省辖市的区)纪委书记,助理调研员:八至十一级;

(9)科长，县(市、旗、省辖市的区)委各部部长，乡(镇)党委书记，县(市、旗、省辖市的区)纪委副书记，主任科员：九至十二级；(10)副科长，县(市、旗、省辖市的区)委各部副部长，乡(镇)党委副书记，县(市、旗、省辖市的区)纪委常委，副主任科员：九至十三级；(11)科员：九至十四级；(12)办事员：十至十五级。另外，各级党的机关中与上述职务相对应的其他职务，也适用上述规定。

本法规定公务员的职务应当对应相应的级别，但没有对具体的对应关系作出规定，这就为改革留下了空间。根据有关部门设想的新的级别设置方案，将来要增加级别数量，扩大相邻职务层次的交叉对应幅度，同时体现向基层倾斜的指导思想。我国92%的公务员，其职务层次处于主任科员以下，因此职务层次越低，与级别的交叉对应幅度应当越大。

三、公务员级别的功能

《国家公务员暂行条例》中的级别，影响公务员工资的作用不大，级别的激励功能较弱，公务员感觉不到级别的激励功能。而根据本条规定，公务员级别与公务员的职务一起构成了确定公务员工资及其他待遇的依据。目前我国实行的公务员待遇体制，比较强调职务。按照现在的体制，工资、住房、医疗、交通等福利待遇都与职务高低挂钩，但从职务升迁上讲，每个单位的领导职务和非领导职务都是有限的，担任主要领导职务的更少，而这就使得许多人都去跑官、要官、买官，不利于干部队伍建设。在实行职务晋升制度的同时，根据工龄、业绩等因素，确定公务员的级别晋升制度，并与工资、福利等待遇挂钩，就可以充分照顾到大多数公务员的利益，调动他们的工作积极性。

四、确定公务员级别的根据

本条规定，公务员的级别根据所任职务及其德才表现、工作实绩和资历确定。具体来说，在确定公务员级别时，应考虑如下因素：(1)公务员所担任的职务，包括领导职务与非领导职务。职务决定公务员的级别范围(可能的最高级别与最低级别),每一职务对应一定范围的级别。(2)公务员的资历。同一职务层次的公务员,工作年限长、学历高的,级别也高。(3)级别的晋升与德才表现、工作实绩相联系。根据本法第五章的规定,公务员定期考核的结果作为调整公务员级别的工具。公务员有违法违纪行为的,有可能受到降级的处分。

五、公务员在同一职务上,可以按照国家规定晋升级别。

如前所述,公务员职务与级别的对应关系,是指公务员的职务对应一定的级别范围,这种对应并非一一对应,同一个公务员职务可以对应多个级别,具体对应哪一个级别,要根据德才表现、工作实绩和资历来确定。因此,公务员如果德才兼备,有工作实绩,或者资历有提高,即使公务员的职务没有晋升,也可以晋升其级别。而由于级别与职务一样是确定公务员工资和其他待遇的依据之一,这对于调动公务员的工作积极性、克服“官本位”的思想具有重要意义。本法的规定,使得公务员的级别成为公务员职业发展的重要台阶,除了职务晋升之外,级别晋升也是公务员职业发展的一条重要渠道。

第二十条　国家根据人民警察以及海关、驻外外交机构公务员的工作特点,设置与其职务相对应的衔级。

【释义】　本条是关于公务员衔级制度的规定。

一、人民警察的警衔制度

警衔是区分警察等级、表明警察身份的称号和标志,国家给予警察的荣誉。警衔制度起源于西欧,1829年法国和英国相继创建现代警察组织时,即对警察人员实行了衔级制度。此后,世界各国都相继实行,逐渐形成世界通行的一种警衔制度。为了进一步加强人民警察队伍的革命化、现代化、正规化建设,增强人民警察的责任心、荣誉感和组织纪律性,有利于人民警察的指挥、管理和执行职务,1992年7月1日,第七届全国人大常委会第二十六次会议审议通过了《人民警察警衔条例》,正式建立了人民警察警衔制度。

根据《人民警察警衔条例》规定,人民警察实行警察职务等级编制警衔。警衔高的人民警察对警衔低的人民警察,警衔高的为上级。当警衔高的人民警察在职务上隶属于警衔低的人民警察时,职务高的为上级。公安部主管人民警察警衔工作。

《人民警察警衔条例》第七条规定,人民警察警衔设下列五等十三级:(一)总警监、副总警监;(二)警监:一级、二级、三级;(三)警督:一级、二级、三级;(四)警司:一级、二级、三级;(五)警员:一级、二级。

担任专业技术职务的人民警察的警衔,在警衔前冠以"专业技术"。

《人民警察警衔条例》第八条规定担任行政职务的人民警察实行下列职务等级编制警衔:(一)部级正职:总警监;(二)部级副职:副总警监;(三)厅(局)级正职:一级警监至二级警监;(四)厅(局)级副职:二级警监至三级警监;(五)处(局)级正职:三级警监至二级警督;(六)处(局)级副职:一级警督至三级警督;(七)科(局)级正职:一级警督至一级警司;(八)科(局)级副职:二级警督至二级警司;(九)科员(警长)职:三级警督至三级警司;(十)办事员(警员)职:一级警司至二级警员。

《人民警察警衔条例》第九条规定,担任专业技术职务的人民警察实行下列职务等级编制警衔:(一)高级专业技术职务:一级警监至二级警督;(二)中级专业技术职务:一级警督至二级警司;(三)初级专业技术职务:三级警督至一级警员。

二、海关的关衔制度

在海关工作人员中实行关衔制度的主要考虑,一是海关行政执法活动具有反走私斗争的尖锐性、对抗性,要求指挥统一、行动快捷、反应迅速、纪律严明,以确保政令畅通,维护海关执法的严肃性。海关工作人员在打击走私第一线佩带关衔,明确现场海关工作人员的等级,有利于现场指挥,避免临阵紊乱、贻误时机。二是我国加入世贸组织后,海关需要在有效监管的前提下提高通关效率。实行关衔制度,有利于完善通关作业现场的监督制约、层级管理机制,适应海关业务现场管理及时处置的特点,便于及时处理监管现场发生的紧急复杂事项。三是实行关衔制度,有利于海关工作人员增强荣誉感、激发进取心,更加忠实地依法履行自己的职责。同时,也便于人民群众对海关工作人员进行监督,有利于提高执法队伍的素质,促进海关廉政建设。四是实行关衔制度,符合国际通行做法。2003 年 2 月 28 日第九届全国人大常委会第三十二次会议通过的《海关关衔条例》对海关关衔的设置作了规定。

根据《海关关衔条例》,海关工作人员实行职务等级编制关衔。关衔高的海关工作人员对关衔低的海关工作人员,关衔高的为上级。当关衔高的海关工作人员在职务上隶属于关衔低的海关工作人员时,职务高的为上级。海关总署主管关衔工作。

《海关关衔条例》第七条规定,海关关衔设下列五等十三级:(一)海关总监、海关副总监;(二)关务监督:一级、二级、三级;(三)关务督察:一级、二级、三级;(四)关务督办:一级、二级、三级;(五)关务员:一级、二级。

《海关关衔条例》第八条规定,海关工作人员实行下列职务等级编制关衔:(一)署级正职:海关总监;(二)署级副职:海关副总监;(三)局级正职:一级关务监督至二级关务监督;(四)局级副职:二级关务监督至三级关务监督;(五)处级正职:三级关务监督至二级关务督察;(六)处级副职:一级关务督察至三级关务督察;(七)科级正职:二级关务督察至二级关务督办;(八)科级副职:三级关务督察至三级关务督办;(九)科员职:一级关务督办至一级关务员;(十)办事员职:二级关务督办至二级关务员。

三、驻外外交机构公务员的衔级

驻外外交机构公务员是国家派往大使馆、总领事馆、领事馆，以及常驻联合国和其他国际组织的代表团、代表处等驻外外交代表机构的公务员。目前，我国驻外外交代表机构242个（不包括驻港澳公署），外交人员约5000人，由包括外交部、商务部、文化部、教育部等在内的33个单位派出。

宪法第六十七条规定，全国人大常委会规定“军人和外交人员的衔级制度和其他专门衔级制度”。目前我国尚未对外交人员的衔级问题进行专门立法。从目前实际做法来看，外交部国内机关按公务员制度设行政职务，同时保留与公务员级别相对应的外交衔级。

公务员法草案第十二条第四款曾规定：“驻外外交机构公务员的衔级分为：大使衔、公使衔、一等秘书衔、二等秘书衔、三等秘书衔和随员衔。”在草案审议过程中，内务司法委员会、一些常委委员和外交部提出，草案的这一规定不全面，难以涵盖外交机构公务员管理中的诸多特殊情况。建议就驻外机构公务员的管理单独立法，以便作出比较全面的规定。法律委员会经研究认为，宪法第六十七规定，全国人大常委会规定“军人和外交人员的衔级制度和其他专门衔级制度”，对于驻外外交机构公务员的衔级问题，可在今后的立法中作出规定，本法可不作具体规定。最后表决通过的公务员法采纳了法律委员会的意见，只是规定了国家根据驻外外交机构公务员的特点设置与其职务相对应的衔级，具体的衔级以及其他相关问题留待单行立法解决。

第四章　录　　用

录用,是指机关通过法定程序,采用公开考试、严格考察的办法和按照德才兼备的标准,选拔优秀人才担任主任科员以下及其他相当职务层次的非领导职务公务员的人事制度,具有公开性、平等性和竞争性三大特点。根据本法的有关规定,非公务员获得公务员身份主要有四种方式:选任、调任、聘任和录用,以录用为主,选任、调任和聘用为辅。公务员是机关中人的因素,是机关中最基础、最活跃、最有创造性的因素。高素质的公务员队伍是机关良性、高效、协调运转的决定性因素。提高公务员队伍素质,改善公务员队伍结构是一项系统工程。除了通过培训、辞退等制度帮助、鼓励和鞭策公务员提高自身素质外,更重要的是在公务员队伍的"进口"处设好门槛、把好关,将高素质人才吸纳到公务员队伍中来。我国自1994年开始在中央国家机关公开招考公务员,目前已经逐步推进到全国各级各类机关单位。

第二十一条　录用担任主任科员以下及其他相当职务层次的非领导职务公务员,采取公开考试、严格考察、平等竞争、择优录取的办法。

民族自治地方依照前款规定录用公务员时,依照法律和有关规定对少数民族报考者予以适当照顾。

【释义】　本条是关于公务员录用的范围、方法和标准的规定。

一、公务员录用的范围

本法规定,录用的范围仅限于担任主任科员以下及其他相当职务层次的非领导职务公务员。根据本法第十六条的规定,主任科员以下的非领导职务具体包括:主任科员、副主任科员、科员和办事员。除内部晋升外,对于主任科员以上的领导职务和非领导职务,主要是通过调任和选任的方式进行补充。对于主任科员以下的领导职务,则主要通过调任方式进行补充。这是考虑到担任高级别职务,特别是领导职务的公务员需要有敏锐的政治头脑、丰富的工作经验和领导才能,这些素质需要通过在有关部门的长期实践,积累经验后才能具备,而采取考试的方式从社会上录用的人员,有时难以达到要求。

二、公务员录用的办法和原则

1. 公开考试。公开是公正与公平的基础。公开考试,是指公务员考试录用面向社会,公开招考,主要体现在五个方面:(1)招考政策公开;(2)报名时间、招考条件、招考对象公开;(3)用人部门、招考职位、任职资格条件公开;(4)考试时间、方法和程序公开;(5)考试成绩、拟录用人员名单公示、录用结果公开。公开的方式有多种,包括网络、报纸、电视等,特别是网络,可以极大的保证公务员考试录用的公开性。

2. 严格考察。主要指在公开考试的基础上,根据本法第二十九条的规定对报考人员进行考察,即到其所在单位进行考察了解。考察的内容主要是报考人员的政治思想和道德品质等,也考察其工作能力。严格考察是"择优"的前提,其目的在于保证被录用的公务员符合德才兼备的标准。德才兼备是我党我国在长期实践中形成的干部选拔与使用的标准,是经过历史验证了的、合理的、行之有效的原则。公开考试的重点在于考察报考者的"才",而严格考察的重点则在于报考者的"德"。把公开考试和严格考察结合起来,才能保证被录用人员既具备真才实学,又具有坚定政治思想、道德品行良好的应试者被录用,从"入口"处保证公务员的高素质。

3. 平等竞争。平等即公民在担任公职方面享有平等机会和权利。平等竞争首先体现在机会平等,即任何人不论民族、种族、性别、出身、宗教信仰、婚姻状况等有何不同,都有报考公务员的资格。招录机关在确定报考资格条件时,必须遵循必要和合理原则,不能随意增加不合理的限制性报考条件,比如要求报考者未婚、男性,或规定其他歧视性的身体要求等。平等性还体现为录用规则的一致,在考试时制定统一的评分标准和录取分数线,根据成绩的高低,来决定录用人员。只有达到分数线以上的报考者才有被录取的可能,达不到分数线的,一律不得录取。

4. 择优录取。主要是指一个职位由多个报考者报考,实行差额考试,将成绩最优秀的报考者录用为公务员。择优录取是平等竞争的结果。在整个录用工作过程中,报考者要经历报考申请审查、笔试、面试、报考资格复审、考察和体检等环节,每个环节都要经过激烈竞争,只有优胜者才有资格进入下一个环节的竞争。竞争为择优提供了可能,择优是竞争的应有之义。

三、对民族自治地方公务员录用的特殊规定

民族区域自治是我国宪法确定的基本原则和我国的基本政治制度。对少数民族报考者予以适当照顾所依照的法律和有关规定主要是:民族区域自治法第十八条的规定:“民族自治地方的自治机关所属工作部门的干部中,应当合理配备实行区域自治的民族和其他少数民族的人员。”第二十二条第二款规定:“民族自治地方的自治机关录用工作人员的时候,对实行区域自治的民族和其他少数民族的人员应当给予适当的照顾。”在民族自治地方,少数民族报考者被录用为公务员后,成为直接履行公职,管理国家事务的人员,更有利于发挥各族人民当家做主的积极性,有利于发挥少数民族报考者熟悉本民族历史和风俗习惯的优势,有利于巩固国家的统一,促进民族自治地方各项事业的发展。在民族自治地方对少数民族的报考者予以适当照顾，并不违反平等竞争的原则。因为许多少数民族由于历史原因，处于经济、文化较落后的状况，如果对他们的要求过于严格，将导致我国公务员队伍中少数民族比例过低，这样对他们将是不平等的。适当照顾的方式主要有三种：一是在制定招考录用计划时，规定少数民族公务员录用的比例；二是在同等条件下，优先录用少数民族报考者；三是适当降低少数民族报考者的录取分数线。

第二十二条　中央机关及其直属机构公务员的录用，由中央公务员主管部门负责组织。地方各级机关公务员的录用，由省级公务员主管部门负责组织，必要时省级公务员主管部门可以授权设区的市级公务员主管部门组织。

【释义】 本条是关于公务员录用主管机关及其权责划分的规定。

一、公务员录用的组织机关

公务员录用的组织机关是中央公务员主管部门、省级公务员主管部门及获得授权的设区的市级公务员主管部门。在公务员录用过程中，涉及三方主体：公务员主管部门、用人单位以及报考者。公务员主管部门和用人单位在公务员录用过程中是相互配合，适当分工的关系。公务员主管部门主要负责两方面工作：一方面，制定有关公务员录用的统一规定，这包括有关考务、面试、考察、体检的一般规定；另一方面，组织统一的公务员考试，包括制定录用计划、审定试题、规定时间、发布公告、报名及资格审查、考试管理、试卷评判等活动。用人单位主要是配合公务员主管部门的考试工作，包括提供用人名额、职位描述等信息；根据笔试成绩的高低，组织面试工作；根据面试成绩公布体检人员的名单；组织体检；确定拟录用名单等。

本法规定由公务员主管部门，而不是用人单位负责组织公务员的录用工作,目的在于保证公务员考试的公正性和严肃性。公务员考试是一项严格而复杂的工作,必须保证考试标准、方法、时间及各项具体要求相对统一,以保证考试工作的公正性和严肃性。只有由相对独立的公务员主管部门负责公务员的录用工作,才能把各部门的公务员录用工作统一起来,并提供相对统一的标准。但是,毕竟用人单位最清楚其所需求的人员要求,因此公务员主管部门主要职责是维持公务员录用过程中的良好秩序,对用人单位的要求和确立的职位要求应给予尊重。

二、公务员录用组织机关的权限划分

我国宪法第三条第四款规定:"中央和地方的国家机构职权的划分,遵循在中央的统一领导下,充分发挥地方的主动性、积极性的原则。"本条规定,在公务员录用工作中,中央公务员主管部门负责组织中央机关及其直属机构公务员的录用,省级公务员主管部门负责组织地方各级机关公务员的录用,省级公务员主管部门可以在必要时,授权给设区的市级公务员主管部门组织其本辖区内公务员录用。将公务员录用组织机关分中央和省级两个层次,是考虑到我国人口众多、幅员辽阔、发展不平衡的因素,同时也是为了充分发挥和调动地方的主动性和积极性。对于应否允许省级公务员主管部门授权设区的市级公务员主管部门组织录用公务员,在审议和征求意见的过程中,一些常委委员、地方和部门持反对意见,认为作出授权规定,将引起公务员招考的不正之风,不利于保证录用工作的公开、公平、公正。但本法最后保留了这样的授权规定,就是因为考虑到有些省、自治区内部各地、市的情况也有很大的区别,如果统一由省级公务员主管部门组织考试录用,难以满足某些设区的市录用公务员的需要。设区的市级公务员主管部门组织录用公务员的权限是由省级公务员主管部门授权的,省级公务员主管部门对此享有监督权。省级公务员主管部门认为条件成熟,已经没有授权的必要时,可以收回授权。

中央机关，主要是指中共中央机关、全国人大机关、国务院及其各部委、全国政协机关、最高人民法院、最高人民检察院等中央机关。中央机关的直属机构，主要是指中共中央、国务院的直属机构。国务院的直属机构是指根据精简原则，设立的主管各项专门业务的机关，如国家税务总局、国家广电总局、新闻出版总署、海关总署等。地方各级机关，包括省级、设区的市级、县级、乡级的各级机关。这里的机关都是作广义理解的，包括地方各级各类党政机关。

第二十三条[①] **报考公务员，除应当具备本法第十一条规定的条件外，还应当具备省级以上公务员主管部门规定的拟任职位所要求的资格条件。**

【释义】 本条是关于公务员报考资格条件的规定。

报考资格条件，是指国家和主考机关规定的成为某个职位上的公务员不可缺少的条件。关于报考资格条件，可以参看本法第十一条的释义。

本法规定由省级以上公务员主管部门规定拟任职位要求的资格条件，是考虑到本法第十一条所列举的条件只是公务员应当具备的最基本的条件，而每个职位的工作性质、责任大小、难易程度以及任职资格条件都是不同的，这就要求公务员录用必须按职位要求选择被录用人员，法律无法对职位要求作出统一的规定，只能规定由省级以上公务员主管部门规定相关的资格条件。省级以上公务员主管部门规定的拟任职位所要求的资格条件，包括以下三层含义：首先，必须是省级以上公务员主管部门才有权规定，即中央公务员主管部门和各省、自治区、直辖市的公务员主管部门，获

① 2017 年 9 月 1 日《全国人民代表大会常务委员会关于修改〈中华人民共和国法官法〉等八部法律的决定》在本条中增加一款，作为第二款："国家对行政机关中初次从事行政处罚决定审核、行政复议、行政裁决、法律顾问的公务员实行统一法律职业资格考试制度，由国务院司法行政部门商有关部门组织实施。"

得授权组织录用的设区的市级公务员主管部门无权作出规定；其次，规定的资格条件必须是拟任职位所必要的，比如专业要求、学历要求、工作经历要求等，但不能规定歧视性的资格条件；再次，规定的条件不得与本法明确规定的条件相冲突。

第二十四条　下列人员不得录用为公务员：

（一）曾因犯罪受过刑事处罚的；

（二）曾被开除公职的；

（三）有法律规定不得录用为公务员的其他情形的。

【释义】　本条是关于禁止录用情形的规定。

公务员录用组织机关应加强对报考人员的报考资格和报考申请的审查，一旦发现报考者具有本条所述的禁止录用情形，停止录用，其目的是为保证新录用公务员的纯洁性。但是，实践中应当注意对于一些偶尔有违反有关部门的规定，但是并没有构成犯罪，也没有被开除公职，并且经教育改正，条件优秀，符合公务员录用条件的，他们仍然可以被录用为公务员。对于曾经辞职或被辞退的人员，也不属于被禁止录用的对象，只要他们符合报考条件，考试成绩优秀，也可以被录用为公务员。不得录用为公务员的情况是：

1. 曾因犯罪受过刑事处罚的。犯罪包括故意犯罪和过失犯罪。刑事处罚包括刑法规定的主刑，即管制、拘役、有期徒刑、无期徒刑、死刑，也包括附加刑，即罚金、剥夺政治权利、没收财产。曾经受过刑事处罚的人员一律不得录用为公务员。在公务员法草案审议和征求意见的过程中，一些常委委员、地方和部门提出，对于过失犯罪而受到刑事处罚的人，可以考虑允许录用为公务员。立法机关最后没有采纳这个建议。这是考虑到公务员是履行公职的人员，国家对他们的要求理应高于对普通人的要求，他们也应当具备比其他人更高的素质，因此无论是曾因故意犯罪还是过失犯罪受到刑事处罚的人，都不得录用为公务员。

2. 曾被开除公职的。"开除公职"是指依法定的程序被用人单位开除。这里的公职,主要是指在国家机关、国有企业事业单位、人民团体中从事公务的职务。在公务员法草案审议和征求意见的过程中,一些常委委员、地方和部门提出,对于被开除公职后一定期间后,确有悔改表现的,可以考虑允许录用为公务员。立法机关最后没有采纳,也是考虑到国家对公务员的要求比较高,无论什么原因,只要是被开除公职,就一律不得担任公务员。

3. 有法律规定不得录用为公务员的其他情形的。这是兜底条款,也是为其他法律针对特殊类别公务员规定录用条件预留的空间。

第二十五条　录用公务员,必须在规定的编制限额内,并有相应的职位空缺。

【释义】　本条是关于录用公务员前提条件的规定。

一、在国家规定的编制限额内

规定录用公务员必须在国家规定的编制限额内进行,主要是从控制国家机关规模,防止机构膨胀的角度来考虑的。编制,是指机关根据机构设置性质及其工作任务、职责范围而确定的人员定额和职位分配。其核心是科学、合理用人的数量标准。国家机关及其内部机构,都是根据一定任务来设置一定的机构,根据确定的机构来制定编制,再根据编制来配备人员。确定国家机关的编制时,必须遵循因事设人原则、精简原则、效能原则等。编制工作是涉及国家管理体制的大事,具有法定性,任何单位的人员总额都不得超编。公务员主管部门在审定录用计划时,必须坚持只有在缺编的情况下,才能给予录用名额。

二、有相应的职位空缺

规定录用公务员必须有相应的职位空缺,是从优化机关内部工作的角度来考虑的。我国实行公务员职位分类制度。各级国家机关,都要在定职能、机构、编制的基础上,按照一定的标准设置职位，并有明确的职责任务和任职资格条件。某一职位上的工作任务及权限是该机关职能分解的最小单位。不同职位的职责、工作任务和要求是不同的。出现职位空缺，说明该机关某一部分工作任务无人执行，影响到机关的工作效能，这时才有录用公务员的必要。如果没有职位空缺，说明该机关各职位上的职责都有人履行，且该机关已满编，无需录用新人员。

根据以上两个条件，公务员主管部门组织编制录用计划。录用计划一般是年度的。编制工作的主要步骤是现有各用人部门向本级公务员主管部门申报用人计划，内容包括用人部门名称及其编制数、缺编数、拟增总人数、拟录用职位名称等。然后由公务员主管部门根据本条的规定进行审查后予以确定。

第二十六条　录用公务员，应当发布招考公告。招考公告应当载明招考的职位、名额、报考资格条件、报考需要提交的申请材料以及其他报考须知事项。

招录机关应当采取措施，便利公民报考。

【释义】　本条是关于公务员录用考试中招考公告的规定。

一、发布招考公告

发布招考公告就是通过广播、电视、报刊、网络等大众传媒将有关招考的事项公之于众，以便符合条件者报名参加考试，以利于在更大范围内选拔优秀人才进入机关。招考公告应当提前一定的时间公布。公布的方式包括报纸、电视、杂志、网络等，其中网络已经成为一种非常重要、便捷的公布途径。提前一定的时间公布，便于报考者有足够的时间去考虑报考的职位，使报考选择更加理性。招考公告中必须载明招考的职位、名额、报考资格条件、报考需要提交的申请材料以及其他事项，如考试时间、地点、方式等。

需要注意的是，招考公告中载明的内容具有法定的效力，不得随意更改。特别是报考资格条件，如果有身体等方面的要求，必须明确、具体载明;没有载明的,视为没有相应要求。招考单位不得以没有载明的要求,取消报考者的考试资格和录用资格。

二、便民原则

便民,简单地说就是方便人民群众。公务员招考过程中的便民原则就是要方便报考者报名参加公务员考试。便民原则是我国法制的重要原则。在公务员报考过程中,便民原则的具体要求有两个方面:一方面,要求招录机关以报考人员容易看到的方式公布招考信息;另一方面,要求招录机关采取一定的措施,方便报考人员报名,这些措施包括有关考试资讯要容易获得、报考的时间要足够、报考的地点要适当、报考的方式要灵活等。比如,近年来,各招录机关以网络的形式通过网络提供招考信息和服务,并允许报考人员通过网络进行报名并对其进行资格初步审查,就是便民原则的体现。

第二十七条　招录机关根据报考资格条件对报考申请进行审查。报考者提交的申请材料应当真实、准确。

【释义】　本条是关于公务员录用考试中报考资格审查的规定。

报考资格审查是保证公务员素质的第一道程序,主要是了解报考者是否具备公务员的条件和报考职位所特别要求的条件。根据招考公告,符合报考条件的公民携带必需的资格证明材料,自愿到规定地点报考。资格证明主要包括身份证、工作证、毕业证、学位证及其他相关资格或能力的证书或证件等。在实践中,对资格审查一般分为两个步骤:第一步,通过网络进行网上的初步资格审查。由报考者填写一定规格的电子文本,通过网络提交录用组织机关进行初步审查。第二步,实地的资格审查。在通过网上初步资格审查后,报考者在规定的时间,到规定的报考地点进行报名确认。同时,录用组织机关对申请报考者提交的各种证明材料的可靠性进行审查。符合报考资格条件的报考者,才能拿到准考证,获得参加公务员录用考试的笔试资格。

第二十八条 公务员录用考试采取笔试和面试的方式进行，考试内容根据公务员应当具备的基本能力和不同职位类别分别设置。

【释义】 本条是关于公务员录用考试的方式的规定。

我国公务员公开考试的方式有两种：笔试和面试。

笔试，是指预先拟好试题，让考生在规定的时间内运用文字解答试卷，然后通过试卷评判学生掌握基本知识和专业知识的程度、写作能力、阅读理解能力、对于知识的综合运用能力以及逻辑思维能力的测试方法。笔试的内容包括两类：行政职业能力测验和申论两个科目。行政职业能力测验主要是测查考生从事国家机关工作必须具备的潜能。考试结构一般包括常识判断（涵盖政治、经济、法律、管理、人文、科技等）、语言理解与表达、数量关系、判断推理和资料分析等五个部分。申论主要通过考生对给定材料的分析、概括、提炼、加工，测查考生解决实际问题的能力、文字表达等能力。

面试，是指主考人通过与考生对话，来考查考生的知识和能力。面试方式可以直观地了解考生掌握和运用知识的能力、应变能力、语言表达能力等。笔试和面试是有着前后承继关系的两种考试方式，只有笔试通过的考生，才有面试的机会。面试主要是结构性面试，即分为若干评测要素，考察考生适应职位要求的基本素质和实际工作能力，包括口头表达能力、反应能力、仪表等，主要方式有口试、模拟操作、智能测试等。

第二十九条 招录机关根据考试成绩确定考察人选，并对其进行报考资格复审、考察和体检。

体检的项目和标准根据职位要求确定。具体办法由中央公务员主管部门会同国务院卫生行政部门规定。

【释义】 本条是关于公务员录用中考察和体检的规定。

严格考察是本法第二十一条规定的公务员录用的程序之一。

考生通过笔试、面试合格后,还要进行考察。确定考察名额,只能以报考者的考试成绩为标准,该成绩以面试成绩为主,参考笔试成绩。笔试、面试中招考机关获得的材料和信息,都是由考生自己提供的。考察是招考机关实地进行调查,内容主要有:报考资格复审、考察和体检。报考资格复审是对报考人员进行的第二次资格审查,本法规定在对被确定为考察人选的报考人员进行考察和体检之前再进行一次资格审查,是考虑到他们很有可能最终被录用为公务员,必须十分谨慎,否则在他们成为公务员后,才发现他们不符合报考资格,再取消录用,将浪费大量的人力和财力,也会影响公务员考试的严肃性。对报考人员的考察,是指到考生所在的单位或学校实地考察该报考人员的思想政治状况、道德品德、工作能力等。体检,是对报考人员进行身体检查,以确定其是否具有正常履行职责的身体条件。把它安排在考试录用的结尾阶段,主要是为了减轻考生的负担,使其安心复习考试。有的单位将体检提前,是不符合公务员法的规定的。体检可以由组织录用的公务员主管部门统一组织进行,也可以由用人单位统一组织进行,必要时也可以委托考生所在地的具备一定资格条件的医院进行。

根据公务员法第十一条第(五)项的规定,公务员要具有正常履行职责的身体条件。衡量是否具有正常履行职责的身体条件的手段是体检。体检的项目和标准的设置,以前在全国并没有一个统一的标准,而是由各省甚至各单位确定。由于体检项目和标准的设置可能会直接影响到报考者能否被录用,并具有较强的技术性,因此实践中对体检项目和标准的设置,产生了一些争议和矛盾。因此,本条规定,体检项目和标准根据职位要求确定,以与本法第十一条的规定相协调;并规定体检的具体办法由中央公务员主管部门会同国务院卫生行政部门规定,以在全国范围内统一实施。2005 年 1 月 17 日人事部和卫生部已经制定颁布了《公务员录用体检通用标准(试行)》,对于体检标准的理解,各招录单位不得自行其是。

第三十条　招录机关根据考试成绩、考察情况和体检结果，提出拟录用人员名单，并予以公示。

公示期满，中央一级招录机关将拟录用人员名单报中央公务员主管部门备案；地方各级招录机关将拟录用人员名单报省级或者设区的市级公务员主管部门审批。

【释义】　本条是关于公务员录用审批的规定。

公示，是指通过一定的方式，在一定范围和期限内将拟录用的名单进行公布，广泛听取群众意见、接受群众监督。拟录用的人员名单是在经过考试、考察之后，招录机关根据考试成绩、考核结果和体检结果，对合格者按照成绩高低，并在编制限额内按照所需人数而提出的。对拟录用人员名单，必须进行公示。公示有利于听取各方面的意见，更全面、更准确地了解拟录用人员，减少录用失误，提高选人用人质量。公示的内容，主要是拟录用人员的姓名、性别、籍贯、毕业院校、拟录用的职位等个人信息。公示是有期限的。公示可以通过包括网络在内的各种媒体进行。

拟录用人员名单经过公示后，无异议或者虽有异议但经调查不属实的，招录机关可以决定录用人员名单或者提请公务员主管部门审批拟录用的人员名单。中央一级招录机关自己决定录用人员名单，同时报中央公务员主管部门备案，以供其事后监督。地方各级招录机关只有最后录用人员名单的提议权，自己不能决定录用人员的名单，必须将拟录用的人员名单报省级或设区的市级公务员主管部门审批，获得批准后，方可录用。其中，省级招录机关报省级公务员主管部门审批，设区的市级以下的招录机关，报设区的市级公务员主管部门审批。

第三十一条　录用特殊职位的公务员，经省级以上公务员主管部门批准，可以简化程序或者采用其他测评办法。

【释义】 本条是关于特殊职位公务员录用的规定。

录用公务员要遵循公开、平等、择优录用的原则，必须遵循法定的招考录用程序。但有些职位涉及国家安全、保密或者专业技术性很强，不宜进行公开考试，只能通过一些特殊的方法进行录用。特殊录用主要是指录用程序和选拔方法上的特殊，一定范围内的竞争和择优还是适用的。这些特殊的职位主要有：(1)因职位特殊不宜公开招考的，如安全、公安部门中的某些职位。(2)因职位特殊，需要专门测量报考者水平的。(3)因职位所需要的专业知识特殊，难以形成较大范围内的竞争的，比如外交机构或机关内设研究机构中的小语种职位。

第三十二条　新录用的公务员试用期为一年。试用期满合格的，予以任职；不合格的，取消录用。

【释义】 本条是关于新录用公务员的试用期的规定。

公务员实行试用期的目的是，由用人单位在试用期间对试用人员的政治素质、工作能力等作进一步的考察，防止“高分低能”、“有才无德”的人员进入公务员队伍。考试是一种比较科学、合理、公平的择才机制，适合于测验人的知识和技能，但有一定的偶然性，也很难用来考察人的道德品行。试用制度可以较好的弥补考试制度的不足。同时，在试用期内，新录用公务员在拟任工作岗位上工作，有利于尽快熟悉和掌握工作知识和技能。

在试用期内，新录用的公务员可以视为一种附条件的公务员。他们享受国家财政统一发放的试用期工资、与本部门正式工作人员相同的政治和生活福利待遇、履行公务员的义务。但在试用期间，新录用的公务员不确定职务和工资级别。《人事部关于实施国家公务员考核制度有关问题的通知》规定，应对试用期间的公务员进行考核，但在年度考核时只写评语，不定等次，考核情况只作为任职、定级的依据。考核合格的予以任职定级，不合格的取消录用资格。

第五章 考 核

公务员考核是指公务员管理部门依照管理权限,依据公务员考核的内容、标准、程序和方法,对公务员进行考察和评价,以此作为对公务员进行奖惩、培训、辞退以及调整职务、级别和工资依据的制度。公务员的考核制度是公务员管理中一项十分重要的制度,它有利于发现和选拔优秀人才,合理使用人才,调动公务员的工作积极性,从而提高工作效能。本章共五条,对考核的内容、形式、程序、等次及考核结果的效力等作了规定。

第三十三条　对公务员的考核,按照管理权限,全面考核公务员的德、能、勤、绩、廉,重点考核工作实绩。

【释义】　本条是关于考核内容的规定。

一、建立公务员考核制度的必要性

1. 实行公务员考核制度,有利于加强对公务员的管理。公务员的管理制度包括职位分类、考核、奖惩、升降、任免、培训、工资福利等项内容。其中,考核是公务员管理的基础环节和最重要的环节之一。通过对公务员的考核,可以为公务员管理其他各环节上的工作提供可靠的依据。比如,依据考核结果决定公务员的升降、奖惩、培训、工资,依据考核结果发现公务员的特长、缺陷和按职位要求进行职位轮换等,还可以运用考核结果加强领导班子建设和干部队伍建设。如果没有科学、客观的考核,公务员的奖惩、升降、任免、工资福利等管理工作就难以做到客观、公正。考核这个环节做得好坏,在一定程度上关系到整个公务员管理制度能否得到有效实行，并直接关系到每个公务员的利益。因此，可以说考核是公务员各项管理制度中的基础性环节。

2. 考核是优化公务员队伍的必要方式与途径。公务员考核，是公务员主管部门根据法定的管理权限，对公务员的工作或业务成绩的质量、数量及其能力、品行、学识、健康等状况进行考察审核，主要内容包括德、能、勤、绩、廉五个方面，其目的是为了准确判断与评价被考核人是否称职。在很大程度上，公务员考核是公务员的思想品德、才识水平、工作能力和工作实绩的公正合理评价，是管理机关发现、选拔优秀公务员和合理使用公务员的重要途径，并可以防止人才选拔上存在主观主义、官僚主义等弊端；另一方面，考核也是公务员自我认知的一条途径。通过考核，公务员可以更清醒地认识自我，便于促使其发扬优点，克服缺点，开拓创新，不断进取，从而优化整个公务员队伍。

3. 考核有利于提高工作效率。对公务员的考核，实质上是对公务员的工作情况进行全面系统的考察和评价，并根据考核的结果奖勤罚懒、奖优罚劣，以促使公务员尽职尽责，勤奋工作，从而提高工作效率。同时，在考核过程中，通过上级对下级公务员的考察和下级公务员对上级的民主评议来形成上下级公务员之间的相互监督，促使各级公务员改进工作作风，克服官僚主义，提高工作效率。

4. 考核是群众监督公务员的必要手段。对公务员考核的内容、标准与过程要做到公开化，要认真听取群众意见，特别是对担任一定层次领导职务的公务员，还要进行民主评议。这就可以发挥民主监督与公开监督的威力，有效地防止各级公务员搞特殊化，防止公务员滥用职权，促使公务员正确地行使权力，认真履行职责，并调动群众监督各级公务员的积极性。

二、考核的对象

考核的对象主要是非领导成员公务员。领导成员是指机关的领导人员，不包括机关内设机构担任领导职务的人员。非领导成员包括非领导职务公务员和不属于领导成员公务员的领导职务公务员。我国对公务员实行分类管理。公务员法第十六条第一款规定："公务员职务分为领导职务和非领导职务。"我国对领导成员和非领导成员的考核是两套方法，非领导成员的考核适用公务员法中规定的程序，领导成员的考核适用其他相关规定。

三、公务员考核的内容

公务员考核内容的确定是考核工作的关键，考核内容制定的科学与否、合理与否直接关系到公务员考核的质量。根据本条规定，公务员考核的内容主要包括：德、能、勤、绩、廉五个方面，其中以工作实绩为重点。

所谓"德"，是指公务员在政治上是否能坚持四项基本原则，能否遵守国家的法律法规、能否认真贯彻执行国家的方针政策、对国家是否忠诚以及思想作风、遵守职业道德与社会公德等情况。它还包括遵纪守法，坚持原则、实事求是，合作、协作的精神。

所谓"能"，是指业务知识和工作能力。主要考核公务员能否具有胜任本职工作的能力，包括专业知识、业务技术、文字水平、语言能力、管理水平等方面。对不同类别的公务员，考核项目及其科目应当有所区别。

所谓"勤"，主要是指公务员的出勤情况和工作态度。出勤情况是指公务员是否按时上下班，是否有迟到、早退、缺勤，病、事假是否按规定办理手续等；工作态度是指公务员对本职工作是否认真负责、积极肯干、任劳任怨、热心踏实、精益求精等。其中，公务员的出勤情况一般比较具体，各级机关都有公务员工作时数的规定，易于考核。当然，公务员按规定出满勤，并不等于其按职位要求完成了工作任务，这还要看其工作态度和敬业精神。通过对公务员的工作态度和敬业精神加以考察和评价，改变某些机关中存在的出勤不出力，办事拖拉，效率低下的状况，进而提高公务员工作的积极性,增强其责任感和事业心。

所谓"绩",是指公务员的工作实绩。它主要包括公务员的工作质量、数量、效率及工作适应能力等方面的内容。工作数量包括公务员在一个考核周期内所完成的工作份数、尽职的程度、所达到的工作期限、努力的效果以及其他涉及实效的因素;工作质量包括公务员完成工作的准确性,工作的表现性或可接受性,工作的美观程度,是否合乎工作的质量要求,在完成工作过程中所表现的技巧与能力,决定或判断的健全性和预见性以及其他有关工作质量的情况;工作效率包括公务员完成工作的速度,为完成工作而耗费的时间、精力及其他支出是否具有经济性;工作适应能力包括公务员在工作过程中表现出的与上下级及同事的合作性,对新工作的学习能力及意愿,运用法规的能力以及其他适应工作环境的能力等。对公务员工作实绩的考核,构成公务员考核的主要内容。

所谓"廉",是指为人处世的廉洁,不贪污,不受贿,不侵占、挪用国家、集体的财产等。

公务员考核的五大内容是一个有机的整体。对公务员的考核必须考核全面,又要突出重点。以"工作实绩"为考核重点,一方面是鼓励公务员干实事、求实效,为国家和社会多做贡献,另一方面是绩可以量化,标准比较明确统一,可以防止根据个人好恶或主观印象进行评价。注重实绩,就是防止在公务员考核中搞"大锅饭",实行"平均主义"。但是公务员考核不能只看"绩",而忽视对"德、能、勤、廉"的考核。特别是对"绩"要作全方位的理解,从建设和谐社会的高度来认识问题,不仅仅是看经济总量、市政环境,还要看环境的保护力度、人民群众的受惠程度与满意程度、社会良性发展程度等。总之,这个"绩"要符合科学发展观的要求,符合和谐社会的要求。

四、一些特殊情形下的考核

根据人事部关于实施国家公务员考核制度有关问题的通知的规定,对新录用的、转任的、挂职锻炼的等特殊情形下的公务员的考核,有一些特殊的做法。

1. 新录用的公务员在试用期间,应对其进行考核,但在年度考核时只写评语,不定等次,考核情况只作为任职、定级的依据。

2. 转任的公务员,由其转任的现工作单位进行考核,并在年度考核中确定等次,其转任前的有关情况,由原单位提供。

3. 挂职锻炼的公务员,在挂职期间由挂职单位进行考核,并确定等次。在挂职单位工作不足半年的由原单位进行考核,挂职锻炼结束的当年由挂职的单位提供有关情况,原单位进行考核。

4. 单位派出学习、培训的公务员,由原工作单位进行考核,主要根据学习、培训表现确定等次。其学习、培训的有关情况,由所在学习、培训单位提供。非单位派出,但经单位同意外出学习的公务员,超过考核年度半年的,不进行考核。

5. 因病、事假累计超过半年的公务员,不进行考核。

6. 接受立案审查尚未结案的公务员,只进行年度考核,暂不写评语、不定等次,待问题查清后再行确定。

7. 受警告处分的公务员,对其进行考核,但在受处分的当年,不得定为优秀等次。受记过、记大过、降级、撤职处分的公务员,对其进行考核,但在受处分期间只写评语,不定等次。在解除其处分的当年及以后,按正常情况对待。

第三十四条　公务员的考核分为平时考核和定期考核。定期考核以平时考核为基础。

【释义】　本条是关于公务员考核类型的规定。

依照不同的标准,公务员的考核有多种类型。我国公务员法中有关考核的类型,以举行考核的时间为标准,分为平时考核和定期考核两类。

一、平时考核

平时考核,通常是指对公务员在日常工作中的表现及功过进行记录，主要考核公务员的出勤情况和公务员遵守办公规则情况，表现为考勤和工作检查。考勤是由专人负责记录有关出勤情况。工作检查，主要是由主管领导定期检查核实每个公务员的工作日志。平时考核的优点是便于对公务员的各种情况进行了解和考察，为公务员的年度考核提供原始的资料。平时考核的不足是难以制度化，容易流于形式。

许多国家非常重视对公务员平时的考核。如美国公务员的上级领导对其下属都建有考核手册，凡公务员工作表现与这一领导所制定的工作标准有联系的部分，均要摘录在册。

二、定期考核

定期考核，通常是指有关领导人员以及专门的考核机构在一个工作年度结束后，按照规定的内容、标准、程序和时限，在平时考核的基础上对所属公务员一年来各方面的实际表现进行集中统一的考察和评价活动。定期考核是在平时考核的基础上进行的每年一次的阶段性概括和总结，是对公务员比较全面的考核方式。

我国目前公务员年度考核工作开展的非常顺利，也制定了一系列公务员年度考核的配套法规、规章。有关年度考核的基本程序、考核结果及考核结果的使用、考核机构在公务员法及有关法规、规章中都有明确的规定。年度考核已经成为考察公务员的一个非常重要的途径。

三、定期考核以平时考核为基础

对公务员的考核应将定期考核与平时考核结合起来。平时考核是对公务员的日常工作情况及功过的记录，而定期考核是平时考核的概括和总结，表现为阶段性的考核结论。平时考核往往不直接导致对公务员的奖励或惩戒，但它是定期考核的基础；定期考核是对公务员一定时期工作的总评，是平时考核的集中反映，其结论将会导致公务员的奖惩及其他人事变动。平时考核只反映公务员一时一事的情况，往往带有片面性，而定期考核也有可能因时间长久失去记忆而产生主观臆断。因此,将定期考核和平时考核有机结合,将平时考核作为定期考核的基础,才能达到客观、全面评价公务员的目的。

第三十五条　对非领导成员公务员的定期考核采取年度考核的方式,先由个人按照职位职责和有关要求进行总结,主管领导在听取群众意见后,提出考核等次建议,由本机关负责人或者授权的考核委员会确定考核等次。

对领导成员的定期考核,由主管机关按照有关规定办理。

【释义】　本条是关于公务员考核程序的规定。

本条所讲的公务员考核程序,是指对非领导成员公务员进行年度考核的时候,为保证考核的客观、公正而必须经过的法定步骤或阶段。公务员考核程序,主要采取领导与群众相结合的方法。一方面,在考核过程中,主管领导在提出考核等次意见时,要事先听取群众意见。另一方面,在考核时,由部门负责人领导考核组织、确定考核等次,由主管领导提出考核等次意见。采用领导与群众相结合的方法开展考核工作,目的是增强考核工作的透明度,杜绝过去干部考核工作中由领导凭个人好恶评价干部现象的发生。

一、对非领导成员公务员定期考核主要有以下程序:

1. 个人总结。个人总结是年度考核的第一项程序,是指被考核的公务员将自己本年度德、能、勤、绩、廉五方面进行全面的自我总结。个人总结要说明工作成绩,也要实事求是的剖析自身存在的不足。个人总结的优点是被考核者对自己的情况最了解,总结比较全面,也有利于被考核者作自我反思。不足是有时难以做到客观公正,有时会对错误与不足避重就轻。

2. 听取群众意见。各单位在进行年度考核时,应当听取群众意见,通过各种方式,让群众参与考核评议工作。方式主要有找公务员谈心、听取汇报、群众反映等。听取群众意见是群众路线在考核工作中的具体反映,目的是使领导集思广益,听取各方面的意见,保证考核结果的全面、客观、准确。

3. 主管领导提出的考核等次意见。主管领导人在听取群众意见的基础上,根据平时考核和个人总结写出评语,提出考核等次意见。主管领导就是公务员的上一级主管的领导。由主管领导提出考核意见,主要考虑到主管领导负责平时的考核工作,和被考核公务员长期在一起工作,对公务员的情况比较熟悉。同时,主管领导是公务员的直接领导者,有权威对公务员的考核作出建议。

4. 机关负责人或者经授权的考核委员会确定考核等次。在主管领导提出年度考核的等次意见后,一般还有一个复核的程序,即由考核委员会或考核小组对主管领导人提出的考核意见,进行审核。在审核基础上,机关负责人便可签字同意,予以确认。如果机关负责人认为不合适的,可以否决经审核的主管领导的考核意见,亲自确定公务员的考核等次。在实践中,有时机关负责人可以授权考核委员会来最后确定考核意见。

二、对领导成员的定期考核

所谓领导成员,按照公务员法第一百零五条的规定,是指机关的领导人员,不包括机关内设机构担任领导职务的人员。对领导成员的定期考核,由相应的主管机关按照有关规定办理。

第三十六条　定期考核的结果分为优秀、称职、基本称职和不称职四个等次。

定期考核的结果应当以书面形式通知公务员本人。

【释义】 本条是关于公务员考核等次的规定。

考核等次是对公务员本年度中实际表现优劣的一种高度概括性评价形式。考核等次是公务员年度考核的最终结果,是一种法定的评价方式,每个考核等次都有相应的标准对应。各国都有考核等次的规定,但有关具体的考核等次并不相同。如美国考绩结果最早分为五等，后又分为三等，即优异、满意、不满意。日本的考核等次分为ABCDE五等。A等最高，一般不超过被评人数的百分之十，B等次之，E等最低。新中国成立以后，在较长一段时间内，对干部考核都采用评语的方式，考核结果不分等次，只进行定性的描述。在1993年《国家公务员暂行条例》制定后，公务员考核等次分为优秀、称职和不称职三个等次。后来在考核实践中，许多单位反映，考核结果确定为三个等次过少，希望再增加一个基本称职等次。为了解决实际的问题，人事部门后来变通规定，对于那些德才表现较差，在考核中介于称职与不称职之间的人员，可以暂缓确定等次，给予三至六个月的考验期，待考验期满后，有明显改进的，确定为称职；没有明显改进的，则确定为不称职。后人事部门又取消了上述权宜之举，试行增设了“基本称职”等次。这次修改公务员法确立了“基本称职”这一考核等次。

公务员法规定了优秀、称职、基本称职和不称职四个等次。所谓优秀，是指正确贯彻执行党和国家的路线、方针、政策，模范遵守各项规章制度，熟悉业务，工作勤奋，有改革创新精神，成绩突出。所谓称职，是指正确贯彻执行党和国家的路线、方针、政策，自觉遵守各项规章制度，熟悉或比较熟悉业务，工作积极，能够完成工作任务。所谓基本称职，是指思想政治素质和业务素质一般，能基本完成本职工作，但工作作风方面存在明显不足，工作积极性、主动性不够，完成工作的质量和效率不高，或在工作中有某些失误。所谓不称职，是指政治、业务素质较差，难以适应工作要求，或工作责任心不强，不能完成工作任务，或在工作中造成严重失误。

强调考核等次的结果要以书面的形式通知公务员本人，是对公务员知情权和申诉权的保护。由于考核等次的结果直接与公务员的职务、级别、工资待遇等挂钩，因此对公务员来说，有权及时知道影响自己重大权益的考核结果。公务员法第九十条规定，对定期考核为不称职的人事处理决定不服的，公务员有权提出申诉。

只有知道考核结果，公务员才有可能行使申诉权，因此，及时以书面的形式通知公务员的考核结果实际上是对公务员申诉权的保护。如果考核机关不及时将考核结果通知公务员，将承担法律责任。公务员法第一百零一条规定，不按照程序进行考核的，对负有责任的领导人员和直接责任人员，可以给予批评教育或者处分。

第三十七条　定期考核的结果作为调整公务员职务、级别、工资以及公务员奖励、培训、辞退的依据。

【释义】　本条是关于公务员考核结果的法律效力的规定

各国都很重视对考核结果的使用，将其作为开展其他有关人事管理活动的依据。如在英国，文官的晋升，除以年资为依据外，尚需以文官的年度考核报告为参考。在同等年资的条件下，考核成绩优异者，将获得更多的晋升机会。将公务员考核工作作为公务员管理的重要组成部分，将定期考核结果作为评价公务员工作表现、行政能力、政治素质的主要标准，将定期考核结果作为公务员奖励、培训、辞退以及调整职务、级别和工资的基本依据，可以有力的教育、激励和监督公务员、提高公务员队伍的整体素质、提高行政效率。

考核的结果对于公务员具有比较大的影响。根据公务员法和有关规定，不同考核等次有相应的处理。

1. 对于考核结果为优秀等次的奖励

（1）公务员年度考核被确定为称职以上等次的，以其本年度十二月份基本工资额为标准，发给一个月的奖金。

（2）对年度考核确定为“优秀”等次人员，可给予记功或嘉奖。

（3）公务员在现任职务任期内，年度考核连续两年被确定为称职以上等次的，在本职务工资标准内晋升一个工资档次。

（4）连续两年被确定为“优秀”等次的人员，可提前具备晋升资格。

(5)公务员连续三年被确定为优秀等次,在本职务对应级别内晋升一级。

2. 对于考核结果为称职的奖励

(1)公务员年度考核被确定为称职以上等次的,以其本年度十二月份基本工资额为标准,发给一个月的奖金。

(2)对年度考核确定为“称职”等次中表现特别突出的人员,可给予记功或嘉奖。

(3)公务员在现任职务任期内,年度考核连续两年被确定为称职以上等次的,在本职务工资标准内晋升一个工资档次。

(4)公务员连续三年被确定为称职以上等次的,具有晋升职务的资格。

(5)公务员连续五年被确定为称职以上等次的,在本职务对应级别内晋升一级。

3. 对于考核结果为基本称职的处理

对确定为“基本称职”等次的人员,可视同“称职”等次晋升级别和工资,但一年内不得晋升职务,通过诫勉谈话、离岗培训等,促其改正提高。

4. 对于考核结果为不称职的处理

(1)对确定为“不称职”等次的人员,当年定为不称职的,要按有关规定降职,工资级别作相应调整。降职后,其职务工资就近就低套入新任职务工资档次。其原级别在新任职务对应级别范围内的,不降低原级别;原级别高于新任职务对应级别的,降到新任职务对应的最高级别,并执行相对应的级别工资。

(2)连续两年确定为不称职的,要按规定予以辞退。

第六章 职 务 任 免

第三十八条 公务员职务实行选任制和委任制。

领导成员职务按照国家规定实行任期制。

【释义】 本条是关于公务员职务任用方式和领导成员实行任期制的规定。

一、任用的含义

公务员的任用,是指各级国家机关和政党等机关在法定的权限内,依照法定程序任用公务员担任某一行政职务。公务员的任用与公务员身份的取得不同。公务员的任用是使某人担任某一公职。这里的某人可以是已经取得公务员身份的人,也可以是还没有取得公务员身份的人。前者如晋升职务的任用,后者如国有企业中从事公务的人员,调入机关担任领导职务的任用。公务员身份的取得是使某人具有公务员的身份。为了实现精简的目的,机关都实行严格的编制管理,有多少职位,才相应有多少编制,有了编制才能安排人员。因此,公务员的身份取得往往是在一定的编制范围内,对应着相应职位。如公务员法第二十五条规定:“录用公务员,必须在规定的编制限额内,并有相应的职位空缺。”因此,除了公务员考录情形外,取得行政职位的同时,都具备了公务员的身份。总之,公务员的任用与公务员身份是两个不同的概念,从时间上讲,任用可以在公务员身份取得的同时进行,也可以在录用后进行;从逻辑上讲,则必然是取得公务员身份在前,任用在后。同时,公务员的任用与公务员身份之间有着非常紧密的关系,一般要么是同时获得,要么是相互一一对应着先后获得。

二、选任制和委任制的含义

根据本条规定，我国公务员的任用方式主要有选任制和委任制两种方式。此外，根据本法第十六章的规定，部分职位可以实行聘任，这是对选任制和委任制两种方式的补充。

在西方国家，一般把公务员划分为政治类官员或政务官和业务类官员或文官两大类。政务官除少数职位实行委任制外，一般实行选任制；文官则实行委任制。我国虽然不划分政务官和文官，但产生方式也有选任制和委任制之分。所谓选任制，是指按照法定的民主程序自下而上选举产生公务员的制度，一般适用于国家机关和政党等机关的主要领导人员。所谓委任制，是指按照法定的公务员管理权限自上而下任命公务员的制度，一般适用于国家机关和政党等机关内设机构的领导人员和其他公务员。

三、任期制的适用范围

根据公务员法本条第二款的规定，任期制适用于领导成员，这里的领导成员是指公务员法附则第一百零五条规定的机关的领导人员，不包括机关内设机构担任领导职务的人员。这里的"机关的领导人员"，既包括实行选任制或委任制的国家机关领导人员，也包括实行选任制或委任制的政党机关和其他纳入公务员范围的机关的领导人员。

根据我国宪法和有关组织法规定，任期制主要适用于选任制公务员。

——全国人大常委会委员长、副委员长，国务院总理、副总理、国务委员，最高人民法院院长和最高人民检察院检察长，每届任期五年，连续任职不得超过两届，即十年；

——全国人大常委会秘书长、委员，国务院秘书长、各部部长、各委员会主任、审计长、人民银行行长，每届任期五年；

——县级以上地方各级人大常委会组成人员，地方各级人民政府正副职领导人员、秘书长、各厅局长、各委员会主任，地方各级人民法院院长和人民检察院检察长，每届任期五年。

2000年6月23日中共中央办公厅印发的《深化干部人事制度改革纲要》提出："实行党政领导职务任期制。抓紧制定任期法规。在严格执行《中国共产党章程》和有关法律规定的基础上，完善选任制干部的任期制。县以上党委、政府工作部门和其他工作机构的委任制领导干部，也要逐步实行任期制。"2002年11月党的十六大报告再次强调"实行党政领导干部职务任期制"。按照上述要求，实行任期制的范围除按照宪法和有关组织法规定适用于选任制公务员外，还进一步扩大到按照党章等规定实行选任制的公务员和部分委任制的公务员，同时，将限任制的适用范围也从宪法和有关组织法适用于国家主要领导职务扩大到一些地方主要领导职务。

第三十九条　选任制公务员在选举结果生效时即任当选职务；任期届满不再连任，或者任期内辞职、被罢免、被撤职的，其所任职务即终止。

【释义】　本条是关于选任制公务员任职时效的规定。

任何人担任公务员都有一定的时效。但根据产生方式不同，公务员的任职时效有所不同。选任制公务员是由选举产生的，其任职时间应为选举结果生效的时间。所谓"选举结果生效时间"，是指选举结果产生最后的、确定的法律意义的时间。根据我国有关法律等规定，选任制公务员选举结果生效时间有三种情况：第一种是选举结果宣布时立即生效。如国家主席、副主席，全国和地方人大常委会组成人员，地方人民政府正副职领导人员，人民法院院长等职务，在本级人代会主席团宣布选举结果时即生效。第二种是选举结果在任职命令颁布时生效。如根据宪法规定，国务院总理、副总理、国务委员和各部部长、各委员会主任、审计长、秘书长，由国家主席任命，因此，全国人大通过任命决定后，还需国家主席颁布任职命令才能生效。第三种是选举结果在获得上级机关批准时生效。如根据地方组织法和人民检察院组织法规定，地方各级人民检察院检察长经本级人大选举后，还需报上一级人民检察院检察长提请该级人大常委会批准，因此，地方各级人民检察院检察长的选举结果，必须在获得上一级人大常委会批准后方能生效。

选任制公务员可因任期届满不再连任、辞职、被罢免、被撤职而终止任职。但因终止任职的方式不同，具体终止的时间也有所不同。

1. 任期届满不再连任的，以新的一届公务员产生时为任职终止时间。如由各级人民代表大会选举产生的领导人员的任职终止时间，为新的一届人民代表大会选举产生新的领导人员的时间。

2. 辞职的，以辞职获得批准时为任职终止时间。比如，地方各级人民代表大会和地方各级人民政府组织法第二十七条规定："县级以上的地方各级人民代表大会常务委员会组成人员和人民政府领导人员，人民法院院长，人民检察院检察长，可以向本级人民代表大会提出辞职，由大会决定是否接受辞职；大会闭会期间，可以向本级人民代表大会常务委员会提出辞职，由常务委员会决定是否接受辞职。常务委员会决定接受辞职后，报本级人民代表大会备案。人民检察院检察长的辞职，须报经上一级人民检察院检察长提请该级人民代表大会常务委员会批准。""乡、民族乡、镇的人民代表大会主席、副主席，乡长、副乡长，镇长、副镇长，可以向本级人民代表大会提出辞职，由大会决定是否接受辞职。"在任期内，公务员辞去职务，必须得到本级人民代表大会或该级人民代表大会常务委员会的批准。检察院检察长的辞职，还必须经上一级检察长提请该级人民代表大会常务委员会批准。这是因为公务员是履行公职的人员，对国家和社会负有责任和义务，因此，公务员辞职必须得到批准才能生效，不能完全由自己决定。公务员辞职未获得批准的，不能离职。

3. 被罢免或被撤职的,自罢免或撤职决定生效时任职终止。比如,地方各级人民代表大会和地方各级人民政府组织法第十条规定:“地方各级人民代表大会有权罢免本级人民政府的组成人员。县级以上的地方各级人民代表大会有权罢免本级人民代表大会常务委员会的组成人员和由它选出的人民法院院长、人民检察院检察长。罢免人民检察院检察长,须报经上一级人民检察院检察长提请该级人民代表大会常务委员会批准。”第四十四条第(十二)项规定:在本级人民代表大会闭会期间,县级以上的地方各级人民代表大会常务委员会可以决定撤销个别副省长、自治区副主席、副市长、副州长、副县长、副区长的职务;决定撤销由它任命的本级人民政府其他组成人员和人民法院副院长、庭长、副庭长、审判委员会委员、审判员,人民检察院副检察长、检察委员会委员、检察员,中级人民法院院长,人民检察院分院检察长的职务。一般来讲,公务员被罢免或被撤职的,在罢免或撤职决定通过时,其任职终止,但人民检察院检察长被罢免或被撤职的,需经上一级人民检察院检察长提请该级人大常委会批准后,其任职方能终止。

第四十条　委任制公务员遇有试用期满考核合格、职务发生变化、不再担任公务员职务以及其他情形需要任免职务的,应当按照管理权限和规定的程序任免其职务。

【释义】 本条是关于委任制公务员应当任免情形、权限和程序的规定。

一、委任制公务员应当任免的情形

公务员获得履行公职的权力、承担相应的责任和义务,是以公务员获得任命为开始,以被免去职务为结束,因此,建立正常的公务员任免制度,是保证公务员的有序管理的重要条件。

根据本条规定,委任制公务员应当获得任命或者办理免职的情形,主要有以下几种:第一,新录用的人员试用期满合格的。主要是指经公务员录用考试合格,进入机关工作的人员。第二,从国有企业事业单位、人民团体和群众团体中调入机关任职的。主要是指根据本法第十一章关于交流与回避的规定,从国有企业事业单位、人民团体和群众团体中从事公务的人员中调入的。第三,转换职位任职的。这包括转任、轮换和挂职锻炼等。转任是指公务员因工作需要或其他正当理由在行政机关内平级调动。轮换是担任领导职务和某些工作性质特殊的非领导职务的公务员,根据安排有计划地从一个职位转换到另一个职位。挂职锻炼是机关选派公务员在一定时间内到基层或上级单位或企事业单位工作,以增加公务员不同单位的工作经验。第四,晋升或降低职务。晋升是由较低职务升任较高职务,降职是由较高职务降任到较低职务。第五,其他情形。主要是指由于机构调整、撤并等,原机构公务员到新的职位上任职。根据规定,公务员从原来职位转移到另一个新的职位,必须履行任职手续。

对委任制公务员应当办理免职的情形,主要有以下几种:第一,转换职位任职的,包括转任、轮换,应当免去原来职务。第二,晋升或者降低职务的,应当免去原来职务。第三,离职学习期限超过一年。第四,因健康原因不能坚持正常工作一年以上的。第五,退休的。

二、委任制公务员的任免权限

实行委任制公务员包括各级国家机关和政党等机关除实行选任制以外的公务人员。由于各机关性质不同,隶属关系不同,委任制的任免权限也有很大差别。其中,根据《国家公务员职务任免暂行规定》第六条、第七条、第八条的规定,各级政府及其工作部门任免权限的划分大致是:

(一)国务院任免各部、委员会的副部长、副主任,各直属机构、办事机构的局长、副局长、主任、副主任,中华人民共和国常驻联合国副代表、驻联合国有关常设机构及部分国际组织的代表、副代表，驻外总领事及相当职务。

国务院各工作部门任免除由国务院任免之外的本部门公务员职务。

（二）省、自治区、直辖市人民政府任免各厅、局、委员会的副厅长、副局长、副主任，各直属机构、办事机构的局长、副局长、主任、副主任，各行政公署的专员、副专员，巡视员、助理巡视员及相当职务。

省、自治区、直辖市人民政府各委、办、厅、局任免除由本级政府任免之外的本部门公务员职务。

（三）自治州、设区的市人民政府任免各局、委员会的副局长、副主任，各直属机构、办事机构的局长、副局长、主任、副主任，调研员、助理调研员及相当职务。

设区的市、自治州、直辖市的区人民政府各工作部门任免除由本级人民政府任免之外的本部门公务员职务。

（四）县、不设区的市、市辖区人民政府任免各委、办、局（科）的副主任、副局（科）长，主任科员、副主任科员及相当职务和乡、镇人民政府所属机构的国家公务员职务。

县（自治县、旗、不设区的市、市辖区）人民政府各工作部门任免除本级政府任免之外的本部门公务员职务。

三、委任制公务员的任免程序

任免程序是任免公务员所应当遵循的步骤。任免程序分为任命程序和免职程序两类。

根据《国家公务员职务任免暂行规定》第十四条的规定，任命国家公务员职务，应按照下列程序进行：

（一）所在单位或上级提出拟任职人选；

（二）对拟任职人选进行考核；

（三）按照管理权限，由有关机关领导集体讨论决定；

（四）颁发任职通知和任命书。

根据《国家公务员职务任免暂行规定》第十七条的规定，免去国家公务员职务，应按照下列程序进行：

（一）所在单位或上级提出拟免职的建议；

（二）对免职事由进行审核；

（三）按照管理权限，由有关机关领导集体讨论决定；

（四）发布免职通知。

第四十一条　公务员任职必须在规定的编制限额和职数内进行，并有相应的职位空缺。

【释义】　本条是关于任命公务员应受编制和职数限制的规定。

我国实行职位分类，分类的依据是职位的工作性质、难易程度、任务轻重及所需的资格条件。公务员法第十八条规定："各机关依照确定的职能、规格、编制限额、职数以及结构比例，设置本机关公务员的具体职位，并确定各职位的工作职责和任职资格条件。"因此，各机关任命公务员要受到编制和职数的限制，不能超编或超职数范围任命。

一、要在编制限额内任命

所谓编制，是指一个机关的人员定额。编制就是根据工作岗位设定员额，其核心是科学、合理用人的数量标准。机关及其内部机构，都是根据一定任务来设置一定的机构，根据确定的机构来核定编制，再根据编制来配备人员。编制工作是涉及国家管理体制的大事，具有法律性、严肃性，任何单位都不得超编。在编制限额内，就是要求任命公务员时，不得超过该机构的编制总量。一般来说，正常的内部晋升和降职都不会涉及编制的问题，主要是新录用公务员时，必须在编制的限额内。要求在编制限额内任职，目的是遵循精简原则，防止公务员队伍的不合理膨胀。

二、要在职数内任命公务员

职数就是职位的数量。每一个职位都有确定的数量。比如，国务院组织法第九条第一款规定："各部设部长一人，副部长二至四人。各委员会设主任一人，副主任二至四人，委员五至十人。"又如，建设部职能配置、内设机构和人员编制规定中规定，建设部机关行政编制为二百七十五名。其中部长一名，副部长四名，司局级领导职数四十五名。再如，国家公务员非领导职务设置办法规定，(一)中央国家行政机关。国务院各部门的巡视员和助理巡视员职数，不得超过该部门司局级领导职务职数的三分之一，其中巡视员不得超过40%（副部级行政机构中所设的巡视员和助理巡视员相当于本单位的正司级和副司级）。任务特别繁重、工作特别需要增加巡视员、助理巡视员职数的，应报人事部核准。调研员和助理调研员职数，不得超过处级领导职务职数的75%。（二）省级国家行政机关。省、自治区、直辖市人民政府设置的巡视员、助理巡视员职数，不得超过厅（局）级领导职务职数的三分之一，其中巡视员不得超过30%；调研员和助理调研员职数，不得超过处级领导职务职数的50%。（三）市（地）级国家行政机关。省辖市（行署、州、盟、直辖市的区）人民政府机关设置的调研员和助理调研员职数，不得超过处级领导职务职数的三分之一，其中调研员不得超过30%；主任科员和副主任科员职数，不得超过科级领导职务职数的50%。（四）县级国家行政机关。县级（地辖市、旗、省辖市的区）人民政府机关各部门，设置主任科员和副主任科员职数，不得超过科级领导职务职数的50%。职数与编制是一个有机的统一整体。机关任命公务员不仅不能超过该机关的编制，也不能超过所要任命的公务员职务的职数。比如，某机关有编制二百人，有内设正局级机构十个，相应有十个正局长职数。现该机关实有人数一百九十人，尚缺编十人，但十个局长职位均已有人担任，因此，该机关不能再任命局长职务。

三、要有相应职位的空缺

职位是在机关中设置的，可供符合条件的人担任一定职务的位置，即工作岗位。职位是以事（即工作性质、难易程度、责任大小和所需的资格条件）为中心设置的，可供不同的人在不同的时间内担任而不随人带走。所谓一人一职，可以从两个方面理解，一是一个公务员只能有一个职位，二是一个职位只能有一个公务员来担任。因此，任命公务员时，必须有相应的职位空缺。

第四十二条　公务员因工作需要在机关外兼职，应当经有关机关批准，并不得领取兼职报酬。

【释义】　本条是关于公务员在机关外兼职的规定。

公务员是履行公职、由国家财政负担工资福利的工作人员，理当全心全力做好本职工作，一般不应在机关外兼任其他职务。但现实中，因各种原因，有时也有需要在机关外兼职的情况，因此本条对这种情况作了规定。

本条中的“机关外”，是指国家机关和政党等机关之外其他组织，包括企业事业组织等。也就是说，因工作需要，在国家机关和政党等机关之间的兼职是可以的，而且是不可避免的。现实中，我们许多领导人员都是同时兼任两个或两个以上职务。比如，由于工作需要，党委书记、副书记、常委一般都分别兼职人大常委会、政府、政协或者党内组织、宣传、统战等部门的领导职务。值得注意的是，根据公务员法第五十三条关于公务员纪律的规定，公务员不得“从事或者参与营利性活动，在企业或者其他营利性组织中兼任职务”。但由于公务员确定的公务员范围比较宽，有些公务员，比如人大常委会组成人员、政协委员、民主党派领导人员等，出于工作或发挥其专业特长等需要，有时可能需要他们在企业或者其他营利性组织兼任职务，如独立董事、顾问等，因此，本条作了例外规定。

公务员在机关外兼职需要符合两个条件:第一,得到有关机关批准。所谓“有关机关”,一般是指需要在机关外兼职的公务员的直接上级机关,如果是内设机构则指本机关。所谓“批准”,一般是指以书面或口头形式报经有关机关领导同意。第二,不得领取兼职报酬。这里的“兼职报酬”可以作广义的理解,包括金钱、物质等利益。

第七章　职 务 升 降

公务员职务升降制度是指对公务员晋升职务或降低职务的规定。建立这一制度，有利于认真贯彻执行党的干部路线、方针、政策，建立科学规范的党政领导干部选拔任用制度，形成富有生机与活力、促进优秀人才脱颖而出的选人用人机制，推进干部队伍的革命化、年轻化、知识化、专业化，建设一支高素质的公务员队伍，促进勤政廉政，提高工作效能，保证党的基本路线的全面贯彻执行和建设有中国特色社会主义事业的顺利发展，为全面建设小康社会提供组织保证和人才支持。

第四十三条　公务员晋升职务，应当具备拟任职务所要求的思想政治素质、工作能力、文化程度和任职经历等方面的条件和资格。

公务员晋升职务，应当逐级晋升。特别优秀的或者工作特殊需要的，可以按照规定破格或者越一级晋升职务。

【释义】　本条是关于公务员晋升职务的规定。

一、公务员晋升职务应当具备的条件和资格

1. 思想政治素质。思想政治素质是指公务员“德”的方面，具体体现在：

(1)能坚定地贯彻执行党的以经济建设为中心、坚持四项基本原则、坚持改革开放的基本路线和国家的各项方针政策，具有履行职责所需要的马克思列宁主义、毛泽东思想、邓小平理论的水平，认真实践“三个代表”重要思想，并能掌握和运用建设中国特色的社会主义理论，把党的路线方针政策同本地区本部门的具体情况相结合,去分析和解决问题,创造性地开展工作。

(2)有强烈的事业心和政治责任感。具有兢兢业业、任劳任怨,为人民办实事并讲求工作实效,反对形式主义的精神,在社会主义建设中艰苦创业,做出实绩。

(3)能够全心全意为人民服务,品行端正,正确运用职权、廉洁奉公、遵纪守法、并能与不良和不法行为作斗争。公务员是代表国家履行公职的,是人民的公仆、勤务员,特别是面临执政和改革开放的考验,所以,必须选用能够正确行使人民赋予的权力,廉洁自律、勤政为民,遵纪守法的人。

(4)具有良好的工作作风,有全局观念,密切联系群众,善于团结同志,包括团结与自己有不同意见的同志一道工作。

2. 工作能力。工作能力是指公务员的"才",指具有任职所需要的工作能力,其中,晋升领导职务的,还必须具有相应的理论、政策水平和计划、决策、组织、协调能力。选拔干部,必须德才兼备,除了具备合格的政治思想素质外,还必须具备过硬的业务水平和工作能力。要坚持"德"与"才"的统一,不能把二者割裂开来。近年来,我们党和国家十分重视加强干部,特别是领导干部的能力建设。在当前的形势下,加强党的执政能力建设,必须重视培养干部的"五种能力":驾驭社会主义市场经济的能力、发展社会主义民主政治的能力、建设社会主义先进文化的能力、构建社会主义和谐社会的能力、应对国际局势和处理国际事务的能力。这五种能力,集中体现了时代的标准和人民的要求。

3. 文化程度。文化程度是一个人接受教育的程度和具有一定知识的重要标志,是履行职责的重要条件,主要包括公务员的学历水平,当然也包括任职所需要的文化水平和专业知识。担任领导职务公务员一般应当具有大学专科以上文化程度,其中地(厅)、司(局)级以上领导干部一般应当具有大学本科以上文化程度。

4. 任职经历。任何一个好的干部都不是天上掉下来的,都要经过后天的培养和锻炼,这种培养的锻炼可以通过任职经历反映出来。任职经历体现了一个公务员工作经验和业务水平的积累过程,是在公务员晋升中需要考察的一个内容。对任职经历的具体要求是:(1)晋升科、处、司(厅)级正职,应分别任下一级职务两年以上;晋升科、处、司(厅)、部级副职和科员、副主任科员、主任科员职务,应分别任下一级职务三年以上;晋升副调研员、调研员职务,应分别任下一级职务四年以上;晋升副巡视员、巡视员职务,应分别任下一级职务五年以上。(2)晋升处级副职以上领导职务,一般应具有五年以上工龄和两年以上的基层工作经历;晋升县级以上人民政府工作部门副职和国务院各工作部门司级副职,应具有在下一级两个以上职位任职的经历。

晋升职务的公务员,除符合上述条件外,还应符合下列要求:一是在近两年年度考核中定为优秀或近三年年度考核中定为称职以上;二是具有正常履行职责的身体条件;三是符合任职回避规定;四是符合按照管理权限由有关机关根据具体职位需要规定的其他条件。

二、公务员晋升职务,应当逐级晋升

公务员晋升职务,应当逐级晋升。这是一项基本的原则。所谓的逐级晋升,是指按照职务的高低由低向高,一级一级晋升。如由副处长晋升为处长,由处长晋升为副局长。一个公务员的能力是在工作中锻炼和培养的,有一个在工作实践中不断积累的过程。饭要一口一口地吃,台阶要一级一级的上,这样经过由低到高,一级级地培养和锻炼,公务员的政治思想水平和工作能力才能不断提高,工作经验才能不断积累,这样的干部才能胜任工作的需要。正如小平同志说:“用坐火箭,坐直升飞机的办法提拔干部,我们再也不能这么干了。干部要顺着台阶上,一般的意义是说,干部要有深入群众,熟悉专业,积累经验和经受考验锻炼的过程。”

但是,对于特别优秀的或者工作特殊需要的,可以按照规定破格或者越一级晋升职务,这是公务员晋升职务制度中的一种例外情况。邓小平同志说:“特别优秀的要给他们搭个比较轻便的梯子,使他们越级上来。”对于特别优秀的人才,我们也要不拘一格,为之创造脱颖而出的条件,按照规定破格或者越一级晋升职务,这样做,有利于形成有效的激励机制,鼓励公务员奋发有为,锐意进取,形成人人争先的良好局面。但这里应当指出的是,公务员破格或者越一级晋升职务,必须执行比一般晋升职务更加严格的程序,越级晋升的,有的须经任免机关的上一级同意,有的须经同级党委或政府的人事主管部门同意。破格晋升一般是指对条件和资格的破格。如晋升地厅级领导干部,一般需要有大学本科学历,但表现优秀的,大专学历也可以晋升。

第四十四条　公务员晋升领导职务,按照下列程序办理:

(一)民主推荐,确定考察对象;

(二)组织考察,研究提出任职建议方案,并根据需要在一定范围内进行酝酿;

(三)按照管理权限讨论决定;

(四)按照规定履行任职手续。

公务员晋升非领导职务,参照前款规定的程序办理。

【释义】　本条是关于公务员晋升领导职务程序的规定。

职务晋升程序,是指晋升职务必须经历的法定工作步骤。非经这些步骤所晋升的职务就不具有合法性。本法第七条规定:“公务员的任用,坚持任人唯贤,德才兼备的原则,注重工作实绩。”第五条规定:“公务员的管理,坚持公开、平等、竞争、择优的原则,依照法定的权限、条件、标准和程序进行。”那么如何来保障和落实这些原则呢,这就需要靠程序和制度。除了体现在权限、条件、标准等实体方面的要求外,还必须体现在合法的程序方面,没有合法的程序,即使实体方面是符合要求的,合法的,那么最终的结果也是不合法的,无效的。程序守法是公务员管理中的一项重

要法治原则。公务员职务晋升的程序,主要包括以下几个环节:

1. 民主推荐,确定考察对象

根据党政领导干部选拔任用工作条例的规定,选拔任用党政领导干部,必须经过民主推荐提出考察对象。民主推荐包括会议投票推荐和个别谈话推荐。民主推荐的结果在一年内有效。领导班子换届,民主推荐按照领导班子职位的设置全额定向推荐;个别提拔任职,按照拟任职位推荐。在组织民主推荐时,应注意以下问题:

(1)要公道正派地衡量评价被推荐对象,防止和克服感情用事、拉选票等错误倾向。

(2)要从实际出发,采取适当的推荐方式。对班子不团结、或人数过少的,就不宜采取无记名投票的方式进行。

(3)要认真分析和正确运用民主推荐结果,一般来说,推荐票较集中,可作为预选对象,但也要防止完全以票定论。

个人向党组织推荐领导干部人选,必须负责地写出推荐材料并署名。经组织(人事)部门审核后,按照规定程序进行民主推荐。所推荐人选不是所在单位多数群众拥护的,不得列为考察对象。党委、政府及其工作部门个别特殊需要的领导成员人选,可以由组织推荐提名,作为考察对象。

2. 组织考察,研究提出任职建议方案,并根据需要在一定范围内进行酝酿

对确定的考察对象,由组织(人事)部门按照干部管理权限,进行严格考察。部门与地方双重管理干部的考察工作,由主管方会同协管方进行。

考察党政领导职务拟任人选,必须依据干部选拔任用条件和不同领导职务的职责要求,全面考察其德、能、勤、绩、廉,注重考察工作实绩。要在年度考核的基础上对考察对象进行全面考察,在考察中应坚持群众路线,充分发扬民主。这里应当指出的是,晋升考核与年度定期考核是有不同的:晋升考核是对考察对象全面的

历史的了解，而年度考核则具有阶段性的特点，而且侧重对实绩的考核；晋升考核是以现职工作表现为基础，重点考核其潜能，考核其德才是否具备担任更高职务的标准，而年度考核主要就是否胜任现职进行评价。所以，既不能认为搞了年度考核就可不进行晋升考核，又不能抛开年度考核情况，去搞晋升考核。要以年度考核为基础，认真进行晋升考核。

公务员的晋升考核，一般应采用以下几种方法：一是个别谈话。这是一种行之有效的方法，也就是通过与被考核者的直接上级、下级、熟悉情况的同级及本人面谈的方式了解情况。二是民主评议、民意测验。民主评议一般是采取"背靠背"的方式，召开各类人员参加的评议会或座谈会，对初选对象的德才进行评议。三是考试的方法。将考试引入考核中，是对传统考核方式的补充完善。

党政领导职务拟任人选，在考察前，讨论决定或者决定呈报前，应当充分酝酿。

酝酿应当根据党政领导职位和拟任人选的不同情况，分别在党委（党组）、人大常委会、政府、政协等有关领导成员中进行。工作部门领导成员人选，应当征求上级分管领导成员的意见。非中共党员拟任人选，应当征求党委统战部门和民主党派、工商联主要领导成员、无党派人士中代表人物的意见。

3. 按照管理权限讨论决定

任免机关在对晋升人选作出进一步审核的基础上，经领导集体研究决定后依法任命。任免机关在讨论决定公务员职务晋升时，应坚持民主集中制的原则，充分发扬民主，按少数服从多数的原则形成决议，不允许个人说了算。在讨论中，如果拟晋升人选被否定，应按照规定的程序重新提出人选，不得搞临时变动，仓促作出晋升决定。选拔任用党政领导干部，应当按照干部管理权限由党委（党组）集体讨论作出任免决定，或者决定提出推荐、提名的意见。属于上级党委（党组）管理的，本级党委（党组）可以提出选拔任用建议。

党委(党组)讨论决定干部任免事项,应当按照下列程序进行:(1)党委(党组)分管干部工作的领导成员或者组织(人事)部门负责人,逐个介绍领导职务拟任人选的提名、推荐、考察和任免理由等情况;(2)参加会议人员进行讨论;(3)进行表决,以党委(党组)应到会成员超过半数同意形成决定。需要报上级党委(党组)审批的拟提拔任职的干部,必须呈报党委(党组)的请示并附干部任免审批表、干部考察材料、本人档案和党委(党组)会议纪要、讨论记录、民主推荐材料。上级组织(人事)部门对呈报的材料应当严格审查。需要报上级备案的干部,应当按照规定及时向上级组织(人事)部门备案。

4. 按照规定履行任职手续

对于非政府组成人员职务的晋升,任免机关决定晋升人选后,应正式发布任命决定。根据不同职务层次,任命决定应在一定范围内公布,并可以向被任命者本人颁发由任职机关首长签发的任命书。

对于政府组成人员职务的晋升,要依据各级人民政府组织法的规定履行任职手续。对晋升为国务院各工作部门司级职务,省、自治区、直辖市人民政府各工作部门处级职务,自治州、设区的市人民政府各工作部门科级职务的,应按管理权限报有关部门备案,一个月内不提出异议的,方可宣布任免决定。其中对越级和放宽资格条件等晋升的,须经有关部门审核同意。

对于法官、检察官职务的晋升,要依据法官法和检察官法的规定履行任职手续。

公务员晋升非领导职务的,也大体要经过上述四个环节。

最后,需要指出的是,公务员的职务晋升,必须严格执行公务员法和其他有关规定,不得有如下行为:

一是不准超职数和突击晋升公务员职务;二是不准随意放宽或改变公务员职务晋升的条件,搞迁就照顾;三是不准违反规定程序,个人决定公务员的职务晋升;四是不准要求晋升本人的配偶、子女及其他亲属的职务,或者要求晋升秘书等身边工作人员的职务;五是不准封官许愿,打击报复,营私舞弊;六是不准有其他有碍职务晋升工作公正合理进行的行为。

第四十五条[①] **机关内设机构厅局级正职以下领导职务出现空缺时,可以在本机关或者本系统内通过竞争上岗的方式,产生任职人选。**

厅局级正职以下领导职务或者副调研员以上及其他相当职务层次的非领导职务出现空缺,可以面向社会公开选拔,产生任职人选。

确定初任法官、初任检察官的任职人选,可以面向社会,从通过国家统一司法考试取得资格的人员中公开选拔。

【释义】 本条是关于公务员选拔制度中公开选拔、竞争上岗的有关规定。

公开选拔、竞争上岗是领导干部选拔任用中的一种改革创举。根据中共中央颁布的党政领导干部选拔任用工作条例的规定,公开选拔、竞争上岗是党政领导干部选拔任用的方式之一。报名参加公开选拔、竞争上岗人员,应当具备拟任职务所要求的思想政治素质、工作能力、文化程度和任职经历等方面的基本条件和资格。

(一)竞争上岗。竞争上岗主要适用于党政机关内设机构的领导职务,级别限制在厅局级以下。对象是本单位或者本系统。根据本条的规定,下列职务不适用采用竞争上岗的方式选拔:一是机关的领导成员,因为竞争上岗只限于内设机关的领导职务上;二

---

① 2017 年 9 月 1 日《全国人民代表大会常务委员会关于修改〈中华人民共和国法官法〉等八部法律的决定》将本条第三款修改为:“确定初任法官、初任检察官的任职人选,可以面向社会,从通过国家统一法律职业资格考试取得法律职业资格的人员中公开选拔。”

是正厅级以上的职务不适用。

（二）公开选拔。公开选拔的对象既包括领导职务公务员，还包括非领导职务公务员，其中也包括机关领导人员。在现实做法中，公开选拔一般只限于领导职务公务员，把公开选拔扩大到非领导职务，是这次公务员法的新规定。为什么要扩大到副处级及其他相当层次以上非领导职务公务员，主要考虑是：现行的公务员入口有三个：一是主任科员以下的公开招考，二是选任，三是调任。公务员法为了便于公务员与公务员队伍以外的公职人员进行交流，扩大选人用人的渠道，规定了国有企业事业单位、人民团体和群众团体中从事公务的人员可以调入机关担任领导职务或副调研员以上及其他相当职务层次的非领导职务。虽然这种调入机制有很大的优势，但也容易滋生弊端，特别是用人上的不正之风。从发展来看，应当逐步减少调入，更多通过公开选拔来解决。因此，考虑制度的平衡性，将公开选拔扩大到非领导职务。

（三）竞争上岗和公开选拔的程序

公开选拔、竞争上岗工作在党委（党组）领导下进行，由组织（人事）部门组织实施，应当经过下列程序：

1. 公布职位、报考人员的资格条件、基本程序和方法等；

2. 报名与资格审查；

3. 统一考试（竞争上岗须进行民主测评）；

4. 组织考察，研究提出人选方案；

5. 党委（党组）讨论决定。

（四）确定初任法官、初任检察官的任职人选，可以面向社会，从通过国家统一司法考试取得资格的人员中公开选拔。这一款的内容在原草案中是没有的，是在二次审议稿中加入的。之所以加入这一内容，主要是考虑到：根据法官法、检察官法的规定，担任法官和检察官必须通过国家统一的司法考试。而根据公务员法第二十一条第一款的规定：“录用担任主任科员以下及其他相当职务层次的非领导职务公务员，采取公开考试、严格考察、平等竞争、择优录取的办法。”由于法官和检察官包括在公务员的范围之内，那么担任法官和检察官的公务员，是否要经过司法考试和公务员考试两种考试呢？在审议中，有不同意见：

一种意见认为，录用从事审判、检察业务工作的人员，通过司法考试就可以了，没有必要实行两次考试。主要理由是：依照有关法律规定，参加司法考试的都是大学本科毕业以上的人员，要求比较高，难度比较大。

另一种意见认为，公务员录用考试和司法考试是两种不同性质的考试，前者是公务员入门考试，后者是专业资格考试；两种考试的内容也不同，公务员入门考试包括行政职业能力测试等方面的内容，这是每一个担任公务员的人员都应具备的能力；而国家司法考试主要是测试法律专业知识。

全国人大法律委员会经过对以上两种意见反复研究认为，不论是“一考”还是“两考”，都应重在考察考者是否具备报考职位的任职要求。从实际情况看，为了避免不必要地增加考生负担，以不实行“一职双考”为好。据此，法律委员会建议在二次审议稿中增加规定“确定初任法官、初任检察官的任职人选，可以面向社会，从通过国家统一司法考试取得资格的人员中公开选拔”。

实行公开选拔、竞争上岗有利于形成科学的选拔任用制度，是形成良好的干部择优汰劣机制的重要基础。公务员相比一般群众，要求思想品质更优，政治觉悟更高，工作能力更强，承担责任更重。选拔公务员，首先强调思想素质合格。应当说，现在的公务员队伍总体上是好的，但在实际的选拔中，仍有一些不合乎公务员要求、难以达到公务员素质标准的落后分子、不良分子通过种种渠道混进公务员队伍，损害了队伍素质，影响了公务员选拔的质量。这说明，把住选拔这个关口极端重要。要坚持民主考评、公开选拔、竞争上岗等制度，制定科学的干部选拔标准，改进考查选拔机制，保证把优秀的同志选入到公务员队伍中来。

第四十六条　公务员晋升领导职务的，应当按照有关规定实行任职前公示制度和任职试用期制度。

【释义】　本条是关于公务员晋升领导职务实行任职前公示制度和任职试用期制度的规定。

一、公务员晋升领导职务的，应当按照有关规定实行任职前公示制度

实行任职前公示制度旨在建立“公开、平等、竞争、择优”的用人机制，贯彻德才兼备、注重实绩、群众公认的用人原则，提高干部工作的公开化、民主化程度，努力形成评价和选用干部的正确导向，促使干部树立正确的政绩观，切实转变工作作风，建设一支高素质的干部队伍。

中共中央颁布的《党政领导干部选拔任用工作条例》第三十八条规定：“实行党政领导干部任职前公示制度。”“提拔担任地（厅）、司（局）级以下领导职务的，除特殊岗位和在换届考察时已进行过公示的人选外，在党委（党组）讨论决定后、下发任职通知前，应当在一定范围内进行公示。公示期一般为七至十五天。公示结果不影响任职的，办理任职手续。”任职公示的对象、内容、程序和方式，以及公示结果的处置分别是：

1. 公示对象：公务员晋升地（厅）、司（局）级以下领导职务的，除特殊岗位和在换届考察时已进行过公示的人选外，都应当进行任职前公示。

2. 公示内容：一般应包括拟选拔对象本人的基本情况，包括姓名、出生年月、性别、籍贯、学历、政治面貌、工作简历和拟任职务。此外还应公示拟选拔对象近年来的主要工作成绩以及学习、工作、勤政等方面的表现和存在的问题。

3. 公示的程序和方式：公示的时间应在党委（党组）讨论决定

后、下发任职通知前。公示的范围是在一个固定的范围内，一般是在公示对象所在的单位内部进行。公示期一般为七至十五天。公示的方式主要是下发公示文件，各单位接到公示文件后，通过召开会议、张贴公示文件等方式向干部群众传达。公示期间，干部群众对公示对象的德、能、勤、绩、廉、八小时以外等方面的情况，认为需要举报或反映的，可以用口头或书面形式向实施公示的部门举报，也可以通过本单位党组织向上转告。举报必须坚持实事求是的原则，要求真实具体，线索清晰，有据可查，为便于核实情况，举报信应署真实姓名。

4. 公示结果的处置：公示结束后，对没有问题反映的拟提拔对象，按规定程序办理任职手续。公示期间有来信、来电、来访反映拟提拔对象相关问题的，由组织人事部门负责收集、按规定进行调查核实。对平时和考察过程中已掌握了解的问题，由组织人事部门直接向举报人说明情况；对反映的一般性问题，由组织人事部门进行专题调查了解；所反映的问题比较严重的，由纪委、监察部门会同组织人事部门共同调查核实。调查核实后必须形成书面汇报材料，并向讨论决定机关报告，由其视情况决定是否缓施或取消原任职方案。

二、公务员晋升领导职务的，应当按照有关规定实行任职试用期制度

公务员晋升领导职务的，按照有关规定实行任职试用期制度，可以更加完善党政领导干部选拔任用制度，增强选人用人准确性，防止用人失察，提高干部的任职能力。

《党政领导干部选拔任用工作条例》第三十九条规定："实行党政领导干部任职试用期制度。""提拔担任下列非选举产生的地(厅)、司(局)级以下领导职务的，试用期为一年：(一)党委、人大常委会、政府、政协工作部门的副职和内设机构的领导职务；(二)纪委内设机构的领导职务；(三)人民法院、人民检察院内设机构的非国

家权力机关依法任命的领导职务。”“试用期满后，经考核胜任现职的，正式任职；不胜任的，免去试任职务，一般按试任前职级安排工作。”

这里有三点需要说明：一是干部在试用期间，履行试用职务的职责，享受相应待遇。二是党委（党组）及组织人事部门按照干部管理权限，履行领导干部试用期间的管理和监督职责。组织人事部门要定期联系试用干部，帮助干部提高对岗位的适应能力和工作水平。三是考核一般应当采取本人述职、民意测评、单位党委（党组）鉴定和组织考察相结合的办法。试用干部本人应总结自己在试用期间履行职责的表现，向单位党委（党组）提交书面述职报告。民意测评工作按干部管理权限由组织人事部门组织，单位领导的测评由本单位中层以上干部参加，内设处（科）室的领导测评原则上由其本人所在处（室）的工作人员参加，到会率80%以上有效。民意测评票有称职、基本称职、不称职三种选项。单位党委（党组）依据试用干部表现作出鉴定，填写干部试用期鉴定表，按干部管理权限报上级组织人事部门。

第四十七条　公务员在定期考核中被确定为不称职的，按照规定程序降低一个职务层次任职。

【释义】 本条是关于在定期考核中被确定为不称职的公务员降职的规定。

公务员法第三十三条规定：“对公务员的考核，按照管理权限，全面考核公务员的德、能、勤、绩、廉，重点考核工作实绩。”第三十四条规定：“公务员的考核分为平时考核和定期考核。”第三十六条第一款规定：“定期考核的结果分为优秀、称职、基本称职和不称职四个等次。”根据上述规定，如果一个公务员在定期考核中被确定为不称职的，就要按照规定程序降低一个职务层次任职。

一、在定期考核中被确定为不称职的公务员降级任职的程序

根据人事部1996年制定的《国家公务员职务升降暂行规定》

第十四条的规定，降低国家公务员职务，应当首先由所在单位提出降职安排意见，然后对降职事由进行审核并听取拟降职人的意见，最后是按照管理权限由有关机关领导集体研究决定，并依法任免。

二、在定期考核中被确定为不称职的公务员降职的要求

对在定期考核中被确定为不称职的公务员，应当按照规定程序降低一个职务层次任职。如某公务员现任职务为正处级，如其在年度定期考核中被确定为不称职，应当降低一个职务层次任职，即改任为副处级。这里应当指出的是：第一，降低的职务层次不能超过一个，如上例中的公务员，不能一下子降为科级；第二，不宜将领导职务改任为同级的非领导职务的方法代替降职，如将上例中的公务员由正处长改任为调研员；第三，公务员被降职的，其级别超过新任职务对应的最高级别的，应同时降至新任职务对应的最高级别。

三、被降职的公务员有权进行申诉控告

根据公务员法第九十条的规定，公务员对涉及自己的降职处理不服的，可以自知道该处理之日起三十日内向原处理机关申请复核；对复核结果不服的，可以自接到复核决定之日起十五日内，按照规定向同级公务员主管部门或者作出处理的机关的上一级机关提出申诉；也可以不经复核，自知道处理决定之日起三十日内直接提出申诉。对省级以下机关作出的申诉处理决定不服的，可以向作出处理决定的上一级机关提出再申诉。行政机关公务员对处分不服向行政监察机关申诉的，按照《中华人民共和国行政监察法》的规定办理。

四、降职是与晋升职务相对应的一种职务关系变更的形式，不是一种行政处分

降职与行政处分中的降级有相似之处，二者都表现为职务等次的降低，但从其实质内涵来看，二者有很大的不同：

1. 原因不同。降职的原因是公务员在定期考核中被确定为

不称职，这种不称职可能发生在德、能、勤、绩、廉五个方面中的某一方面，也可能发生在若干方面；而降级作为行政处分，其依据是公务员有违法违纪行为。

2. 目的不同。降职的目的是保证公务员队伍的高素质，把不适合在某一岗位工作的同志换下去，实行能者上、庸者下的竞争机制，以提高党政机关的工作效能；而降级的目的则是对违法违纪的公务员进行惩戒，使其承担相应的纪律责任，以督促告诫其本人，同时也教育其他公务员遵纪守法。

3. 降职作为职务等次的降低，是一次性完成的，并没有一个持续的期间；而降级作为一种行政处分，是有一个持续期间的。根据公务员法第五十八条的规定，降级处分的期间为二十四个月，在此期间不得晋升职务和级别，不得晋升工资档次。

长期以来，我国在干部人事管理中习惯于能上不能下，这样不利于建设一支高素质的公务员队伍。公务员制度中有关降职的规定，是对我国干部人事管理制度的一项改革，实行这一制度，有利于建立一整套激励干部进取、有利于干部成长的使用制度，推动形成能人上、庸人下的良好用人局面，盘活整个队伍，从而提高国家机关整体的工作效能，更好地为人民服务。

这里还应当指出的是：

第一，要正确对待被降职的公务员，要通过耐心细致的思想教育工作，帮助他们放下包袱，轻装前进。要通过帮助教育，使他们认识自身存在的不足，从而努力学习，提高政治思想水平和业务能力，使自己能够快速赶上。

第二，对降职人员在今后的升职、升级等方面要同其他同志一视同仁。被降职的公务员，如在新的职位上德才表现和工作实绩确实突出，经全面考察，可不受任职年限的限制，重新晋升其职务和级别。

第三，要教育公务员正确对待降职的问题，提高对降职的心理承受能力，创造一种能上能下的宽松的环境和氛围。

第八章 奖 励

公务员奖励制度是由公务员法所确认的，由奖励的原则、条件、种类、机构及其权限等诸多环节所组成的公务员奖励规范的总称。建立公务员奖励制度的意义在于：首先，奖励具有激励和约束作用。通过奖励公务员获得物质上和荣誉上的利益，从而进一步激发和调动其积极性、主动性、创造性，促使其严格要求自己，积极工作，努力向上。其次，奖励具有示范和指导作用。对公务员的奖励不仅能进一步发挥公务员个体的潜能，而且还能在整个公务员队伍中树立榜样，明确目标，从而使整个团队置身于一种目标明确，积极向上的氛围中，使其向积极、健康的方向发展。再次，奖励可以促进竞争。由于受奖励的公务员只是少数人，而且条件具体、明确，所以奖励制度的有效实施必然在全体公务员之间产生一种竞争氛围，促使全体公务员努力工作，争当先进，有利于形成一个充满活力和生机的公务员队伍。本章共五条，分别对奖励的原则、条件、形式和权限、程序等作了规定。

第四十八条　对工作表现突出，有显著成绩和贡献，或者有其他突出事迹的公务员或者公务员集体，给予奖励。奖励坚持精神奖励与物质奖励相结合、以精神奖励为主的原则。

公务员集体的奖励适用于按照编制序列设置的机构或者为完成专项任务组成的工作集体。

【释义】 本条是关于国家对公务员实行奖励制度、奖励的原则以及集体奖励的规定。

一、公务员奖励的特点

我国公务员奖励制度是在借鉴和总结了国内外奖励制度的基础上,结合当前我国社会主义现代化建设和干部人事制度改革及干部奖励工作的实际情况制定的。该规定与我国以前的奖励规定及各国的奖励规定相比,有两个基本特点:一是设专章对公务员的奖励问题作了专门规定,从而突出了奖励制度在公务员制度中的地位,显示了国家对公务员奖励工作的重视。二是从总体上确认了对公务员进行奖励的两类行为:第一类是在本职工作中表现突出,有显著成绩和贡献的。所谓"工作表现突出",是指在工作过程中具有超越一般的表现,如在工作中事事处处领先,起到明显的模范带头作用,或者在忠于职守、遵守纪律、廉洁奉公、作风正派、办事公道等方面表现特别优秀等。所谓"有显著成绩和贡献",是指做出了明显的、超越一般的成就,如在工作中做出了取得显著经济效益或者社会效益的发明创造,或者提出了取得显著经济效益或者社会效益的合理化建议等。第二类是在本职工作以外有其他突出事迹的。所谓"有其他突出事迹",是指在其他方面做出了先进事迹,如在抢险、救灾、制止严重违法犯罪行为等特定环境中,为了保护国家和人民群众的财产或者人身安全,奋不顾身,光荣负伤等。这是符合我国实际情况的具有中国特色的公务员奖励制度。

二、公务员奖励的原则

公务员奖励的基本原则是坚持精神鼓励与物质鼓励相结合,这一基本原则是由人们的基本需要所决定的。马克思主义认为,人的需要包括两个基本方面,一个是物质需要,一个是精神需要。物质需要主要是指人们对衣、食、住、行等物质生活方面的需求;精神需要主要是指人们对工作的兴趣、荣誉、信任、责任、成就等心理方面的需求。奖励之所以能够鼓励人们的工作积极性,就是因为它能够满足人们的某种需要。对公务员实施奖励,必须兼顾人的物质需要和精神需要两个方面,把二者有机地结合起来。

精神鼓励和物质鼓励是奖励的两种形式。所谓精神奖励就是对受奖的公务员给予荣誉方面的表彰,包括嘉奖、记功、授予荣誉称号等,其目的是为了满足人的精神需要,从而促进公务员的积极性,增强其工作的光荣感和责任感。所谓物质奖励就是对受奖的公务员给予物质形式的奖励,包括发给奖金、奖品、工资晋级等,其目的是为了满足人的一定的物质需要。应该指出的是,人们对物质和精神需要的层次和程度并不是一成不变的,而是随着客观情况的变化而变化的。一般说来,在经济发展水平较低的条件下,人们的物质需求相对比较强烈,而在经济发展水平较高的条件下,人们的精神需求比重会逐步加大。此外,不同的职业、性格、气质等也会对人的需要产生一定影响。因此,奖励必须因人制宜,因时制宜,因地制宜。在坚持精神鼓励与物质鼓励相结合的同时,还必须坚持以精神鼓励为主的原则。

三、奖励的对象

1. 公务员个人,即对工作表现突出,有显著成绩和贡献,或者有其他突出事迹的公务员个人,给予奖励。

2. 公务员集体。对公务员集体的奖励适用于按照编制序列设置的机构或者为完成专项任务组成的工作集体。人是社会的人,人在社会上必然会形成不同的群体。在工作中,多人组合在一起就形成了一个工作集体,包括比较固定的机构与为完成专项任务组成的临时性质的工作集体。在集体中,人们只有彼此协作、互相支持和帮助才能够凭着集体的力量和智慧完成复杂重大的任务。因此,集体的利益就关系到个人的利益,集体的荣誉就是个人的荣誉。对集体进行奖励有助于促进该集体的成员形成积极、协作的态度,从而取得新的成就。按照编制序列设置的机构是指国家的编制机构设立的具有某种职能的组织,为完成专项任务组成的工作集体是指为完成某个专项任务或项目而由各方面的人员聚集在一起形成的团队或人的集合。

第四十九条 公务员或者公务员集体有下列情形之一的，给予奖励：

（一）忠于职守，积极工作，成绩显著的；

（二）遵守纪律，廉洁奉公，作风正派，办事公道，模范作用突出的；

（三）在工作中有发明创造或者提出合理化建议，取得显著经济效益或者社会效益的；

（四）为增进民族团结、维护社会稳定做出突出贡献的；

（五）爱护公共财产，节约国家资财有突出成绩的；

（六）防止或者消除事故有功，使国家和人民群众利益免受或者减少损失的；

（七）在抢险、救灾等特定环境中奋不顾身，做出贡献的；

（八）同违法违纪行为作斗争有功绩的；

（九）在对外交往中为国家争得荣誉和利益的；

（十）有其他突出功绩的。

【释义】 本条是关于公务员奖励条件的规定。

奖励条件是指公务员的什么样的行为应该受到奖励，体现着国家在公务员中提倡的行为。国家通过确定和公布奖励条件来引导公务员的行为方向。在不同的国家，由于政治经济条件及历史文化传统等不同，对公职人员奖励条件的规定是不一样的。即使在同一国家，奖励条件也不是固定不变的。随着各个历史时期国家工作重点的转移、政府职能以及政治经济形势的变化，公务员的奖励条件也要适时地更新和修改。确定科学适当的奖励条件，对于鼓励公务员积极上进，充分调动大家的积极性创造性，引导公务员向正确的方向发展，具有十分重要的作用。

我国过去制定的奖励规定对奖励的条件一般都有明确规定。1952 年政务院颁布的新中国第一个比较系统的奖励规定《国家机关工作人员奖惩暂行条例》就针对奖励的不同等次规定了十七项奖励的条件,其中对奖励的一般条件规定了七项,对予以记功至记特等功或者二等奖金至特等奖金的奖励条件 规定了五项;对授予各等荣誉称号或荣誉奖金的奖励条件规定了二项;对酌情提高受奖者奖励等级的条件规定了三项。在这些奖励条款中有许多是针对建国初期的特定历史环境而制定的。1957 年国务院颁布的《关于国家行政机关工作人员的奖惩暂行规定》对奖励的条件作了六项原则性规定,这些规定在当时是适宜的,许多内容现在也是正确的。国家公务员暂行条例对奖励的条件规定了九项内容。

公务员法在参考过去的奖励条件的基础上,根据新时期我国改革开放和国际交往日益增多的时代特点以及人们观念和要求的变化,从当前奖励工作的实际情况出发,对公务员奖励的条件作了十项明确规定,这些规定同以往的规定相比有以下几个特点:首先,突出了忠于职守,积极搞好本职工作的内容。因为公务员的所有职位都是根据机关工作需要而设置的,作为公务员,首要的一条就是要忠于职守,尽职尽责地搞好本职工作,只有这样,才能保证政府工作的正常进行,保持政府工作的高效率。其次,针对改革开放的新形势,适应社会主义市场经济的要求,突出了廉洁奉公,作风正派,办事公道的新内容。再次,增加了“为增进民族团结、维护社会稳定做出突出贡献”的内容。最后,增加了对于公务员集体的奖励,这是适应团结协作的要求,鼓励人们形成团队精神。总之,公务员法对公务员的奖励条件的规定同以前的规定相比,更加科学、合理,也更加完整和规范了。

第五十条　奖励分为:嘉奖、记三等功、记二等功、记一等功、授予荣誉称号。

对受奖励的公务员或者公务员集体予以表彰,并给予一次性奖金或者其他待遇。

【释义】　本条是关于公务员奖励种类的规定。

关于公务员奖励种类,1952 年政务院颁布的《国家机关工作人员奖惩暂行条例》将奖励分为五种:表扬或奖品;记功或二等奖金;记大功或一等奖金;记特等功或特等奖金;授予荣誉称号(包括工作模范、劳动英雄、人民功臣)或者荣誉奖金(包括四等荣誉或四等荣誉奖金、三等荣誉或三等荣誉奖金、二等荣誉或二等荣誉奖金、一等荣誉或一等荣誉奖金)。1957 年国务院颁布的《国家行政机关工作人员的奖惩暂行规定》将奖励的种类修改为记功、记大功、授予奖品或奖金、升级、升职、通令嘉奖六种。公务员法维持了原来的《国家公务员暂行条例》关于奖励种类的规定,为嘉奖,记三等功、二等功、一等功,授予荣誉称号。

这里需要说明的是,公务员奖励的种类与应受奖励的行为是对应的。工作成果越是重大,在社会上的影响越重大,受到的奖励也就越重要。也就是说,给予公务员奖励,应根据其先进事迹和贡献大小区别对待。

公务员法将国家公务员暂行条例中“按照规定给予一定的物质奖励”修改为“给予一次性奖金或者其他待遇”。这是因为,原来的“一定的物质奖励”的内容不够清楚,物质奖励包括奖金、物品等等,而现在的“给予一次性奖金或者其他待遇”的规定更清楚,一次性奖金就是按照公务员或者公务员集体的事迹与成果一次性地给予一笔资金进行奖励;另外,还增加了“待遇”奖励的规定。所谓待遇,是指享有的某种权利与社会地位等,其表现形式例如可以出席某些重要典礼等等。这种做法也是符合我国实际做法的,而且也是坚持精神奖励与物质奖励相结合的原则体现。

第五十一条　给予公务员或者公务员集体奖励,按照规定的权限和程序决定或者审批。

【释义】　本条是关于实施公务员奖励的权限与程序的规定。

实施公务员奖励的权限是指哪些机构有权对公务员实施奖励以及实施何种奖励，是公务员管理机构在奖励工作方面的分工。公务员奖励的管理机构及权限是公务员奖励制度得以贯彻实施的组织保障。因为如果只有制度而没有相应的组织机构去执行，或者有了机构而又职责不清、权限不明，那么，这种制度再好也是不能贯彻实行的。公务员奖励的管理机构及权限原则上与奖励的级别是相对应的，与公务员的任免管理机关是相一致的。

公务员法对我国公务员的奖励权限只作了“按照规定的权限和程序决定或者审批”的原则规定。公务员的奖励权限一般要受两个方面的制约，一是公务员的管理权限，即有关机关必须是对自己管辖范围内的公务员的奖励予以决定或审批；二是奖励种类的批准权限，不同奖励种类要求不同层次的审批机关，越是层次高的奖励种类，要求审批机关的层次越高。

公务员奖励的程序是指机关对公务员实施具体奖励时所应该遵循的工作步骤。对公务员进行奖励，必须严格遵循法定的工作程序。一般而言，公务员奖励按照下列程序办理：首先，公务员所在单位在征求群众意见的基础上，提出奖励意见；按照规定的权限，上报审批。当公务员具备奖励条件时，公务员所在单位要调查核实情况，整理书面材料，经过群众和领导评定或者讨论，认为确需奖励时，填写奖励审批表，附上本人事迹材料、有关证明材料和群众评议意见，提出拟授奖种类，按照规定的权限，逐级申报。其次，审批机关的人事部门审核。审批机关接到奖励的报告材料后，先由人事部门进行审核。审核的内容包括报告材料、先进事迹材料、奖励审批表等是否齐全，事迹是否合乎奖励条件，拟授奖种类是否恰当等，有的还要进一步复核实际情况是否与所报材料一致，然后报审批机关的领导集体讨论研究，决定是否批准。再次，审批机关批准，并予以公布。审批机关领导集体讨论决定予以奖励后，要书面通知本人，并通过会议、广播、登报等方式，在一定范围内予以公布。接着,对获得奖励的公务员,由审批机关或者委托有关部门、单位采取一定形式表彰,并颁发奖励证书。其中,对记一等功、授予荣誉称号的公务员,同时颁发奖章。奖励证书和奖章的质地、式样由公务员主管部门制定。对获得嘉奖和记三等功、二等功、一等功与授予荣誉称号的公务员,给予一次性奖金或者其他待遇。最后,奖励材料归档。凡有关对公务员进行奖励的决定及主要附件,均应存入本人档案。必要时,审批机关可以直接给予公务员奖励,不必严格按上述程序办理。

第五十二条　公务员或者公务员集体有下列情形之一的,撤销奖励:

(一)弄虚作假,骗取奖励的;

(二)申报奖励时隐瞒严重错误或者严重违反规定程序的;

(三)有法律、法规规定应当撤销奖励的其他情形的。

【释义】 本条是关于撤销公务员奖励的规定。

一、撤销公务员奖励的法定事由

公务员奖励的撤销,是指公务员获得奖励以后,因出现法定事由,而由有权机关取消其奖励的一种法律行为。撤销奖励的法定事由包括:

弄虚作假,骗取奖励是指虚构奖励事迹与成果,欺骗奖励审批机关而获得奖励的情形。无论是个人还是集体,获得奖励都会带来一定的利益,会获得相应的奖金与待遇。对于这些利益,有的人不是通过自己的劳动和努力来获取,而是企图通过所谓的捷径来取得,这是一种自私的思想的体现,是社会主义市场经济中的不和谐的音符。对于这种丑陋的现象,一定要加以防范与制止。只有这样才能够形成正确的价值观,才能够建立起良好的激励机制,从而促进人们通过自己的努力与勤劳去创造价值,去争取更好的成绩。撤销通过弄虚作假骗取的奖励是正本清源,是对奖励制度的维护。

申报奖励时应当按照真实的情况申报，如果隐瞒严重错误或者严重违反规定程序都是不容许的，都应当撤销奖励，收回奖励证书和奖章，并停止有关待遇。所谓隐瞒严重错误是指在申报奖励的过程中，隐瞒申请人曾经发生的严重的错误，该错误往往是造成了比较恶劣的社会影响，造成了较大的损失和危害的情况。所谓严重违反规定程序，是指在申报奖励的过程中，不经过规定的程序申报。一般认为，程序具有独立的价值，申报奖励应当遵守公正、公开、公平的原则。严重违反程序，可以说会导致违反公正、公开、公平的要求，这对于其他申报者来说是不公平的，对于公众来说是一种欺骗和侮辱，对于奖励颁发者的国家来说是对国家权威和尊严的践踏。所以，严重违反程序的，应当将其撤销。

二、撤销奖励的效力

撤销公务员奖励，由原申报机关报审批机关批准，特殊情况下原审批机关可以直接撤销公务员的奖励。公务员的奖励被撤销后，奖励审批机关或授予机关要收回其奖励证书和奖章，收回奖金并停止其享受的有关待遇。

第九章 惩 戒

本章是关于公务员纪律与处分的规定。国家为保障公务执行的合法高效,对公务员的行为予以规范,这种行为规范的表现之一就是公务员的纪律。公务员的纪律是公务员义务的具体化,它有助于保证管理工作的正常进行,维护机关的良好形象,促使公务员依法履行公务。本法第五十三条规定了公务员应当遵守的十六项纪律。公务员的纪律应当由纪律责任加以保障,这种纪律责任就是惩戒,也即对公务员的处分。本章共七条,分别对公务员纪律和处分的种类、合法要件、程序、期间及其解除等作了规定。

第五十三条　公务员必须遵守纪律,不得有下列行为:

(一)散布有损国家声誉的言论,组织或者参加旨在反对国家的集会、游行、示威等活动;

(二)组织或者参加非法组织,组织或者参加罢工;

(三)玩忽职守,贻误工作;

(四)拒绝执行上级依法作出的决定和命令;

(五)压制批评,打击报复;

(六)弄虚作假,误导、欺骗领导和公众;

(七)贪污、行贿、受贿,利用职务之便为自己或者他人谋取私利;

(八)违反财经纪律,浪费国家资财;

(九)滥用职权,侵害公民、法人或者其他组织的合法权益;

(十)泄露国家秘密或者工作秘密;

（十一）在对外交往中损害国家荣誉和利益；

（十二）参与或者支持色情、吸毒、赌博、迷信等活动；

（十三）违反职业道德、社会公德；

（十四）从事或者参与营利性活动，在企业或者其他营利性组织中兼任职务；

（十五）旷工或者因公外出、请假期满无正当理由逾期不归；

（十六）违反纪律的其他行为。

【释义】 本条是有关公务员纪律的规定。

一、公务员纪律的概念

纪律是特定组织为了维护自身的利益和形象并保证其职能的正常行使而要求该组织成员必须遵守的行为准则。公务员的纪律则是机关为了保证管理工作的正常进行，维护机关的良好形象，促使公务员依法履行公务而制定的要求公务员普遍遵循的行为准则。公务员纪律是公务员义务的具体化，具有国家强制性，以惩戒作为执行的保障。

除了国家强制性的特点外，还应把握公务员纪律与一般团体和组织的纪律的一个不同点：一般团体或组织的纪律是为规范团体成员在团体内部的行为而制定的规则，而公务员的纪律则不仅涉及公务员在公务员系统内部活动必须遵守的规则，还涉及公务员与社会上的公民、法人或者其他组织发生关系时应当遵循的行为准则。

1952 年政务院颁布了《国家机关工作人员奖惩暂行条例》，在新中国第一次就国家机关工作人员的纪律与惩戒作了系统规定，其中列出了国家机关工作人员的二十七条纪律。1957 年 10 月，第一届全国人大常委会第 82 次会议批准了《国务院关于国家行政机关工作人员的奖惩暂行规定》（自本法实施之日起废止），取代了 1952 年的条例，其中将行政机关工作人员的纪律规定为十二条。1993 年国务院制定的《国家公务员暂行条例》规定了公务员的十四条纪律。本法对公务员纪律的规定与《国家公务员暂行条例》的规定大体相同,主要是为适应公务员范围的变化作了一些文字上的改动。

二、公务员纪律的内容

本法所规定的公务员纪律可以分为五个方面:

(一)政治纪律

公务员的政治纪律是公务员在政治方面必须遵守的行为规范。公务员必须拥护国家的法律与政策,与国家的行为保持一致。有关公务员的政治纪律规定在本条第(一)项与第(二)项之中,即公务员不得散布有损国家声誉的言论,组织或者参加旨在反对国家的集会、游行、示威等活动;组织或者参加非法组织,组织或者参加罢工。

公务员作为依法履行公职、纳入国家行政编制、由国家财政负担工资福利的工作人员,当然不得散布有损国家声誉的言论,组织或者参加旨在反对国家的集会、游行、示威等活动。对此,在公务员法草案中,曾规定公务员不得散布有损"政府"声誉的言论,组织或者参加旨在反对"政府"的集会、游行、示威等活动。在本法的审议与听取意见过程中,有的提出,由于本法扩大了公务员的范围,公务员已经不限于在政府工作的人员,建议将政府改为"国家"。这一意见得到了采纳。至于组织或参加非法组织,是每一个公民都不得进行的活动,公务员当然也不例外。

关于公务员组织或参加罢工问题。在西方国家,劳工工会普遍享有罢工权,罢工是工人对资本家抗争以争取自身权益的一种有效方式,而公务人员承担着公共职能,攸关公共秩序与公共利益,其是否享有罢工权,则各国规定有所不同。多数国家,例如美国(包括联邦政府以及多数州政府)与日本等国,公务人员工会不享有罢工权。例如日本国家公务员法规定,公务员不得有联合罢工、怠职及其他争议行为,也不得有企图、共谋、挑拨、煽动等违法行为。德国公务员亦不享有罢工权,但对于契约职与劳动职的公务员因可以加入劳工工会,在劳工工会发动罢工时可参加罢工。英国法律未允许公务人员罢工,但在1973、1981、1983与1993年均曾发生过罢工事件。法国则在法律中规定,除警察之外的公务员均享有罢工权。美国有十三个州承认公务员有罢工权。本法考虑到公务员承担责任的特殊性,明确规定公务员不得组织或者参加罢工。

在西方国家,事务类公务员应当遵循的一项最为重要的政治纪律,是在政治上保持中立。例如英国公务员纪律规定,禁止文官参加政治活动,其内容包括文官不得兼任议员,不得作为议员候选人或帮助议员候选人从事竞选活动,不得参加政党,不得参加职工大会及其组织的活动,不得就全国性政治争论发表谈话,不准发表批评政府政策与措施的意见,强调任何时候都必须对政治问题保持缄默,要为当时的政府服务而不应强调本人的政治见解。美国公务员纪律规定,事务类公务员不得参加政治竞选活动,不得担任政党的候选人,不得与劳动工人联合组织团体联合采取共同的集体行动,不得为政治目的而进行金钱或有价值物质的募捐等。日本公务员纪律规定,事务类公务员不得为政党或政治目的谋求或接受捐款及其他利益,不得以任何形式参与这些行为;不得担任政党或其他政治团体的负责人、政治顾问或其他有同等作用的职务;不得担任公职候选人。我国公务员的纪律与西方国家相比在某些方面是相同的,例如均不得发表批评国家政策与措施的意见,但也有重要差别:(1)与西方国家公务员的纪律主要针对事务类公务员不同,我国由于不区分政务类公务员与事务类公务员,所有公务员需要服从的纪律是大体相同的。(2)与西方国家事务类公务员必须与政党保持中立不同,我国公务员实行党管干部原则。各级公务员是党的干部的重要组成部分,都必须服从中国共产党的领导,贯彻中国共产党的路线、方针与政策,政党与政府工作人员之间的交叉任职也非常普遍。

(二)工作纪律

公务员的工作是指公务员履行职务时必须遵循的行为规范。遵守工作纪律,是公务员有效执行公务,提高办事效率的保证。公务员的工作纪律体现在本条第(三)、(四)、(五)、(六)项。

1. 不得玩忽职守,贻误工作

公务员职位是根据公务需要设置的,为保证公务的正常、连续进行,保证管理工作的高效率,在每个职位上的公务员都应严格履行岗位职责,恪尽职守,勤奋工作,尽职尽责。公务员应增强对自己从事职业的高度责任感,将高度的工作热情与踏实的工作态度和实干精神结合起来,忠于职守,兢兢业业,凡是属于自己职责范围内的事务,必须亲自处理,不得擅自由他人代理,如遇危险紧急情况,不得擅离职守。

2. 不得拒绝执行上级依法作出的决定和命令

现代科层制的管理要求上令下行、政令畅通,这就要求公务员执行依法作出的决定命令。在公务员法草案中,这一规定的表述是公务员不得"对抗上级决定和命令"。在草案审议过程中,有同志提出,这一规定要求公务员绝对执行上级所有的决定与命令,与公务员应当遵守国家法律的义务有矛盾,而且根据本法有关奖励的规定,对于同违法违纪行为作斗争有功绩的公务员,国家还应给予奖励,因此建议对该规定作出修改,这就形成了现在的规定。至于上级依法作出的决定和命令违法错误,公务员应如何处理的问题,本法第五十四条作了规定。

另外应当注意的是,根据本法第三条第二款的规定,法律对法官、检察官的义务、权利与管理另有规定的,从其规定。有关法官、检察官的执行服从纪律,要适用法官法、检察官法。

3. 不得压制批评,打击报复

宪法第二十七条第二款规定:"一切国家机关和国家工作人

员必须依靠人民的支持,经常保持同人民的密切联系,倾听人民的意见和建议,接受人民的监督,努力为人民服务。”第四十一条规定:“中华人民共和国公民对于任何国家机关和国家工作人员,有提出批评和建议的权利;对于任何国家机关和国家工作人员的违法失职行为,有向有关国家机关提出申诉、控告或者检举的权利,但是不得捏造或者歪曲事实进行诬告陷害。对于公民的申诉、控告或者检举,有关国家机关必须查清事实,负责处理。任何人不得压制和打击报复。”本法第十二条规定,公务员应全心全意为人民服务,接受人民监督。本法第十三条规定,公务员有权对机关工作和领导人员提出批评和建议。公务员在执行职务过程中,应自觉听取人民群众或者下级公务员的批评意见,有则改之,无则加勉,而不能打击报复。

4. 不得弄虚作假,误导、欺骗领导和公众

公务员应当作风正派,忠诚老实,实事求是。在向上级汇报或向下级通报公务情况时,不得弄虚作假、欺上瞒下、虚报浮夸,欺骗上级和公众;在接受组织的调查、取证和询问时,不得捏造事实、提供虚假证明;也不得伪造、涂改档案、证件等,为个人骗取职务、职称、荣誉和学历等。

(三)廉政纪律

1. 不得贪污、行贿、受贿,利用职务之便为自己或者他人谋取私利

贪污是指公务员利用职务上的便利,侵吞、骗取或者以其他手段非法占有公共财物的行为。行贿是指为谋取不正当利益,给予公务员以财物的行为。受贿是指公务员利用职务上的便利,索取他人财物,或者非法收受他人财物,为他人谋取利益的行为。公务员不得贪污公款,为达到升官等目的而向上级行贿。公务员在项目审批、土地批租、工程招标、业务洽谈、资金分配、税款征收、换汇创汇、证件发放、住房分配、户政管理、出国(境)审批,以及招生、

毕业生就业、转业复员军人安置、公务员录用调动等方面，必须严格按法律规定办理，自觉接受监督，不准索要和收受贿赂。公务员不得利用职权和职务之便为配偶、子女及亲友谋取私利，例如借用、挪用公款为配偶、子女和其他亲友进行营利性活动；违规为亲属经商办企业提供便利和优惠条件；利用职权办理与本人有国家规定的回避关系人员的职务任免、招工录用、奖惩、职称评定等。在领导身边工作的公务员，不得打着领导的旗号为自己或亲属谋取不正当利益。

2. 不得违反财经纪律，浪费国家资财

国家的财政资金和其他国有资产是国家的公共财物，有一套严格的管理规则和纪律，公务员必须严格遵守，并且要厉行节约，不能铺张浪费。从实践来看，公务员特别应当注意不得有下列行为：隐瞒、截留、挪用、坐支应上交国库的财政收入；虚报、冒领、骗取国家财政拨款或补贴；违反预算外资金管理规定，做假账、搞两本账，私设“小金库”；以国有资产为他人的经济活动提供担保。公务员不得浪费国家公款，用公款大吃大喝，公款私请；用公款进行旅游活动；用公款参与高消费的娱乐活动、获取各种形式的俱乐部会员资格；用公款发放、赠送贵重礼品；用公款超标准建造、购买住房；违反规定用公款装修、购买住房；两处购房或多处占房；利用职权低于市场价购买住房。公务员必须严格遵守国家有关收受礼金、礼品的规定，不得接受被管理、监督、服务对象赠送的礼品；接受礼金、有价证券；因各种原因未能拒收的礼金、礼品及有价证券应登记上交。公务员必须严格执行国家有关购买、配备和使用工作车辆的规定，不得违反规定购买、装修、乘坐超标准小汽车；挪用专项资金购买各种车辆；用公车接送子女入托、上学和用公车旅游。

3. 不得从事或者参与营利性活动，在企业或者其他营利性组织中兼任职务

为了保证公务员能够更好地履行自己的职责，做好本职工作，

同时防止企事业单位利用国家权力从事各种营利活动，防止公务员利用职务之便获取非法收入，从而保持公务员的廉洁，公务员不得从事或者参与营利性活动，在企业或者其他营利性组织中兼任职务。与本规定相关的是本法第四十二条的规定，公务员因工作需要在机关外兼职，应当经有关机关批准，并不得领取兼职报酬。该规定中的“在机关外兼职”，不包括在企业或者其他营利性组织中兼职，这是因为根据本条规定，这种兼职是绝对禁止的，有关机关不得批准。

（四）职业道德与社会公德纪律

1. 不得滥用职权，侵害公民、法人或者其他组织的合法权益

在现代国家中，公民、法人或者其他组织不再是国家管理的单纯客体，而是权利的主体，其合法权益受到法律的保障。公务员在行使职权过程中，既不得超越权限，对其所拥有的裁量权也不得滥用，应当遵守平等原则、比例原则、信赖保护原则、正当法律程序原则，尊重与保护公民的人格尊严，尊重与保护公民的人身权、财产权与其他合法权益。从中国实践出发，公务员应特别注意不得有下列滥用职权，侵害公民、法人或者其他组织的财产权益的行为：擅自制定收费、罚款项目，扩大收费范围或提高标准，乱收费、乱罚款；无偿占用下属单位和企业、事业单位的房屋、车辆、通讯工具、电脑等生活和办公用品；利用职权购买和持有企业的内部职工股票，接受下属单位和企业、事业单位赠送的信用卡；让下属单位和企业、事业单位出资或部分出资为自己安装住宅电话，配备寻呼机、移动电话等；在下属单位和企业、事业单位报销应由个人支付的费用；让下属单位和企业、事业单位出资供子女上学；未经批准将国家行政机关的职能转移到下属或其他的经济实体，搞有偿服务；向下属和职权范围内的单位摊派各种费用，为本单位索要经济赞助，乱摊派、乱集资；以各种名义向基层单位强行推销部门自办报刊及其他商品，等等。

2. 不得泄露国家秘密或者工作秘密

西方国家对公务员的保密纪律特别重视。英国对文官保密的要求最为严格。英国保密法规定,文官在接受任命的当天,必须签字保证不同任何人谈论有关本人工作的任何情况,保证不泄露因其所任职务而得到的未经公开的任何消息,公务员在离任和退休以后也不得泄露任职时获得的机密和非机密信息。

我国宪法第十三条规定公民有保守国家秘密的义务,保守国家秘密法要求全体国家工作人员和公民应严格遵守各项保密法规和制度。国家秘密涉及党和国家安全和利益,尚未公开或者不准公开的政治、经济、军事、外交、科学技术等方面的重大事项。公务员的工作秘密与国家秘密具有密切联系。国家秘密是由一系列工作秘密构成的,有些工作秘密尽管未列入国家秘密的范围,但如果泄露也会给国家利益带来损失。

公务员必须严格遵守保密纪律,不得有下列行为:私自转借、摘抄、录制、复印国家秘密文件资料或将这些文件资料及复制件带离办公场所;在接受新闻采访或公开发表的文稿中,泄露、引用国家秘密;在公共场所或与家属、子女亲友谈论国家秘密,在私人通信中涉及国家秘密;擅自处理应上交销毁的秘密文件;发现秘密文电、资料丢失或被窃不及时报告等等。在领导身边工作的公务员不得向领导询问不应当知道的秘密;未经同意阅读领导的秘密文电、资料;未经领导批准扩大密级文电、资料的传阅范围;泄露领导不宜公开的谈话、讲话、批示、指示,等等。

3. 在对外交往中不得损害国家荣誉和利益

我国宪法第五十四条规定:“中华人民共和国公民有维护祖国的安全、荣誉和利益的义务,不得有危害祖国的安全、荣誉和利益的行为。”公务员首先是国家的公民,必须履行公民的基本义务。不仅如此,公务员作为履行公职的工作人员,在对外交往活动中的一言一行代表着国家的形象,因此更应注意不得损害国家荣誉和利益。

公务员必须严格遵守外事工作纪律,不得有下列损害国家荣誉和利益的行为:发表有损国格、人格和不符合国家对外政策的言论;对外提供不应公开的政治、经济、科技等情况;利用职权和工作之便向外方索要钱物或暗示外方赠予钱物;利用职权明示或暗示外方和驻外机构邀请本人及其亲属出国(境);要求或接受有公务往来的国(境)外人士为本人及其亲属出国(境)旅游、探亲和留学提供担保资助;在国(境)外涉足色情场所,观看色情影视、表演;参加敌对组织、团体及其活动,或为敌对组织、团体提供帮助,等等。

4. 不得参与或者支持色情、吸毒、赌博、迷信等活动

本法第十二条规定,公务员应当模范遵守法律。参与或者组织色情、吸毒、赌博、迷信等活动违反社会公共管理秩序,公务员当然不得参与或支持。实践中,有些地方的公务员成为黄、赌、毒的保护伞,败坏社会风气,造成恶劣的社会影响,对此需要进行严肃处理。

5. 不得旷工或者因公外出、请假期满无正当理由逾期不归

公务员应当严于律己,自觉遵守机关内部的请假制度,不得擅离职守。

(五)公务员不得有违反纪律的其他行为

公务员纪律是对公务员义务的具体化,与公务员义务无法完全列举一样,对公务员纪律也无法全部列出,国家法律与规定中对公务员的行为规范作出其他要求的,公务员也应当遵守。

第五十四条　公务员执行公务时,认为上级的决定或者命令有错误的,可以向上级提出改正或者撤销该决定或者命令的意见;上级不改变该决定或者命令,或者要求立即执行的,公务员应当执行该决定或者命令,执行的后果由上级负责,公务员不承担责任;

但是，公务员执行明显违法的决定或者命令的，应当依法承担相应的责任。

【释义】　本条是有关公务员如何对待上级错误的决定命令的规定。

一、国外关于公务员服从执行与抗拒上级命令问题的理论与做法

为了保障管理的统一与高效，公务员有服从上级决定与命令的义务；而根据法治原则的要求，公务员有遵守国家法律、法规规定的义务。当上级的决定、命令合法正确时，这两个义务是一致的，但当上级的决定与命令违法错误时，就涉及如何平衡的问题。对这一问题大致有如下几种观点与做法：

一种是绝对服从说。这是行政法最早的见解。这种观点认为公务员不可怀疑上级决定与命令的合法性，应该绝对服从。其目的在于避免因下级公务员见仁见智的见解而影响行政效率。对这种观点的反对意见是，基于法治国家理念，公务员是为国家服务的，而不是替上级服务，上级的意志不能超越法律，认为公务员应该机械地、毫无意志力地“绝对服从”上级违法的命令与决定是不合理的。在现在各国的公务员法中，只有武职公务员才在一定程度上维持绝对服从的义务。

与绝对服从说相近的是提出意见说。即公务员认为上级的决定命令违法时，应当向上级提出自己的意见，如果上级认为仍应维持决定，公务员应当执行。提出意见固然可以促使上级反省自己决定的合法性，但能实际改正决定的可能性不大。这种主张在实际效果上与绝对服从说相仿。

另一种是绝对不服从说。这种观点认为，公务员对于上级所作的违法决定或命令，不应执行。其理由是，法治原则相对于行政目的或效果的实现具有绝对的优先性。如果公务员对于上级违法决定或命令仍有义务执行，则事实上导致公务员成为违法执行的

工具。在英国,行政人员不能因为服从上级命令而免除自己的责任,因为对于违法的命令、行政人员没有服从的义务。但由于上级命令是否违法有时不易判断,所以英国法院认为,如果上级命令不是明显地违法时,行政人员不服从上级命令可以免除或者最大限度减轻责任。

最后一种是相对服从说。这种观点认为,从维护法律的尊严着眼,公务员有权审查上级决定命令是否合法,但为了维护管理的统一与效率,无限制地允许公务员审查上级决定命令的合法性也不可取,应当对公务员服从上级违法命令决定的义务设定一定的界限。德国 19 世纪的著名行政法学家奥托·梅耶就认为,公务员服从的界限是:所作决定命令确实属于公务员的上级长官;决定命令的内容必须属于上级的法定职权范围内,超过职权以外,以及属于私人事务范围内的事项,不得作为命令的内容;命令决定不得违反刑法的规定,所有构成犯罪的事项不得作为命令的内容。

根据德国现行法律的规定与学者通说,公务员服从上级决定命令方面的规则为:第一,公务员有服从长官指令的义务,但依法律的特别规定,公务员仅遵循法律,不受指令的拘束者,不在此限。第二,长官所作指令有下列情形之一的,公务员不具有服从义务:(1)公务员本人或其长官不具有地域管辖与事物管辖之权限;(2)长官指令的下达不符合职权行使方式;(3)长官下达指令是为了职务之外的目的;(4)长官未能提供足够的信息显示对执行指令的负责态度;(5)命令构成明显违法。第三,在其他情况下,公务员如果对长官指令的合法性有怀疑,应立即向其直接上级长官报告,如果直接上级长官仍然坚持原意而公务员仍有意见,公务员应向更上一级机关报告,如该更上一级长官确认指令合法时,除非服从该命令将构成刑罚或秩序罚制裁的行为,并为公务员所能认识,或损害人性尊严,公务员应立即执行,并得因此而免除其责任,一切责任由作出确认之长官负担。公务员有权要求长官就其确认以书面形式作出。这种规定的目的在于纠正德国官僚传统上唯命是从最终导致独裁专制的弊端,而向长官报告的规定,一般被认为不仅是公务员的权利也是公务员的义务,即所谓的陈述义务。德国的规则属于相对服从说。

二、本条的立法过程

我国人民警察法第三十二条规定:“人民警察必须执行上级的决定和命令。”“人民警察认为决定和命令有错误的,可以按照规定提出意见,但不得中止或者改变决定和命令的执行;提出的意见不被采纳时,必须服从决定和命令;执行决定和命令的后果由作出决定和命令的上级负责。”第三十三条规定:“人民警察对超越法律、法规规定的人民警察职责范围的指令,有权拒绝执行,并同时向上级机关报告。”由此提出一个问题,即其他公务员对类似问题应当如何处理。

公务员法草案曾规定,公务员“不得对抗上级决定和命令”。一些常委委员、地方、专家提出,公务员服从上级的命令是公务员应当遵守的纪律,但草案这一规定过于绝对,为防止执行上级违法或者错误的决定或者命令而对公共利益或者公民的合法权益造成重大的不可挽回的损失,公务员有权提出纠正意见;对于执行明显违法或者错误的决定或者命令,公务员本人应承担相应的责任,以增强公务员的责任。法律委员会经研究,赞成这一意见,建议增加一条,规定:“公务员执行公务时,认为上级的决定或者命令有错误的,可以向上级提出改正或者撤销该决定或者命令的意见。上级不改变该决定或者命令,或者要求立即执行的,公务员应当执行该决定或者命令。执行的后果由上级负责,该公务员不承担责任,但是公务员执行明显违法的决定或者命令的,不得免责。”

在对草案二次审议稿进行审议的过程中,有些常委委员提出,这一条的规定很重要,既要考虑公务员应当执行上级决定或者命令,保证政令畅通,又要考虑公务员要对法律负责,对人民负责。

因此,法律应当明确,公务员执行上级决定或者命令,在什么情况下应当承担,承担什么样的责任,在什么情况下应予免责。法律委员会经反复认真研究认为,为了保证政令畅通,上级决定或者命令即使有错误,公务员应当提出意见,但要执行,执行后果由上级负责。但是需要有个例外,如果上级决定或者命令明显违法,如刑讯逼供、做假帐、走私等,公务员当然有权拒绝执行,否则,除上级应当承担责任外,该公务员也要承担相应责任。这样就形成了本条的规定。

三、对本条的解释

本条规定可分为原则规定与例外规定两个方面:

(一)原则规定

根据本条的原则规定,公务员认为上级的决定或者命令有错误的,可以向上级提出改正或者撤销该决定或者命令的意见;上级不改变该决定或者命令,或者要求立即执行的,公务员应当执行该决定或者命令,执行的后果由上级负责,公务员不承担责任。之所以规定即使公务员认为上级的决定或者命令有错误,只要上级坚持就应执行,是考虑到公务员的个人的判断不一定正确,如果每个公务员对上级的决定或者命令都持怀疑的态度,都只相信自己的判断,按照自己的意志进行活动,则管理的秩序与效率都无法维持,并且,在下级与上级对命令或决定的合法性与正确性的判断产生争议时,在制度上一般也只能将上级的判断置于优越的地位;而之所以给予下级向上级反映的权利,这既是利用下级公务员的专业知识与实践经验,给予上级以反省的机会,使其对自己所作决定或者命令的合法性与正确性作一重新审视;同时也是表示对下级公务员人格的尊重,不再将公务员看作简单的执行工具。

此处的"错误",涉及法律与事实、合法性与适当性等多个方面。凡是上级的决定或者命令超越权限范围、认定事实不实、解释与适用法律错误、程序违法、行政裁量权的行使不合理或者不适当等,都属于错误的范围。本法事实上将错误分为两类,一类是明显违法,另一类是不构成明显违法的一般错误。

本法规定适用中的一个疑难问题是,对于上级所作的存在一般错误(不构成明显违法)的决定或命令,公务员未向上级提出改正或者撤销该决定或者命令的意见而执行的,其是否需要承担一定的责任?这又可以区分为两种情况,一种情况是公务员没有发现上级决定或者命令的错误性质,从而当然也无法向上级提出意见;另一种情况是公务员尽管发现上级决定或者命令是错误的,但却未向上级反映,而是径直予以执行。对于前一种情形,考虑到公务员法律知识、政策能力以及对事实资料的收集能力等方面的有限性,法律不能强求公务员能完全审查上级的决定或命令的正确性,因此对于一般性的错误,如果公务员没有发现上级决定或者命令的错误性质,则不应承担责任。后一种情形则更为棘手。一方面,法条中所用的是"可以"而非"应当",这似意味着提出意见是下级公务员的权利而非义务,而另一方面,从条文的文字逻辑来看,在公务员认为上级决定或者命令有错误的情形下,向上级提出意见,又似构成下级公务员免责的前提,从而提出意见似也构成公务员的义务。从体系解释的角度来说,公务员明知上级决定或者命令有错误而不反映自己的意见,则可认为其未能做到"忠于职守,勤勉尽责"(本法第十二条第五项),从而应当承担一定的责任。因而,可以将法条中的"可以"解释为包含应当的涵义。但实际上,公务员是否确实发现上级决定或命令的错误性是一个很难查明的事实问题,公务员径直执行上级所作的具有一般性质错误的决定或者命令而未提出意见的,到底是因为其没有发现上级决定或者命令的错误性,还是尽管发现上级决定或者命令是错误的,但却未向上级反映,外人很难判断,因此这一问题的实践意义并不大。

此外,公务员认为上级的决定或者命令错误,如果不立即采取上级决定或命令中所要求的措施将可能导致一定危害后果,公务员可先执行再向上级报告，或者边执行边报告。

（二）例外规定

根据本条的例外规定，上级作出的决定或者命令如果不是一般的错误，而是明显违法，公务员向上级提出改正或者撤销该决定或者命令的意见，上级不改变该决定或者命令，或者要求立即执行的，公务员有权利也有义务不执行，公务员如果执行，要承担相应的责任。

在本条审议过程中，有常委委员提出，应当在法律条文中明确，上级决定或命令明显违法，公务员有权不执行，否则一方面根据前段的规定，上级决定或者命令即使错误（包括明显违法）公务员也有义务执行，不能不执行，而根据后段的规定，明显违法的决定或者命令公务员执行后，公务员又要承担责任，这就使得公务员陷于两难境地，对公务员太不公平。这种意见实际上是对法律条文的误读。从逻辑而言，法律规定上级决定或者命令明显违法的，公务员执行要承担相应的责任，这其中包含了公务员有权不执行，本条后段规定作为例外规定，构成了对前段规定适用上的限制，即前段中所规定的公务员应当执行的情形，仅限于一般错误，不包括明显违法。法律委员会的审议报告中对此也予以了说明，其中明确，如果上级决定或者命令明显违法，如刑讯逼供、做假账、走私等，“公务员当然有权拒绝执行”。

此处所称“明显违法”，是指具有普通理智和法律知识的公务员，都可以判断出上级决定或者命令的违法性。例如，如果执行上级的决定或者命令将导致刑事处罚，或者上级的决定或者命令严重违反善良风俗，则构成明显违法。在本法制定过程中，有同志建议写作“重大明显违法”，也有同志建议写作“重大或明显违法”。这些提法的实际区别不是很大，一方面，对于重大违法，依据公务员的普通理智和法律知识，一般均可认为已构成明显违法；另一方面，对于明显违法，如果只是程序上的细微瑕疵而不涉及重大的实体问题，执行后不会导致严重的后果，从而即使公务员予以执行一般也不会带来法律责任的问题。

此处所称“相应的”责任，是指公务员并非一概承担所有的责任，因为这里有上级决定或命令的介入，公务员是在执行上级的决定或命令，因此，应要根据案件的具体情况判断公务员承担责任的范围与程度。

本规定适用中的疑难问题有二：其一是如果公务员没有对上级决定或者命令明显违法提出异议而予以执行，是否应当承担责任。从本条规定来看，答案应当是肯定的。由于明显违法是具有一般理智和法律知识的公务员都可以判断的事项，因此，对于明显违法的决定命令没有提出异议而执行的，应当推定公务员是知道该决定是明显违法的。其二是如果公务员认为上级决定或者命令明显违法而不予执行，但后来有权机关判定上级决定或者命令合法，公务员对于自己不执行的行为是否应当承担责任？这一问题的答案也应当是肯定的。根据本法第二条第（五）项、第五十三条第（四）项的规定，公务员不得拒绝执行上级依法作出的决定和命令，这应当也包括公务员认为上级决定或者命令明显违法而不予执行的情形。这样理解，有利于防止个别公务员随意曲解上级决定命令而不予执行。当然，如果公务员确实是因为认为上级决定或者命令明显违法而不予执行的情形，只是因为法律素质等方面的缺陷而造成判断错误，则表明其主观恶性较小，在给予公务员纪律责任时，应作为从轻、减轻或者免除责任的情节。

第五十五条　公务员因违法违纪应当承担纪律责任的，依照本法给予处分；违纪行为情节轻微，经批评教育后改正的，可以免予处分。

【释义】 本条是有关公务员违法违纪的法律后果的规定。

一、公务员违法违纪应当承担纪律责任的，原则上应当给予处分公务员的义务与纪律是对公务员的强制性要求，为了保证公务员遵守法定义务和纪律，国家对违法违纪的公务员规定了一定的法律后果，这种后果就是“处分”。所谓违法违纪，既可以是积极的作为，如参与或者支持色情、吸毒、赌博、迷信等活动；也可以是消极的不作为，如玩忽职守，贻误工作。但纯粹的思想或者意识活动，不能构成违法违纪行为。

《国家公务员暂行条例》中规定，国家公务员有违纪行为尚未构成犯罪的，或者虽然构成犯罪但是依法不追究刑事责任的，应当给予行政处分。根据公务员法第二十四条规定，曾因犯罪受到刑事处罚的人，就失去了被录用为公务员的资格，如果在担任公务员期间因犯罪而受到刑事处罚的，根据1957年《国务院关于国家行政机关工作人员的奖惩暂行规定》，“国家行政机关工作人员经人民法院判处管制、徒刑或者剥夺政治权利的，其职务自然撤销，对于被判处宣告缓刑的人员，其职务也自然撤销”。尽管根据本法附则的规定，《国务院关于国家行政机关工作人员的奖惩暂行规定》在公务员法实施后即废止，但这一规定的法理仍可以适用。

对于公务员的违法违纪行为，除了本法规定的处分以外，还可能被人大会或其常委会采取罢免或撤职的措施。地方各级人大与地方各级人民政府组织法第十条规定：“地方各级人民代表大会有权罢免本级人民政府的组成人员。县级以上地方各级人民代表大会有权罢免本级人民代表大会常务委员会的组成人员和由它选出的人民法院院长、人民检察院检察长。罢免人民检察院检察长，须报经上一级人民检察院检察长提请该级人民代表大会常务委员会批准。”第四十四条规定，县级以上地方各级人大常委会“在本级人民代表大会闭会期间，决定撤销个别副省长、自治区副主席、副市长、副州长、副县长、副区长的职务；决定撤销由它任免的本级人民政府其他组成人员和人民法院副院长、庭长、副庭长、审判委员会委员、人民检察院副检察长、检察委员会委员、检察员，中级人民法院院长,人民检察院分院检察长的职务。”

二、公务员虽有违纪行为,但在一定条件下可以免予处分

公务员有违法违纪行为的,有权机关应当给予其处分也即惩戒,但惩戒本身不是目的,而仅仅是一种教育公务员的手段,如果公务员违纪情节轻微,经批评教育后对错误有较为深刻的认识,能够改正自己的错误,就可以免予处分。这体现了我国处分制度中教育与惩戒相结合的原则。

应当注意免予处分与不予处分是不同的,不予处分是在对涉嫌违法违纪的公务员进行调查后,认为不存在违法违纪情形而不给予其处分,其本来就不应该被处分;而免予处分是公务员有违法违纪行为,本来应当给予其处分,但因为符合特定的条件而免除处分。

第五十六条 处分分为:警告、记过、记大过、降级、撤职、开除。

【释义】 本条是有关处分种类的规定。

一、我国处分种类的变化

1952 年《国家机关工作人员奖惩暂行条例》将惩戒分为六种:警告、记过、降级、降职、撤职、开除。1957 年《关于国家行政机关工作人员的奖惩暂行规定》增加了记大过和开除留用察看两类惩戒,使得行政惩戒变成了八种:警告、记过、记大过、降级、降职、开除留用察看、开除。1993 年的《国家公务员暂行条例》去掉了降职和开除留用察看,将行政处分种类分为警告、记过、记大过、降级、撤职和开除六种,同时规定公务员受撤职处分的,同时降低级别和职务。不将“降职”作为行政处分,主要是考虑到将公务员的职务升降作为一种竞争激励形式,更有利于实现优胜劣汰、能上能下,调动公务员的工作积极性。《国家公务员暂行条例》第四十三条规定:“国家公务员在年度考核中被确定为不称职的,或者不胜任

现职又不宜转任同级其他职务的,应当按照规定程序予以降职。”根据这一规定,降职不是对公务员违法违纪的一种惩戒,而只是一种任用行为,主要目的在于为行政机关的各个职位选择合适的公务员,做到事得其人;同时为公务员找到适合自己的职位,做到人得其事。为体现对公务员从严要求的精神,并与辞退制度相协调,取消了“开除留用察看”的处分种类。因为既然根据暂行条例,行政机关对于不适宜继续在行政机关工作的公务员可以依法辞退,使其离开行政机关,如果在对犯有严重错误的违纪公务员处以“开除留用察看”处分后还继续将其留在行政机关之中,显然有失公正。这也是参照了西方国家公务员惩戒的做法。本法对公务员处分种类的规定,与《国家公务员暂行条例》是相同的。

二、处分的分类

可以将本法所确定的六种处分划分为三类:

(一)精神惩罚

精神惩罚,也称申诫罚或声誉罚,其一般用于严重程度较低的违纪行为,主要是对公务员名誉的贬责,是有关机关向违纪者发出警戒,申明其有违纪行为,通过对其名誉、荣誉、信誉等施加影响,引起其精神上的警惕,使其不再违法违纪的惩罚形式。对公务员处分中的精神惩罚包括警告、记过、记大过。批评教育与警告具有很大的相似性,在一定程度上具有申诫的作用,有些国家将批评教育也作为申诫的一种归入处分形式之中,但在我国,批评教育不被看作一种处分,如果公务员违纪情节轻微,经批评教育后对错误有较为深刻的认识,能够改正自己的错误,就可以免予处分。记过与记大过则是我国所特有的处分形式。

(二)实质惩罚

我国处分制度中的实质惩罚,包括降级与撤职。降级与撤职都是较为严重的惩罚形式,是对犯有严重违法违纪行为的公务员所给予的惩戒,会使公务员在名誉、地位与经济等方面受到损失。

降级是降低级别，根据人事部的有关规定，给予公务员降级处分，一般降低一个级别，如果本人级别为最低级的，可给予记大过处分。撤职是撤销职务，撤职后按降低一级以上职务另行确定职务，根据新任职务确定相应的级别和职务工资档次。本人职务为办事员的，可给予降级处分。

在许多国家，包括减薪在内的物质惩戒是得到广泛运用的独立的处分形式，在我国则是作为一种附带性的手段，而没有将其单列出来。我国实行职务与级别相结合的工资制度，降级会导致级别工资的降低，受撤职处分的同时降低级别（第五十八条第三款），因此将导致职务工资与级别工资的降低。

在一些国家，对公务员的实质惩罚还包括降职，但在我国降职不是一种处分。不过我国的撤职处分，一般在降低公务员现职务后要另行确定较低职务，在实质上与国外作为处分形式的降职相同。

国外的实质惩罚形式还包括在一定期限内停职（同时停发工资）、退职、强制退休、从晋升候补名单中除名等。

（三）开除

这是对违法违纪公务员最为严重的一种处分形式。对于严重违法违纪，不适宜继续担任公务员职务的，有关机关应给予其开除处分。给予公务员开除处分，自处分之日起，解除其与机关的人事关系。

三、各类处分的适用

在给予公务员处分时，应根据其错误性质、情节轻重、危害大小及本人对错误的认识态度，区别处理。参考人事部《关于国家公务员纪律惩戒有关问题的通知》（人发〔1996〕82 号），对于违法违纪公务员可作出如下处理：违纪情节较重给国家和人民利益造成一定损失或不良后果的，给予记大过以下处分；违纪情节严重给国家和人民利益造成重大损失或严重后果的，给予降级以上处分；

对触犯刑律,构成犯罪的,移交司法机关追究刑事责任。公务员在执行公务中违反纪律造成严重后果,主管领导负有责任的,在给予当事人处分的同时,应追究主管领导的责任,必要时可给予撤职以下处分。

第五十七条　对公务员的处分,应当事实清楚、证据确凿、定性准确、处理恰当、程序合法、手续完备。

公务员违纪的,应当由处分决定机关决定对公务员违纪的情况进行调查,并将调查认定的事实及拟给予处分的依据告知公务员本人。公务员有权进行陈述和申辩。

处分决定机关认为对公务员应当给予处分的,应当在规定的期限内,按照管理权限和规定的程序作出处分决定。处分决定应当以书面形式通知公务员本人。

【释义】　本条是有关对公务员处分的合法要件与程序的规定。

一、对公务员处分的合法要件

对公务员处分应当合法,具体来说需要满足以下条件:(1)事实清楚。即对公务员所犯错误的事实,要核实清楚,不可草率下结论。(2)证据确凿。即对能够证明案件真实情况的一切材料都要核准,不能仅凭本人的陈述立案,更不能凭自己的主观臆断定案。(3)定性准确。即按照法律的规定确定公务员所犯错误的性质。(4)处理恰当。即对违法违纪的公务员,要以事实为依据,以法律为准绳,根据公务员所犯错误的性质、危害、责任大小以及本人对错误的认识程度,还要考虑本人的一贯表现,给予恰当的处分。(5)程序合法、手续完备。要按法律的规定履行有关程序和手续。

二、实施处分的程序

在对公务员实施处分的过程中,应严格履行法定程序,按照法律规定的方式、时限、步骤与顺序,以保证这项工作的客观、公正。

给予公务员处分的实施程序为:

(一)调查

公务员的任免机关或纪检监察机关应组织人员调查公务员违纪的事实。在调查工作中,最重要的是坚持实事求是的原则,要本着对组织也对公务员本人高度负责的精神,秉公办事,做到不枉不纵,切忌先入为主或者看某些领导的眼色行事。其次,要有科学、合理的调查方法,坚持群众路线,多方面听取意见,认真听取意见、分析与核实有关材料和证据,做好谈话笔录和证言笔录,查清公务员所犯错误的原因、时间、地点、情节、后果及应负的责任。第三,在调查工作中要注意使用合法手段,决不能执法犯法。第四,要坚持原则,不能迁就姑息,大事化小,小事化了。

(一)告知、陈述与申辩

调查工作结束后,应将调查认定的事实及拟给予处分的依据告知公务员本人。公务员有权进行陈述和申辩。不得因为公务员进行陈述和申辩而加重处分。

(三)作出处分决定

处分决定机关认为对公务员应当给予处分的,应当在规定的期限内,按照管理权限和规定的程序作出处分决定。

1. 实施处分的时限

为了维护公务员纪律规定的严肃性,尽快纠正违纪行为,端正机关作风,避免出现更大的问题,对公务员的处分必须有时限要求。人事部《关于国家公务员纪律惩戒有关问题的通知》(人发〔1996〕82 号)规定,国家行政机关发现国家公务员有违纪行为,应当从立案之日起的半年以内给予处理。情节复杂或者有其他特殊原因的,最迟不得超过一年。国家公务员违法违纪,已由司法机关查处的,待司法机关作出处理结果后,国家行政机关再作出相应的处理;国家行政机关先行调查认为需要移送司法机关的,必要时也可以先作出处理。这一规定尽管仅适用于国家行政机关的公务员,但对于给予其他机关的公务员以处分也具有参考价值。

2. 处分公务员的批准权限

人事部《关于国家公务员纪律惩戒有关问题的通知》规定,按照管人与管事互相结合又互相制约的原则,对公务员的处分一般由公务员的任免机关批准。其中"开除"处分是最严重的处分,关系到公务员的去留,因此更要慎重。凡给予公务员开除处分的,应当报上级机关备案。县级以下的国家行政机关无权批准对公务员的开除处分。即使违纪公务员的任免机关达不到县一级的政府,也要报县政府批准。各级行政监察机关在必要时也可以给予公务员处分。具体来说,给予公务员处分的批准权限为:(1)给予各级行政机关任命的公务员处分,由任免机关批准。其中给予行政开除处分,需报上级机关备案。给予县级以下行政机关公务员开除处分,必须报县级人民政府批准。(2)给予各级人大选举或各级人大常委会决定、任命的公务员行政处分,须报上级行政机关批准,同时报本级人大常委会。对于严重违纪,不宜继续担任现任职务的公务员,应由本级人大予以罢免,或由本级人大常委会按照职权范围予以撤销职务,并由本级人民政府报上级机关备案。在罢免前上级机关可以先行停止职务,必要时上级行政机关也可以予以撤职。(3)监察机关直接立案调查的违纪案,需要给予公务员处分时,监察机关应向公务员所在机关提出处分建议,由公务员所在机关按规定的审批权限办理。必要时监察机关也可以按照有关规定直接给予处分。

国家行政机关发现所属机关作出的行政处分不适当或者错误时,要本着认真负责、有错必纠的精神,及时予以改正。根据具体情况,分别做出予以加重、减轻或者撤销的决定。

由于公务员法扩大了公务员的范围,人事部的上述规定已经不能完全满足实践的需要。中央公务员主管部门需就处分公务员的批准权限问题作出新的规定。

（四）书面通知

处分决定应当以书面形式通知公务员本人，并由受处分的公务员签署意见，如果本人拒绝签署，可由单位写明情况。

第五十八条 公务员在受处分期间不得晋升职务和级别，其中受记过、记大过、降级、撤职处分的，不得晋升工资档次。

受处分的期间为：警告，六个月；记过，十二个月；记大过，十八个月；降级、撤职，二十四个月。

受撤职处分的，按照规定降低级别。

【释义】 本条是有关处分期间以及受撤职处分应降低级别的规定。

为了维护行政处分的严肃性，保证行政处分应有的效果，公务员法明确规定，公务员受处分期间，不得晋升职务和级别；其中除受警告以外的处分的，并不得晋升工资档次。

处分期间随处分种类不同而不同。处分轻，则处分期间短，处分重，则处分期间长。警告的处分期间为六个月，记过为十二个月，记大过为十八个月，降级与撤职为二十四个月。处分期间的规定并非是绝对的，对此参见下文对第五十九条规定的分析。

公务员的职务对应相应的级别（本法第十九条），公务员被撤销职务另任较低职务的，要按照规定降低级别。

第五十九条 公务员受开除以外的处分，在受处分期间有悔改表现，并且没有再发生违纪行为的，处分期满后，由处分决定机关解除处分并以书面形式通知本人。

解除处分后，晋升工资档次、级别和职务不再受原处分的影响。但是，解除降级、撤职处分的，不视为恢复原级别、原职务。

【释义】 本条是有关解除公务员处分的规定。

（一）解除处分制度的确立

国外公务员惩戒制度中大多规定惩戒处分的归档与限期解除制度。惩戒作为对公务员不当行为的处分，应当记录在案，以便考察，因此各国都规定将惩戒决定及相关材料载入公务员的档案。但为了不过度影响公务员的前途以及有助于其积极改正错误，各国又都设有定期解除处分和销毁全部或部分处分材料的规定。

1954年政务院颁布的《关于撤销国家机关工作人员行政处分暂行办法》曾规定，受撤职以下行政处分的工作人员有下列条件之一者，应予撤销处分：受行政处分后，在工作中有显著成绩者；受警告、记过或记大过行政处分后，经过半年至一年工作或学习的考验，证明确已改变错误者；受降职或撤销行政处分后，经过一年至两年工作或学习的考验，证明确已改变错误者。这一规定的原意是好的，但“撤销行政处分”的提法不科学，因为撤销是对原先作出的违法行为的一种纠正措施，撤销行政处分容易被理解为原先所作的行政处分是违法的，也即行政机关工作人员本来不应受处分而受到了处分，国家通过撤销行政处分来纠正自己的错误。在1957年的《关于国家行政机关工作人员的奖惩暂行规定》出台后就没有继续使用撤销处分的办法。这导致在后来的干部惩戒实践中，受过处分的干部终身背着包袱，得不到精神上的解脱，影响干部的工作积极性与晋职等切身利益，这对改正错误的干部的成长和发展极为不利。鉴于此，1993年《国家公务员暂行条例》中增加了解除处分的内容，并明确了期限。本法在《国家公务员暂行条例》的基础上，对公务员处分作了规定。在公务员法中规定处分的解除，体现中国共产党一贯倡导的“惩前毖后，治病救人”的方针政策，有利于受处分的公务员放下思想包袱，正确认识错误，努力改正错误，更好地为人民服务。

（二）解除处分的条件

公务员受开除以外的处分，在受处分期间有悔改表现，并且没有再发生违纪行为的,处分期满后,由处分决定机关解除处分。具体而言,解除处分决定的条件有四个方面:(1)公务员所受的是开除以外的处分。公务员被开除以后,即丧失了公务员身份,脱离了与其所在机关的人事关系,因此也就不存在解除处分的问题。(2)在受处分期间有悔改表现。(3)没有再发生违纪行为。(4)处分期满。这一条件不是绝对的,公务员在受处分期间有特殊贡献的,可以提前解除处分。公务员在处分期限内如果没有改正错误的可以适当延长解除处分的期限。

解除处分的决定应由原批准处分的机关(原批准处分的机关撤销或合并的,由承继其行政职能的机关或上级机关)作出,其同时应将解除处分的决定存入本人档案,并以书面形式通知受处分的公务员本人。涉及有关部门的还应通知有关部门,例如处分决定机关是监察机关,在作出解除处分决定后应通知公务员所在的机关。这里应当指出的是,我国公务员解除处分后,只是将解除处分的决定存入本人档案,与国外有些国家在解除公务员处分时消除公务员档案中的处分记录不同。

(三)解除处分的法律效果

根据本法第五十八条的规定,公务员在受处分期间不得晋升职务和级别,其中受记过、记大过、降级、撤职处分的,不得晋升工资档次,公务员解除处分后,晋升工资档次、级别和职务都不再受原处分的影响。但是,解除降级、撤职处分的,不视为恢复原级别、原职务。这是因为,解除处分不是撤销违法的处分,而只是在处分经过一定期限后,因公务员有悔改表现并且没有发生其他违纪行为而使公务员不再因处分而受到的某些不利影响,因此解除处分不需要恢复到处分作出之前的状态。

第十章　培　　训

公务员培训是指机关根据经济和社会发展的需要和职位要求，对公务员进行有组织有计划的培养和训练，以开发公务员的潜力，改善公务员的知识结构，提高公务员的政治、业务素质和工作能力。我国宪法规定，一切国家机关实行工作人员的培训制度，不断提高工作质量和工作效率。培训是公务员素质保障机制的重要一环。我国历来重视对干部的培训，根据我国干部培训的经验，公务员培训必须坚持以下几个原则：理论联系实际、学以致用、按需施教和讲求实效，注重提高工作能力。

第六十条　机关根据公务员工作职责的要求和提高公务员素质的需要，对公务员进行分级分类培训。

国家建立专门的公务员培训机构。机关根据需要也可以委托其他培训机构承担公务员培训任务。

【释义】　本条是关于公务员培训的依据、方式和机构的规定。

一、培训根据公务员工作职责的要求进行

职位分类制度要求公务员的能力与职位相统一。机关中的每个职位都是根据机关工作的需要而设置的，每个职位在任务、职责方面都有一定特殊的要求，只有按照职位的要求，对公务员进行有针对性的培训，才能使他们熟悉职责范围内的业务。另一方面，由于国家机关的职能与经济、社会的发展、国家工作的重点直接相关，公务员的工作职责也不是一成不变的，公务员必须有计划地接受培训,不断更新知识,提高技能,才能保证胜任本职工作。

二、根据提高公务员素质的需要进行培训

提高公务员素质是进行公务员培训的出发点。从我国的现实情况出发,公务员的素质应包括思想政治素质、法律素质、专业技能素质等,这决定了公务员培训的内容必须坚持多样化,坚持理论联系实际的原则。应当根据提高公务员各方面素质的需要,开展以下内容的培训:

1. 根据提高思想政治素质的需要,对公务员进行中国特色社会主义理论的培训。我国的公务员制度是建立在社会主义制度之上的,公务员必须认真学习中国特色的社会主义理论,用科学的理论指导实际工作。

2. 根据提高法律素质的需要,对公务员进行法律方面的培训。我国宪法第五条第一款规定,中华人民共和国实行依法治国,建设社会主义法治国家。公务员作为依法履行公职的人员,他们依法办事的意识和能力是我国建设社会主义法治国家的关键所在。因此,法律法规的培训首先是要培养公务员遵守宪法和法律的意识和严格按照法定权限和程序履行职责的意识;其次是要培养他们理解法律法规的立法原意和精神实质的能力,以在实际工作中能够准确执行和灵活运用法律法规。

3. 根据提高专业技能素质的需要,对公务员进行专业知识和技术方面的培训。这方面的培训包括专业理论、专业技能的培训,对于专业技术类公务员还包括专业技术知识的培训。专业技能素质是影响公务员知识素养和工作效率的重要因素。这方面培训的针对性较强,应按照具体职位的要求,选择不同的侧重点,分级分类地进行培训。

4. 根据提高其他素质的需要,对公务员进行一些旨在拓宽视野、丰富知识、提高技能的培训。

三、分级分类进行培训

公务员培训的方式是分级分类进行,这是按需施教原则的要求和具体体现。分级培训就是根据每个公务员不同的级别,进行有针对性地培训。不同的职务和级别对公务员的素质要求各不相同,不能对所有级别的公务员都按照同样的标准来培训,而应具体分析,区别对待。对职务和级别较高的公务员,要全面培养他们政治、经济和文化方面的知识和科学决策能力;职务和级别较低的公务员,素质要求也相应不同,在制订培训计划时应区别于级别较高的公务员。

分类培训就是对不同类别的公务员进行有针对性的培训。本法第十四条将公务员职位划分为综合管理类、专业技术类和行政执法类等类别。其中专业技术类和行政执法类是本法对公务员职位作出的新分类,这两类职位的工作职责对公务员的素质要求有特殊性,因此对这两类公务员的培训应当区别于综合管理类公务员的培训。专业技术类职位是指为机关履行职能或正常运转提供直接的技术支持和保障的职位,如公安部门中的法医、外交部门中的翻译、海关部门中的原产地评估师、各机关中负责维护计算机网络的工作人员等。在科学技术高度发达的今天,专业知识和专业技术的发展更新很快,因此对专业技术类公务员的培训在时间安排上应当更灵活,内容应为相应领域中最新的技术,以使他们更好地为机关决策提供技术参考和支持。行政执法类职位是指负责履行行政监管、行政处罚、行政强制、行政稽查等现场执法的职位,将主要在工商、税务、质检、环保、城管等行政执法部门的基层单位中设置。这一类别的公务员由于是法律的直接执行人员,是政府社会管理与市场监管职能的直接履行者,他们的素质和工作质量对人民群众的切身利益产生直接的影响,并影响到国家机关和公务员队伍的形象。因此,在培训行政执法类公务员的时候,应当有针对性地增强他们“为人民服务”的意识,提高他们依法行政、依程序执法的意识和能力、履行公务的技巧、与行政相对人沟通的能力及处理紧急事件的能力等。此外，本法第十四条还规定，国务院可以根据实际需要在条件成熟的时候，对具有职位特殊性，需要单独管理的，增设新的职位类别。对于新增设的职位类别，也应当对这类公务员有针对性地开展培训，提高他们的综合素质，使其各方面能力达到职位职责的要求。

四、培训的机构

培训机构是具体落实公务员培训制度的场所和培训教育的实体，是贯彻公务员培训制度的重要保证。我国现在已经形成以专门的公务员培训机构为主体，其他各级各类培训机构为辅的公务员培训网络。本条第三款就是根据我国培训机构的现实情况制定的。

专门的公务员培训机构是我国公务员培训网络的主体。专门的公务员培训机构主要是：国家行政学院和地方行政学院。国家行政学院的主要任务是，为我国培养高级公务员和一部分中级公务员，着重培养他们的业务知识、技能、领导才能及相关素质。在我国实行公务员制度后，凡拟晋升高、中级公务员职务的人，在任职前必须经过国家行政学院一定时期的任职资格培训，以提高担任较高职务应具备的素质。经过结业考试，学习成绩合格者，方能取得任职资格。地方行政学院的主要任务是培训地方中、初级公务员。目前，地方行政学院大部分设在同级党校内，实行的是一套人马两块牌子的体制。

我国公务员培训网络还包括机关委托的其他培训机构，主要有普通高校、科研单位和其他教育机构。让其他培训机构参与到公务员的培训中来是本法为解决公务员培训当中所出现的一些问题而采取的办法。国家建立的专门的公务员培训机构并不能满足公务员培训对多层次性、多样性、地区性的要求，而普通高校、研究机构一般都有较为悠久的历史，具有雄厚的师资力量、完善的教学设备和丰富的办学经验，委托它们承担培训任务，有利于充分利用各种培训力量和资源，与专门的公务员培训机构实现优势互补。近年来我国还出现了一些社会培训机构，这些机构举办的培训具有很强的灵活性和适应性，允许这些社会培训机构以一定的条件参与公务员的培训，也将有效地弥补现行公务员培训的不足。

第六十一条　机关对新录用人员应当在试用期内进行初任培训；对晋升领导职务的公务员应当在任职前或任职后一年内进行任职培训；对从事专项工作的公务员应当进行专门业务培训；对全体公务员应当进行更新知识、提高工作能力的在职培训，其中对担任专业技术职务的公务员，应当按照专业技术人员继续教育的要求，进行专业技术培训。

国家有计划地加强对后备领导人员的培训。

【释义】　本条是关于公务员培训的种类和要求的规定。

根据本条的规定，公务员培训分为职前培训、在职培训和对后备干部的培训。其中，职前培训就是初任培训，在职培训分为三类：任职培训、专门业务培训和更新知识培训。

一、初任培训

初任培训是对新录用但尚未正式任职的公务员所进行的培训。培训的内容应当是新录用人员拟任职位所必需的基本知识、基本技能和基本素质，目的是要使这些新录用的公务员了解党和国家的方针、政策，熟悉其即将从事的工作内容和工作程序，掌握一般的工作方法，为正式上岗任职做好准备。初任培训在试用期内进行，一般采取两种方式，一是集中培训，由各级公务员主管部门或者各机关将新录用的公务员集中起来办培训班进行培训，或者将其送专门培训基地进行培训；二是工作实习，让新录用公务员在有经验的公务员的业务指导下从事实际工作，从工作实习中学到知识，了解程序。初任培训合格者方能任职。

二、任职培训

任职培训的对象是晋升一定领导职务的在职公务员。培训的内容应根据公务员准备晋升的领导职务或职位所必须具备的政策水平、法律知识、组织领导协调能力与专业知识能力来确定;培训的方式主要是脱产学习。任职培训一般在到职前进行,有特殊情况的,经任免机关批准,也可先任职,但必须在任职后一年内完成培训。

三、专门业务培训

专门业务培训是指国家机关为公务员从事专项工作而提供所需知识和技能的培训。专项工作是指因国家和政府某些工作的需要,从政府机关临时抽调公务员进行的工作,如人口普查、执法检查、经济普查等。专门业务培训也就是指围绕从事上述专项工作所需的知识、技能、工作方法等的培训活动。培训内容完全取决于专项工作的需要,目的是使受培训的公务员具备拟从事的专门业务工作所需的知识、能力和工作方法,保证公务员能够胜任专项工作的需要。未经专门业务培训或培训不合格者,不得参加专门业务工作。比如,在进行经济普查时,各地经济普查领导小组都抽调大量的公务员参加到经济普查工作中来。但是被抽调的公务员对普查工作的调查方法、普查数据处理的特殊要求并不熟悉,因此各普查领导小组办公室通过专门业务培训,帮助他们熟练掌握工作所需的知识、技能、工作方法,培训合格者方能参加经济普查。

四、更新知识培训

更新知识培训是指国家机关有计划地对在职公务员进行的以增新、补充、拓宽相关知识为目的的再教育和再训练,是我国公务员培训中最常规的一种,其对象包括全体在职公务员,以脱产培训为主。培训的内容根据各公务员不同的职位要求来确定,强调与工作实际相结合,达到更新公务员的知识结构、使其掌握新的知识和技能,适应形势发展的新要求,提高工作效率和质量。本条对担任专业技术职务的公务员的培训单独提出了要求，原因在于当代科技发展迅速，各领域的新技术在不断涌现，只有按照专业技术人员继续教育的要求对从事专业技术工作的公务员进行培训，使他们及时掌握最新的技术，才能为机关的决策提供良好的技术支持和保障。

五、对后备领导人员有计划地加强培训

后备领导人员是为加强各级领导班子建设，保证建设有中国特色社会主义事业后继有人和国家的长治久安而选拔的，能够担当改革开放和现代化建设重任的、年轻优秀的、作为领导班子后备人选的公务员。因为后备领导人员是建设有中国特色社会主义事业的接班人，必须有计划地加强对他们的培训。因此，本法将对后备领导人员的培训单列一款。

对后备领导人员的培训要有计划性，即后备领导人员选定后，要确定培养方向，根据培养方向确定培训计划、落实培训措施。从培训的内容来看，要把提高思想政治素质放在首位，提高他们的战略思维能力和理论素养，并进行较为系统的政治理论、社会主义市场经济理论、法律理论、历史知识和相关业务知识培训。培训的方式可以灵活多样，如选送到培训机构进行培训，或组织对我国发展中的重要问题进行调查研究或理论研讨等。

第六十二条　公务员的培训实行登记管理。

公务员参加培训的时间由公务员主管部门按照本法第六十一条规定的培训要求予以确定。

公务员培训情况、学习成绩作为公务员考核的内容和任职、晋升的依据之一。

【释义】 本条是关于公务员培训管理的规定。

一、培训登记管理制度

对培训进行登记管理，对公务员个人而言，就是要把公务员每次培训的时间、内容、表现、成绩登记在册，放入档案，作为今后考核的内容及任职、晋升的依据之一，防止参加培训的公务员敷衍了事，随意应付。对公务员主管部门而言，就是要将公务员培训制度化，分期、分批有针对性地进行培训。防止公务员主管部门把组织培训当作临时工作，想抓就抓，想放就放。

二、培训的时间要求

关于公务员参加培训的时间，公务员法草案曾规定："省部级正职以下领导成员每5年或者每届任期内应参加累计不少于3个月的培训，领导成员之外的公务员每人每年参加培训的时间累计不少于12天。"在审议修改中，考虑到这一规定在实践中难以做到，因此将其改为由公务员主管部门根据培训要求确定培训时间。根据现行公务员培训的做法，初任培训时间一般不少于十天，任职培训时间一般不少于三十天，每人每年参加更新知识培训的时间累计不少于七天。

三、培训情况评估与使用

本条第三款根据学用一致、讲求实效的原则，将公务员的培训情况评估与考核、任职和晋升结合起来，提高培训的实效。我国公务员培训工作中的表面化、走过场的形式主义时有存在。将公务员的培训情况、学习成绩与考核、任职和晋升相挂钩，可以调动公务员的学习积极性，保证学员珍惜培训机会，使培训真正起到提高公务员素质的作用，有效防止搞形式主义。

首先是将公务员培训情况、学习成绩作为公务员考核的内容。本法第十三条规定，参加培训是公务员的权利，但是培训效果直接或间接地影响到公务员所在机关的工作效率和工作质量。从这个意义上说，认真参加培训在一定程度上也是公务员的义务。因此，本法将公务员培训的效果作为考核的内容之一，目的在于督促参加培训的公务员以严肃的态度对待培训。同时，培训与考核的结合也是考核本身的要求。本法第三十三条规定，对公务员的考核，要全面考核公务员的德、能、勤、绩、廉,这五个方面是公务员的基本素质,也是公务员培训的基本内容。所以在对公务员进行考核时,将无可避免地把公务员参加培训时的有关情况纳入到考核的相关内容当中。当然,培训与考核的关系并不是单向的,培训情况、学习成绩作为考核的内容,同时本法第三十七条也规定,定期考核的结果作为公务员培训的依据。

将公务员培训情况、学习成绩作为公务员任职、晋升的依据之一,也是任职、晋升条件本身的要求。这种做法是我国干部教育的优良传统和行之有效的培训经验。担任一定职务,晋升为高一级的公务员,不仅要具有一定的工作经验和工作年限,而且应当具备一定的素质和工作能力。培训情况、考试成绩是对公务员培训效果直接客观的反映。如合格,从一个方面说明该公务员通过培训使自己的素质和工作能力达到了任职要求,可以按规定程序履职或者晋升。

第十一章 交流与回避

第六十三条 国家实行公务员交流制度。

公务员可以在公务员队伍内部交流，也可以与国有企业事业单位、人民团体和群众团体中从事公务的人员交流。

交流的方式包括调任、转任和挂职锻炼。

【释义】 本条是对公务员交流的范围和方式的规定。

一、公务员交流制度的涵义与特征

公务员的交流，是指机关根据工作需要或公务员个人愿望，通过调任、转任和挂职锻炼等形式变换公务员的工作岗位，从而产生变更或消灭行政职务关系的活动和制度。它具有以下特征：

1. 公务员的交流，是一种横向的平级调动，不涉及公务员的职务或级别的升降问题。因此，不得以交流程序代替公务员的职务升降程序，不能以交流为手段，变相地晋升或降低某公务员的职务或者级别。否则，会冲击公务员的职务升降制度。

2. 公务员交流范围的广泛性。公务员可以在公务员队伍内部交流，也可以与国有企业事业单位、人民团体和群众团体中从事公务的人员交流。根据这一规定，我国公务员的交流，既包括不同机关、不同部门、不同地区、不同职位之间的交流，也包括机关与国有企事业单位工作人员之间的交流。

3. 公务员交流形式的多样性。根据本法的规定，交流的方式包括调任、转任和挂职锻炼。

在实行文官制度的许多国家里，公务员的交流都被当做一项重要的管理手段而加以利用。西方国家在官员晋升职务以前，一般都调到本部门的有关局、处去工作,全面熟悉情况,以保证晋升以后能顺利地领导新部门的工作。在法国,从国立行政学校和邮电职员中录用的各个职类的公务员,在原部门服务四年后,还应当到其他部门经受锻炼。美国规定,政府部门可以到其他部门去选拔提升人才,以保证新官员具有较高素质,并使各部门间的官员能够流动。这些有关公务员的交流的措施在具体的实施过程中被证明是科学的,是行之有效的。

1993 年《国家公务员暂行条例》设专章对公务员的交流制度作了规定。本法在暂行条例的基础上,吸收十多年来实践中有益经验,对交流制度作出了进一步完善。

二、公务员交流的意义

公务员的交流是整个公务员系统中必不可少的协调机制,它对于加强公务员队伍建设和保证公务员制度的正常运转具有十分重要的意义。这主要表现在:

1. 公务员的交流有利于机关之间以及机关与国有企业事业单位之间互通人才有无,调剂人才余缺。

2. 公务员的交流可以使公务员根据个人成长、发展的需要,或根据个人的专业特长、知识结构,调到适合自己发展的工作岗位,有利于调动公务员工作的积极性,促进机关内部人才的合理配置。

3. 公务员的交流可以使公务员熟悉不同地区、不同行业和不同部门的工作,开阔视野,丰富阅历,增长才干,避免因长期在某一岗位任职而造成的目光狭窄、僵化保守、因循守旧的状态,有利于提高公务员的综合能力和素质,有利于公务员开拓进取,努力开创新的工作局面,保持整个公务员队伍的活力。

4. 公务员的交流有利于避免长期在一个地区、一个部门或者一个职位上任职形成的各种裙带关系和以权谋私的条件,有利于克服官僚主义,防止公务员腐化,加强廉政建设。

三、公务员交流的范围

根据本法的规定，公务员可以在不同的机关之间交流，也可以与国有企业事业单位、人民团体和群众团体中从事公务的人员交流。

所谓“从事公务”，是指代表国家对公共事务进行的管理、组织、领导、监督等活动。它具有两方面的特点：一是具有管理性，即对公共事务进行管理。这里的公共事务比较广泛，既可以是国家事务，也可以是社会事务，其范围涉及政治、经济、文化、军事、文体、卫生、科技以及同社会秩序有关的各种事务的管理。二是具有国家代表性，即这种活动是代表国家进行的，它是一种国家管理性质的行为，而不是代表某个人、某个集体、某个团体的行为，也就是说，这种活动是国家权力或其派生权力的一种体现。

国有企业事业单位及人民团体、群众团体是由国家拨款建立或者拨款设立并维持运转的，这些单位中从事公务的人员，实际上属于国家委派经管国有资产或者管理公共事务的人员，他们的活动会影响到国家管理职能，在工作性质与公务员接近。因此，本法规定公务员可以与之进行交流。

根据国家有关规定，人民团体和群众团体包括：中华全国总工会、中国共产主义青年团、中华全国妇女联合会、中华全国工商联合会、中国文学艺术界联合会、中华全国新闻工作者协会、中国作家协会、中国法学会、中国科学技术协会、中国国际贸易促进委员会、中国人民对外友好协会、中国人民外交协会、中国红十字会总会、中国残疾人联合会等。

四、公务员交流的形式

根据本法的规定，交流的方式包括调任、转任和挂职锻炼。与《国家公务员暂行条例》不同之处在于，本法将暂行条例中的轮换并入转任中。

第六十四条　国有企业事业单位、人民团体和群众团体中从事公务的人员可以调入机关担任领导职务或者副调研员以上及其他相当职务层次的非领导职务。调任人选应当具备本法第十一条规定的条件和拟任职位所要求的资格条件，并不得有本法第二十四条规定的情形。调任机关应当根据上述规定，对调任人选进行严格考察，并按照管理权限审批，必要时可以对调任人选进行考试。

【释义】　本条是对调任的条件及程序的规定。

调任，是指机关以外的工作人员调入机关担任领导职务或者副调研员以上的非领导职务，以及公务员调出机关任职。调任是机关与其外部系统之间人员交流的主要形式，它反映了公务员系统的外部开放程度。

西方国家的文官系统，在国家行政机关的职位出现空缺时，在人事管理手段上表现为内升制和外补制两种不同的任用方法。内升制，是指凡职位出现空缺时，由在职的低级公务员依次补充的做法；外补制，是指凡职位出现空缺时，不由在职的公务员升任补充，而从外部选拔人员补充的做法。这两种任用方法各有利弊：内升制使在职公务员晋升有望，易保持机关工作的稳定性和连续性，但公务员队伍易出现暮气沉沉、因循守旧的状况；外补制能够从外部吸收卓越人才到机关任职，可增加公务员队伍的朝气，但会使在职公务员感到晋升无望、发展前途有限而降低工作热情。从我国目前的实际看，除采取竞争上岗、公开选拔外，允许通过交流的方式使机关以外的优秀人才进入机关任职，仍然是现实的需要。

一、调入

（一）调入的条件和要求

1. 调入机关的人员必须符合拟任职务所要求的政治思想水平、工作能力以及相应的资格条件，即应当具备本法第十一条规定的条件和拟任职位所要求的资格条件，并不得有本法第二十四条规定的情形。

2. 接收调入者的机关必须有相应的职位空缺，并在国家规定的编制员额内进行，不能违背职位分类的要求，不能超编接收。

3. 调入机关的人员只限于担任领导职务或副调研员以上的非领导职务。由于主任科员以下的非领导职务公务员，采取公开考试，择优录用的办法，因此，不能从机关外部调入人员担任主任科员以下的非领导职务，以免冲击正常的考试录用和晋升制度。

4. 调入必须是确因工作需要，如果调入过滥，势必影响本机关内部人员的正常升迁发展，极易挫伤他们的积极性，还会影响行政管理的连续性和行政效率的提高。

（二）调入程序

与录用相比，同为进入公务员队伍的方式之一，调入的程序较为简便，考试不作为必经程序。这是因为，一般来说，这些调入的人员在原机关或者国有企事业单位中已经担任一定职务，并已经具备拟任职务的德才条件。因此，对他们不必适用一般的考试录用程序来测试其文化知识、业务知识与业务能力。

在制定本法的过程中，有些地方和部门提出，目前公务员制度中，对于主任科员以下的非领导职务公务员实行“凡进必考”，而处级以上公务员则可以直接调入，使得年轻人通过考试录用进入公务员队伍的机会减少，大量的公务员从企事业单位调入或由军转干部安置，形成了低职务公务员队伍门槛很高，而高职务公务员门槛较低，公务员队伍老化、学历偏低等不合理现象，青黄不接的问题比较突出。有的地方提出，在一些基层机关中，公务员的调入不能做到公开透明，有“暗箱操作”的现象。因此，有的同志建议调入亦应进行公开的、竞争性的考试。

上述情况反映了目前工作程序中的一些问题，但法律中硬性规定凡调入均进行公开的、竞争性的考试，目前实践中还难以做到。本法本着优化公务员队伍，保证公务员素质的精神，强调调入机关对拟调入人选必须按照规定进行严格考察，并按照管理权限审批。调任机关认为需要时，可以进行考试。

调入人员一旦调入机关担任某一职务，即取得公务员的身份和资格，适用公务员法进行管理，享受公务员的权利并履行公务员的义务。

二、调出

调出，是指公务员离开公务员队伍到机关以外的单位任职。对调出机关的公务员没有限制性要求，但是公务员的调出必须经原任免机关批准，并要办理调动手续，完成公务交接，必要时接收财务审计。

公务员调出机关后，不再保留公务员的身份，其工作和工资待遇由接收单位按国家有关规定来安排和办理。

第六十五条　公务员在不同职位之间转任应当具备拟任职位所要求的资格条件，在规定的编制限额和职数内进行。

对省部级正职以下的领导成员应当有计划、有重点地实行跨地区、跨部门转任。

对担任机关内设机构领导职务和工作性质特殊的非领导职务的公务员，应当有计划地在本机关内转任。

【释义】　本条是对转任的条件和程序的规定。

（一）转任的含义

转任，是指公务员因工作需要或其他正当理由在机关系统内部的平级调动，它可以跨地区、跨部门，也可以在同一部门内的不同职位之间进行。转任是公务员在机关系统内部的交流方式，是实现公务员合理流动的有效途径。

《国家公务员暂行条例》中曾规定有“轮换”的交流方式。轮换的目的，一是加强公务员队伍的廉政建设，二是为了加强对公务员领导骨干的培养和锻炼。这两个因素都属于工作上的需要，且两种方式有许多共同之处，尤其是两者后果相同，即都不改变公务员的身份，只引起了行政职务关系的变更，因此将轮换单独作为一种交流的方式意义不大。基于上述考虑，本法将轮换与转任两个概念予以合并，统称为转任。

（二）转任的原因和种类

1. 因工作需要的转任。包括由于机关实际工作的需要，必须充实或加强某一地区、某一部门或某一方面的工作，或者为了防止腐败现象产生以及培养公务员的综合能力和素质的需要，机关有计划、有组织、有目的地对人员结构进行的必要调整。

2. 因回避需要的转任。回避制度要求公务员必须按照法定范围实行任职回避和地域回避，可通过转任这种方式使公务员的任职符合回避的要求。

3. 因机构调整、撤销、合并而导致编制总额和职数的变更。随着机关管理内容的发展变化，机关的职能也会有所增减，相应地必然会引起机构的变动和职数的增减，这样就会导致有些单位出现职位空缺而需要补充人员，有些单位则可能出现编余人员的现象。因此，需要通过转任这种方式来调剂公务员队伍内部的人才余缺。

4. 因个人原因的转任。有的公务员因所任职位要求与其所学专业不对口，用非所长，为合理配置人才，充分发挥公务员的专业特长，需要通过转任来促进人才的合理流动而达到目的。有些公务员则是由于在生活中存在一些实际困难，如夫妻两地分居，居家上班交通不便等，转任可为其提供一个解决实际困难的办法，能促使公务员安心工作，提高工作效率。

（三）转任的条件与要求

公务员在不同职位之间转任应当具备拟任职位所要求的资格条件，在规定的编制限额和职数内进行。

1. 转任者必须符合拟转任职务资格条件的要求。公务员的转任必然引起公务员职位的变动,而不同的职位对任职人员的条件要求有所不同,如工作经验、能力性格等。因此,为了保证机关的工作效率和工作质量,接收转任人员的机关必须对拟转任者根据其转任职位的要求进行全面考核,以确定其是否胜任拟转任的职位。

2. 转任必须在国家规定的编制限额和职数内进行,接收转任公务员的机关必须有相应的职位空缺。编制限额,是指国家机构编制管理部门按各行政部门的职能和任务的需要下达的工作人员编制总数。确定的编制限额,具有法律约束力,是对机关的设置和人员编制实行宏观控制的重要手段之一,任何单位和个人,都不得擅自突破。同时,转任也不能突破规定的职数限制。

(四)领导成员的转任

本条第二款规定,对省部级正职以下的领导成员应当有计划、有重点地实行跨地区、跨部门转任。这一措施主要是出于培养锻炼各级领导干部的需要,以及避免领导成员在某些要害部门任职时间过久容易产生弊端而作出的规定。

在本法审议的过程中,一些常委会组成人员和地方提出,目前一些地方的领导人员调动过于频繁,一些刚刚经过人大及其常委会选举、任命的领导成员,几个月后工作即发生变动。这种状况,一方面不利于有关地方和部门的工作,另一方面也是对权力机关的不尊重。对此,有关部门在执行本法这一规定时,应当对上述问题予以重视,制定和实施转任计划时,必须考虑到领导成员的任期,应当考虑到它是民意代表选举产生的,如需转任,应当尽可能在任期届满时予以安排。

(五)机关内部的转任

本条第三款规定,对担任机关内设机构领导职务和工作性质特殊的非领导职务的公务员,应当有计划地在本机关内转任。公务员在机关内部的转任是转任的一种特殊方式,是为培养提拔公务员骨干或者防止人事关系网的形成,而对担任一定级别领导职务的公务员或担任某些特殊性质工作的公务员定期进行的有计划、有组织的岗位转换制度。与一般转任相比,它有较强的计划性,不是根据工作的个别需要,也不是根据公务员的个人要求进行,而是为了培养提拔公务员骨干,使他们全面熟悉业务工作,丰富领导经验,或者为防止公务员在一定层次的领导岗位或某些特殊岗位工作太久容易产生的弊端而有计划进行的。

机关内部转任的对象,限于在同一职位连续任职超过一定年限的担任领导职务和某些工作性质特殊的非领导职务的公务员。之所以规定非领导职务应实行转任,是由于有的职位虽不担负较重的领导职责,但因职责特殊,也有定期轮换的必要,以防止主观上因人地过熟而受人情困扰和以权谋私,妨碍秉公办事。机关内部转任的范围限于本部门、本单位的不同职位。

第六十六条　根据培养锻炼公务员的需要,可以选派公务员到下级机关或者上级机关、其他地区机关以及国有企业事业单位挂职锻炼。

公务员在挂职锻炼期间,不改变与原机关的人事关系。

【释义】　本条是对挂职锻炼的规定。

一、挂职锻炼的目的

挂职锻炼是培养公务员、促进公务员成长的有效途径,也是一种比较特殊的交流形式。公务员挂职锻炼的目的主要是基于工作的需要以及培养锻炼公务员的需要。随着社会经济、政治、文化的不断发展,机关的管理工作也日趋复杂、多变,公务员不仅要具备较高的政治思想水平和专业知识结构,而且还要有丰富的实践经验和灵活的应变能力。如果公务员的工作经历比较简单,或者从大中专学校毕业而直接进入机关从事管理工作,或者长期在高层次机关任职,其往往会由于缺乏各种工作经验以及处理复杂工作的应变能力,难以较好地完成本职工作。因此,应有计划地选派在职公务员到基层单位或者上级机关去锻炼一段时期,以丰富经验,增长才干,为培养中、青年公务员打好基础。

二、挂职锻炼的范围

根据本法的规定,公务员的挂职锻炼是一种内外混合型的交流方式,既可在上下级机关之间进行,也可以在不同地区的机关之间交流,还可以在机关与国有企事业单位之间进行。本法对挂职锻炼范围的规定与《国家公务员暂行条例》的规定不同。条例规定的挂职锻炼的范围,限于上级机关选派公务员到基层机关或者企业、事业单位担任一定职务。实践中,近年来一些下级机关的工作人员到上级机关或者中央机关挂职锻炼,取得了非常好的效果。本法将这一有益的做法在法律中予以体现,规定较高级别的机关可以选派公务员到基层机关去挂职锻炼,基层机关也可以选派公务员到较高级别的机关去挂职锻炼。

挂职锻炼的对象是从在职公务员中选派的,并不是每一名公务员都要轮流去挂职锻炼,一般来说,选派挂职锻炼的对象主要是缺乏基层工作经历的公务员以及有培养前途的中、青年公务员。

三、挂职锻炼与其他交流方式的区别

1. 挂职锻炼与调任和转任不同,它不是通过交流而形成长期固定的职务关系,而只是临时更换工作岗位,一般期限为一至二年,期满后,仍回原机关工作。

2. 挂职锻炼作为一种特殊的交流方式,并不引起公务员法律身份的产生或消灭,也不引起职务关系的变化。因为,在挂职锻炼这种交流形式中,锻炼人员并未改变他与原机关的人事关系,因此,无需办理调动手续,其档案和编制仍在原机关,只是在业务工作上受接收单位的领导。

第六十七条　公务员应当服从机关的交流决定。

公务员本人申请交流的,按照管理权限审批。

【释义】 本条是对公务员有服从机关交流决定义务的规定。

交流包括调任、转任和挂职锻炼。机关所作出的交流决定是一种行政命令，这种行政命令对公务员具有约束力。交流决定一旦作出，公务员有义务服从；拒不服从者，机关可对其进行批评教育，必要时还可以给予其纪律处分。但是，机关的最终目的是做好行政管理工作，而不是要体现行政命令的权威性。因此，在实践中，为了有利于行政管理活动的正常进行，并根据服从工作需要与照顾公务员个人愿望和具体困难相结合的原则，机关在决定交流时，有必要征求本人的意见，对其提出的合理要求和意见应予充分考虑，避免因交流给公务员个人在工作上、生活上造成困难和不便，从而影响其工作积极性。如果有些合理要求一时难以满足而工作又确实需要的，应当做好有关人员的思想工作，说服其以工作为重，服从组织安排。当然，如果个别公务员借交流之机有意提出一些不合理的要求，应予拒绝，并要对其进行必要的批评教育。

依个人申请的交流，是指公务员个人有要求交流的合法而又正当的理由而主动提出申请，经机关批准后进行的交流。这种交流的原因是公务员个人有符合法律、法规规定的要求交流的正当理由；交流的提出者是公务员本人；是否能够交流，由机关按管理权限审批后决定。在实践中，凡是其要求符合法定的申请理由和条件，或与法律、法规、政策的原则不冲突而实际工作又允许，就应当及时予以批准，办理好交流手续。如果经审查，申请交流的理由不符合法律和政策的规定，也应及时作出不批准转任的决定，及时通知本人，并说明理由。

第六十八条　公务员之间有夫妻关系、直系血亲关系、三代以内旁系血亲关系以及近姻亲关系的，不得在同一机关担任双方直接隶属于同一领导人员的职务或者有直接上下级领导关系的职务，也不得在其中一方担任领导职务的机关从事组织、人事、纪检、

监察、审计和财务工作。

因地域或者工作性质特殊，需要变通执行任职回避的，由省级以上公务员主管部门规定。

【释义】 本条是关于公务员任职回避的规定。

一、任职回避的概念

任职回避，又称职务回避，是指对有法定亲情关系的公务员，在担任某些关系比较密切的职务方面作出的限制。由于亲情具有高度人身依附性等特点，决定了亲情与公务执行中所要求的严肃、认真、公正、依法等基本要素存在一定的冲突。职务关系的回避，主要目的在于将工作关系与亲属关系相分开，以使公务员之间形成比较和谐单纯的工作关系。

二、任职回避中的亲属关系

婚姻法意义上的亲属是指由婚姻、血缘和法律拟制而形成的，具有权利义务内容的特定主体之间的社会关系。亲属分为三类：配偶、血亲和姻亲。血亲是指具有血缘关系的亲属。血亲可分为直系血亲和旁系血亲。直系血亲，是指生育自己或自己生育的上下各代血亲。上溯至父母、祖父母，下至子女、孙子女等。旁系血亲，是指双方之间无从出关系，但同由一共同祖先所生的血亲。如同源于父母的兄弟姐妹，同源于祖父母的伯、叔、姑与侄子女之间皆为旁系血亲。姻亲是指配偶一方与另一方的血亲之间因婚姻而发生的亲属关系。姻亲分为血亲的配偶、配偶的血亲、配偶的血亲的配偶及血亲的配偶的血亲。

公务员之间最理想的状态是没有任何亲属关系，这样能最大限度地保证公务员在人事选拔、执行公务等方面排除亲情干扰，秉公执法，不偏不倚。但是，实际生活中，婚姻法意义上的亲属范围非常广泛，一味强调排除任何亲属关系有时很难做到，也没有必要。因此，在任职回避中，对亲属关系作了一定的范围界定，对于足以产生实际影响的亲属关系的，必须执行职务回避。

根据本条规定,职务回避中的亲属包括四类:夫妻关系、直系血亲关系、三代以内旁系血亲关系以及近姻亲关系。其中夫妻关系、直系血亲与婚姻法意义上的夫妻关系、直系血亲的范围是一致的。对旁系血亲,规定为三代以内,其中“三代”是我国特有的亲等计算方法:首先找出同源直系血亲,从已身往上数至同源直系血亲,记下世代数;再从同源直系血亲往下数至要计算的旁系血亲,记下世代数。如果两边的世代数是相同的,则用一边的世代数定代数。如果两边的世代数不同,则取世代数大的一边定世代数。根据这个算法,三代以内旁系血亲是指与已身同源于父母或祖父母、外祖父母的旁系血亲,包括兄弟姐妹、伯叔姑姨舅、堂兄弟姐妹、表兄弟姐妹、侄子女、外甥子女等。对于近姻亲的范围,《国家公务员任职回避和公务回避暂行办法》在第二条第(四)项中规定:近姻亲关系,包括配偶的父母、配偶的兄弟姐妹及其配偶、子女的配偶及子女配偶的父母、三代以内旁系血亲的配偶。

另外,任职回避与公务回避中都涉及亲属的概念,很多法律都对回避制度中亲属范围作了相应的界定。目前,我国的法律对需回避亲属范围的规定基本一致。如公务员法第七十条第(二)项规定,公务员执行公务时,涉及与本人有本法第六十八条第一款所列亲属关系人员的利害关系的,应当回避。检察官法第十九条、法官法第十六条对任职回避的亲属范围与本条中规定的亲属范围也一致。

三、任职回避中应回避职务的范围

公务员法并不反对具有上述亲属关系的人都参加到公务员队伍中去,实践中“警察世家”“子承父业”“法官夫妻”等现象并不少见。关键是具有亲属关系的双方所担任的职务之间不能是法律所禁止的特定直接关系。根据本条规定,任职回避中应回避职务的范围包括三种:第一,在同一机关担任双方直接隶属于同一领导人员的职务;第二,在同一机关有直接上下级领导关系的职务;第三，在其中一方担任领导职务的机关从事组织、人事、纪检、监察、审计和财务工作。《国家公务员任职回避和公务回避暂行办法》第三条将“同一领导人员”解释为包括同一级领导班子成员。将“直接上下级领导关系”解释为包括上一级正副职与下一级正副职之间的领导关系。第三种情形主要是考虑由领导的亲属担任纪检、监察、审计的，难以发挥应有的监督作用；而由亲属担任组织、人事、财务工作，则容易在用人和财务管理上产生腐败等问题。

四、任职回避的变通规定

考虑到实践中因地域或工作性质的特殊性，需要对任职回避作一定变通，本法规定可以采取一些灵活的方法，在任职回避制度方面适当开个口子，以利于工作的开展。如一些边远海关，邻近的单位很少，就业、生活都不太方便，派夫妻双方同去该海关工作，可以解决很多实际问题。如外交部的一些派出机构，出于工作需要或者外交惯例，可以允许公务员与其夫人在同一个机构工作。由于现实中地域或者工作性质特殊到可以变通执行任职回避制度的情况较少，考虑到法律规定的严肃性，省级以上公务员主管部门才可以对任职回避作变通规定。

第六十九条　公务员担任乡级机关、县级机关及其有关部门主要领导职务的，应当实行地域回避，法律另有规定的除外。

【释义】　本条是关于公务员地域回避的规定。

机关的任何一项职权都要由具有自然人特性的公务员来行使，而每个公务员都生活在一定的社会关系中，社会关系的广泛性和复杂性，使他们在行使职权时经常会与其所处理的案件之间存在着一定的利害关系，尤其是公务员在出生地任职或长期在一地任职。对此，我国很早就规定了地域回避制度，如清朝规定，官员不得在本籍五百里之内任职。

所谓地域回避，是指担任一定领导职务的公务员不得在自己的原籍及其他不宜任职的地区,担任一定级别的公职。规定地域回避制度,主要目的在于避免亲属、宗族关系、友情对工作的干扰。对公务员地域回避制度的理解要注意以下几个方面:

第一,适用地域回避的行政机关为乡级机关、县级机关及其有关部门。参照《党政领导干部选拔任用工作条例》第五十三条的规定,乡级机关、县级机关主要是指乡级、县级人民政府。有关部门主要是指县级纪检机关、组织部门、监察部门、人事部门、公安部门、工商部门、税务部门、县级人民法院、县级人民检察院等。

第二,适用地域回避的人员是担任上述机关和部门的主要领导职务的人员,一般包括乡、县级党政正职、纪委书记、法院院长、检察院检察长、党委组织部长、人事局长、监察局长、公安局长等。有的认为,主要领导职务还应该包括副职。

第三,适用地域回避的情形包括在原籍任职或在一地担任领导职务较长时间。地域回避主要规范对象为原籍任职。原籍,就是籍贯的意思,根据《关于〈常住人口登记表〉的使用规定》的规定,籍贯一栏填写的是本人的祖籍。原籍即指本人祖籍。对于原籍,可以作较广义的理解,如《党政领导干部选拔任用工作条例》第五十三条规定了本人成长地。有的地方规定乡、镇领导干部在本乡、镇做领导工作六年以上者(任期二届期满后),一般应进行横向交流。

考虑到我国现实情况,县、乡两级实行地域回避有一定难度。一方面由于我国一些基层的经济社会的发展比较落后,有些偏远地区还比较闭塞,实行地域回避面临着很多实际困难。特别是我国是多民族国家,对一些少数民族地区,非本地区土生土长的人很难了解当地情况,难以理解当地的风俗习惯,实行地域回避不利于当地工作的展开。另一方面,存在着法律层面的问题。首先,按照我国地方各级人大和地方各级人民政府组织法的规定,县、乡两级的县长、副县长、区长、副区长、县级法院院长、检察院检察长、乡长、副乡长、镇长、副镇长等是由县级人大和乡级人大分别选举产生。根据选举法,一般年满十八周岁的人都有被选举权,那么,由县级和乡级人大选举产生的县长、副县长、区长、副区长、县级法院院长、县级检察院检察长、乡长、副乡长、镇长、副镇长等原籍为本地的,是否要执行地域回避制度?对此,有些地方作出了变通规定:"经选举产生的乡(镇)党政领导干部在原籍任职满一届后,应当实行地域回避。"其次,我国民族区域自治法第十七条规定:"自治区主席、自治州州长、自治县县长由实行区域自治的民族的公民担任。"我国各少数民族的情况不太一样,统一要求实行地域回避制度,还不太现实。在一些自治区、自治州中,少数民族的人口比较多,地方比较大,在县一级实行地域回避难度较小。但有些少数民族人口比较少、地方比较小,只有自治县,这种情况下的自治县县长,客观上就很难实行地域回避。

对于上述两个法律层面的问题,本条规定了"法律另有规定的除外",表明当其他法律的规定与本法有关地域回避规定不一致的,优先适用其他法律的规定。

第七十条　公务员执行公务时,有下列情形之一的,应当回避:

(一)涉及本人利害关系的;

(二)涉及与本人有本法第六十八条第一款所列亲属关系人员的利害关系的;

(三)其他可能影响公正执行公务的。

【释义】 本条是关于公务员公务回避的规定。

所谓公务回避,是指公务员在行使职权过程中,因其与所处理的事务有利害关系,为保证实体处理结果和程序的公正性,依法终止职务行为而由其他公务员来行使相应的职权。公务回避表明工作人员在执行公务时,凡处理涉及本人或本人亲属利益的问题时,应该回避。实行公务回避的目的在于消除可能会对公务执行者造成影响的各种因素，保证公务员秉公执法。

所谓利害关系，是指公务处理的结果将会涉及增加或减损处理公务的公务员的金钱、名誉、亲情、友情等。人是社会性的，公务员也始终处在各种利害关系中。由于利害关系的内涵非常复杂，因此，如果将所有的利害关系都作为公务员回避的缘由，可能会导致没有一个符合条件的公务员来行使特定的行政职权。考虑到一些非直接的利害关系并不一定会影响公务员处理行政事务的公正性，因此本法以是否影响公务员公正执行公务为标准，规定了三类公务回避的情形。

一、涉及本人利害关系

人都有趋利避害的本性，所以当涉及本人利益时，人往往是很难站在客观的立场，作出公正、理性的判断。有法谚为“自己不能做自己的法官”，在执行公务过程中，公务员不能执行涉及本人利害关系的公务。涉及本人利害关系，可以区分为本人为被处理的当事人和处理的公务与本人有各种直接利害关系、足以影响公正执法的两种情形。

二、涉及法定亲属关系人员的利害关系

由于具有法定亲属关系的人与公务员之间联系比较紧密、关系密切，当公务员在执行公务时，可能会利用职务之便包庇、偏袒他们，或为他们谋取私利。为保证公正执行公务，如果公务员执行的公务涉及这类亲属，也应该回避。这里的亲属是特指的，包括夫妻关系、直系血亲关系、三代以内旁系血亲以及近姻亲关系的亲属。这里讲的利害关系，包括公务的执行对象就是亲属本人和与其亲属有着经济、名誉等利害关系。

三、其他可能影响公正执行公务

本项是一个兜底条款，除了上述两种情形外，如果其他情形会影响到公务员公正执行公务的，也应该执行公务回避制度。这些可能影响公正执行的情形包括师生关系、同学关系、战友关系、同乡关系、曾经为同事或上下级关系、朋友关系、敌意关系、竞争关系等。

值得一提的是,公务回避是一个比较普遍的法律制度,公务员在所有的公务执行过程中都必须遵守公务回避制度,否则将会产生不利的法律后果。根据公务所涉及的领域不同,公务回避可以分为三类:执行内部公务的回避、行政执法的回避及司法裁判过程中的回避。

第一,执行内部公务的回避,主要是指公务员在处理机关内部人事公务时,必须遵行有关回避的规定。《国家公务员任职回避和公务回避暂行办法》第六条规定,国家公务员从事监察、审计、仲裁、案件审理、税费稽征、项目资金审批、出国审批、人事考核、任免、奖惩、录用、调配等公务活动,应该执行公务回避。对于不执行公务回避制度的国家公务员,可给予批评教育,其中因未依法回避给公务造成损失或者造成恶劣影响的,应给予相应处分。

第二,行政执法的回避,主要是指公务员在行使对外行政职权时,即管理行政相对人时,要执行公务回避制度。行政处罚法第三十七条第三款规定:“执法人员与当事人有直接利害关系的,应当回避。”道路交通安全法、海关法、人民警察法、《税收征收管理法实施细则》、《审计法实施条例》等都有类似规定。在行政执法过程中,如果不执行公务回避制度,即为程序违法。行政复议法第二十八条的规定,具体行政行为有违反法定程序的情形的,行政复议机关可以决定撤销、变更或者确认该具体行政行为违法。行政诉讼法第五十四条规定,具体行政行为违反法定程序的,人民法院可以判决撤销或者部分撤销,并可以判决被告重新作出具体行政行为。

第三,司法裁判过程中的回避,主要是指在法院的审判过程中,为保证审理的公正性,也必须执行公务回避制度。人民法院组织法第十六条规定,当事人如果认为审判人员对本案有利害关系或者因为其他关系不能公平审判,有权请求审判人员回避。审判人员如果认为自己对本案有利害关系或者其他关系,需要回避时,可以申请公务回避。刑事诉讼法、民事诉讼法、行政诉讼法都有公务回避的规定。《最高人民法院关于审判人员严格执行回避制度的若干规定》第八条规定,审判人员明知具有应当回避的情形的,故意不依法自行回避或者对符合回避条件的申请故意不作出回避决定的,依照《人民法院审判纪律处分办法(试行)》的规定予以处分。

第七十一条　公务员有应当回避情形的,本人应当申请回避;利害关系人有权申请公务员回避。其他人员可以向机关提供公务员需要回避的情况。

机关根据公务员本人或者利害关系人的申请,经审查后作出是否回避的决定,也可以不经申请直接作出回避决定。

【释义】　本条是关于公务员回避方式的规定。

根据公务员回避制度的启动主体不同,公务员回避的方式有三类:自行回避、申请回避及决定回避。对公务员的回避方式加以类型化,使得回避制度更具有可操作性,有利于回避制度的贯彻落实。

一、自行回避

自行回避,是指公务员认为自己与处理的公务具备法律规定的回避情形时,向有关负责人主动请求回避处理,有关负责人对公务员的申请依法进行审查,并作出是否准许的决定。一般而言,自行回避的程序大致有三个步骤:(一)提出请求,即在任职前或任职过程中,或者在执行公务结束前,公务员认为自己的任职或所执行的公务具备法律规定的回避情形时,以书面形式提出回避申请,并说明理由。(二)审查申请,即有关负责人在收到回避申请后,对申请依法审查。回避审查以书面方式为主,必要时可以当面听取公务员本人的陈述。(三)作出决定,回避申请经过审查后,有关负责人如认为确实存在回避情形的,应当对有关任职予以调整或者立即终止该公务员的公务行为,并任命其他公务员接替处理。对任职的调整,一般是由职务较低的一方回避,职务相同的,由任免机关根据工作需要和实际情况决定其中一方回避。

二、申请回避

申请回避,是指公务的利害关系人认为处理案件的公务员具备法律规定的回避情形时,在公务执行结束前,依法向有权机关请求停止该公务员继续处理该公务,有权机关依法对此申请进行审查后作出是否准许申请的决定。由于任职回避、地域回避中并不存在直接的利害关系人,因此任职回避和地域回避中一般不涉及申请回避的方式。申请回避中提出申请的为公务的利害关系人,利害关系人是指个人的权益受公务的处理结果直接影响的人,如人事考核中的被考核人,行政处罚中的被处罚人及被害人,诉讼中的原被告等。对于利害关系人以外的其他人,无权申请公务员回避,但可以向有权机关提供有关公务员回避的证明材料等情况。

一般而言,申请回避有以下几个步骤:(一)提出申请。在公务执行过程中,即在公务执行开始至执行完毕期间,由公务的利害关系人向有关机关提出申请,要求执行公务的公务员回避。(二)审查申请。有关机关在接到回避申请后,应尽快对申请进行审查。对回避申请的审查期限,有些法律作了规定,如民事诉讼法第四十八条规定,人民法院对当事人提出的回避申请,应当在申请提出的三日内,以口头或者书面形式作出决定。(三)作出决定。经审查,有关机关认为回避申请理由不成立的,可以驳回申请。有的法律还规定了,如果利害关系人对有权机关的驳回回避申请的决定不服的,有权申请复核一次。如刑事诉讼法第三十条第三款规定:“对驳回申请回避的决定,当事人及其法定代理人可以申请复议一次。”

三、决定回避

有权机关可以在没有公务员提出自行回避或利害关系人提出回避申请的情况下，根据已经掌握的情况，认为公务员存在回避情形的，可以径行作出回避决定。决定回避是不太常见的一类回避方式，主要适用于任职回避和地域回避中。决定回避制度体现了上下级公务员之间的领导关系，符合法理，有时也是非常必要的。

任何回避，要么由有权机关批准，要么由有权机关直接决定。因此，回避的决定机关对回避制度的落实有着重要的作用。根据公务性质的不同，相应的有权机关也不同。根据《国家公务员任职回避和公务回避暂行办法》第七条的规定，公务回避一般由本部门主管领导作出回避决定。第八条规定，任职回避一般由人事主管部门批准决定。刑事诉讼法第三十条第一款规定："审判人员、检察人员、侦查人员的回避，应当分别由院长、检察长、公安机关负责人决定；院长的回避，由本院审判委员会决定；检察长和公安机关负责人的回避，由同级人民检察院检察委员会决定。"

第七十二条　法律对公务员回避另有规定的，从其规定。

【释义】　本条是关于公务员回避的法律适用规定。

根据本法第二条的规定，除了行政机关中的公务员外，法官和检察官也是本法所称的公务员，也应该受到本法的规范。由于法官和检察官行使的是司法权，具体的管理内容也有不同，相应的体制并不一致。因此，法官、检察官的权利、义务、资格、条件、职务、等级等与行政机关中的公务员都有不一致的规定。对此，本法第三条第二款规定："法律对公务员中的领导成员的产生、任免、监督以及法官、检察官等的义务、权利和管理另有规定的，从其规定。"

行政机关中的公务员和法官、检察官在回避方面，既有共同点，又有差异。总体而言，法官、检察官回避的基本框架与本法中规定相一致，法官、检察官都要实行任职回避和公务回避，有关回避的亲属范围也相一致。但一些具体方面，如任职回避中具体职务的要求、公务回避的范围、程序等规定不一致。根据法官法第十六条的规定，担任同一人民法院的院长、副院长、审判委员会委员、庭长、副庭长；同一人民法院的院长、副院长和审判员、助理审判员；同一审判庭的庭长、副庭长、审判员、助理审判员；上下相邻两级人民法院的院长、副院长的需要任职回避。而公务员法第六十八条规定的需回避的职务范围是：不得在同一机关担任双方直接隶属于同一领导人员的职务或者有直接上下级领导关系的职务，也不得在其中一方担任领导职务的机关从事组织、人事、纪检、监察、审计和财务工作。

根据本条规定，对法官法、检察官法等法律中有关回避的规定与公务员法中的规定不一致的，优先适用法官法、检察官法等其他法律的规定。法官法、检察官法中没有规定的，当然适用公务员法的规定。

第十二章 工资福利保险

工资福利保险直接涉及公务员的经济利益，特别为公务员所关注。同时，由于公务员的工资福利保险标准还是其行业从业人员工资福利保险的参考标准，因此，也为社会各方面所关注。本法总结公务员工资福利保险制度实施的经验，对公务员的工资福利制度作了规定，其中最重要的一项改革是将公务员的基本工资制度作了改革，确立实行统一的职务与级别相结合的工资制度。主要内容包括公务员的基本工资制度、工资构成、工资增长水平，公务员的福利待遇和公务员在生、老、病、死等情况下的物质保障等，并对严格执行公务员的工资福利保险制度的措施作了规定。这些规定奠定了公务员工资福利保险制度的基本框架，为进一步完善和改革公务员的工资福利保险制度提供了法律依据。

第七十三条　公务员实行国家统一的职务与级别相结合的工资制度。

公务员工资制度贯彻按劳分配的原则，体现工作职责、工作能力、工作实绩、资历等因素，保持不同职务、级别之间的合理工资差距。

国家建立公务员工资的正常增长机制。

【释义】 本条是关于公务员工资制度的规定。

一、工资的功能和作用。工资是劳动者根据其劳动成果所获得的以货币形式表现的收入。通常分为计件工资和计时工资两种。公务员的工资，是指国家根据按劳分配原则，分配给公务员个人消费品的货币表现。

建立合理、科学、公平的公务员工资制度,对于充分发挥工资的保障、激励、调节功能具有重大的作用。主要表现在:

1. 保证公务员本人及赡养人员的基本生活需要,使其安心工作,解除公务员的后顾之忧。工资作为公务员主要的甚至是唯一的经济来源,必须要能够解决公务员自己及全家必需的生活开支,以维持公务员健康的体质,使公务员能精力充沛地从事所承担的工作,并对其家庭在生活上有一个比较妥当的安排,使其不因家庭生计而分散精力。因此,公务员的工资收入,不仅仅是公务员个人及家庭生活消费问题,而且关系到党政机关各工作部门的工作效能能否得到充分的发挥。

2. 激励公务员努力工作,有效地调动公务员的积极性和创造性。建立富有竞争作用的公务员工资制度,将公务员的工作热情建立在对个人物质利益的关心基础之上,给其合理的工资报酬,使公务员认识到,对于他们的工作和劳动,国家给予了承认并给予足够的报偿。

3. 吸引各方面人才加入公务员队伍,为建设高素质公务员队伍提供条件。运用工资的调节功能吸引各方人才竞争公务员职位,是一项非常有力的措施。工资对人力资源的合理配置能产生一定的调节作用,调节着人才市场和人才资源的流向。国家利用工资这一经济杠杆协调各方面的利益关系。确立公务员工资制度,提高公务员的工资水平,使公务员成为具有吸引力的职业,势必将保持各个机关足够的凝聚力和吸引力,把社会各方面的优秀人才适量地吸引到公务员队伍中来,从而保证公务员队伍的素质不断提高。

二、公务员实行统一的职务与级别相结合的工资制度。关于实行统一的公务员工资制度,在本法的审议和征求意见的过程中,一些常委委员和一些地方、部门提出了三种意见:一种意见认为,各地方的经济发展水平、物价水平差距很大，应当允许各地方根据实际情况确定地区附加补贴，以体现不同地区收入差异的客观情况。另一种意见认为，国家应逐步缩小不同地区公务员工资水平的差距，提高艰苦边远地区公务员的待遇。再一种意见提出，目前公务员的工资制度不统一，同一地区的不同机关、不同部门的工资差距比较大，建议公务员的工资实行属地原则。

全国人大法律委员会经同人事部反复研究认为，公务员的工资制度是本法的一项重要内容，关系公务员队伍的稳定和勤政廉政建设，各方面都比较关心。现行工资制度确实存在不少问题，各方面提出的意见也都各有一定的道理，应当逐步加以解决。但这个问题比较复杂，需要慎重研究。最终，立法机关确认了统一的职务与级别相结合的工资制度，并建议国务院在制定具体的工资改革方案时，充分考虑各方面提出的意见。

本法没有详细规定公务员基本工资制度的具体内容，目的是要为将来公务员工资制度改革留下空间。目前，人事部和有关部门正在研究制定配套的改革政策。从本章有关条款的精神来看，未来工资改革的主要方向将是：归并简化现行基本工资结构，适当拉开不同职务的工资差距；实行级别与待遇挂钩，向基层公务员倾斜；在清理、整顿各地区、各部门、各单位自行建立的津贴补贴的基础上实施地区附加津贴；适应公务员分类管理的需要，实行分类管理的工资制度；完善艰苦边远地区津贴制度和岗位津贴制度；向艰苦边远地区以及特殊岗位、特殊人才倾斜。

三、公务员工资制度贯彻体现按劳分配的原则。按劳分配是劳动收入分配的基本原则，也是确定公务员工资所应遵循的原则。宪法规定，国家在社会主义初级阶段，坚持按劳分配为主体，多种分配方式并存的分配制度。公务员不直接从事物质生产，其劳动的数量和质量难以计量，劳动时间就成为其基本的计量标准，公务员实行计时工资制也就顺理成章。坚持按劳分配原则，必须实行同工同酬。不同的公务员如果在同样的职位上完成了相同的工作任务,或者不同职位但职务和级别相同的公务员如果完成了相同的工作任务,其工资应当相等。

贯彻按劳分配,就是要体现多劳多得,不劳不得,少劳少得,反对平均主义、大锅饭。这一点在制度设计上,就是要保持合理的工资差距。我国的公务员队伍,数量种类都比较多。从级别层次看,从上到下有十二个职务层次;担任相同职务层次的公务员,其资历也有较大差别;不同类别公务员,工作的难易复杂程度也有不同。工资要准确反映这些情况,体现按劳分配,就需要保持不同职务级别之间的合理的工资差距。如果不保持合理的工资差距,搞平均主义,吃大锅饭,干好干坏一个样,就会挫伤公务员的积极性,对国家各项事业的发展和管理都会带来损害。至于工资之间的差距多大属于合理,需要根据全社会的生产消费水平来考虑,既不能没有差距,但也不能差距过大,公务员都是为人民服务的,都处在相同的消费环境中,因此工资差距不能过于悬殊。按照1993年的工资制度,最高工资和最低工资的差距不超过五倍。从世界各国的情况来看,这个差距是比较小的,需要适当扩大。

四、公务员工资的正常增长机制。定期增资是世界各国公务员工资制度的通行做法。日本的一般职员报酬法规定:"公务员工作优良,满十二个月提薪一次,工作成绩格外优秀者,提前提薪或越级提薪。"1956年,国务院《关于工资制度改革的决定》中强调,要"使升级成为一种制度",但这一规定没有得到切实的施行,有的机关工作人员十几年甚至几十年未晋级增资,使其工作积极性受到挫伤。1993年的工资制度改革确立了公务员正常晋升工资的制度。增资的途径有以下三个:一是公务员在年度考核称职的基础上每两年增加一档职务工资;每五年增加一次级别工资。二是随着职务的晋升,相应提高职务工资。三是公务员除正常晋升工资外,国家定期调整工资标准,使公务员工资增长与国民经济发展、财政收入增长、消费水平、社会工资水平相适应。1997 年 7 月、1999 年 7 月、2001 年 1 月和 10 月、2003 年 7 月，根据经济发展、财力增长和物价变动等情况，国家五次调整了工资标准。为了保证公务员工资的正常增长，本法规定，国家建立公务员工资的正常增长机制。工资增长的机制主要有：一是公务员晋升职务，按职务确定相应的工资；二是公务员晋升级别，按级别相应确定工资；三是国家根据经济发展水平和财力状况，相应提高工资标准；四是通过工资调查，进行平衡比较，保持公务员工资与企业相当人员工资水平的平衡。

第七十四条　公务员工资包括基本工资、津贴、补贴和奖金。

公务员按照国家规定享受地区附加津贴、艰苦边远地区津贴、岗位津贴等津贴。

公务员按照国家规定享受住房、医疗等补贴、补助。

公务员在定期考核中被确定为优秀、称职的，按照国家规定享受年终奖金。

公务员工资应当按时足额发放。

【释义】　本条是关于公务员工资构成的规定。

一、公务员的基本工资。与 1993 年《国家公务员暂行条例》确定的工资制度相比，本法确定的工资制度，归并简化了工资结构，将基本工资由职务工资、级别工资、基础工资、工龄工资“四结构”归并为职务工资、级别工资“两结构”。也就是公务员的工资将由两块组成，一块反映职务，为职务工资；一块反映级别，为级别工资。职务工资主要是按照公务员的职务高低、责任大小、工作难易程度确定，是公务员工资制度中体现按劳分配的主要内容。级别工资即根据公务员的级别确定的工资。公务员的级别根据所任职务及其德才表现、工作实绩和资历确定。其中，资历包括公务员的学历状况、工作年限和任职年限等因素。级别工资也是体现按劳分配的重要内容。设置级别工资的好处在于:第一,由于国家机关干部90%以上是科级以下的人员,而机关领导的职数是有限的,受机构规格的限制,有相当一部分人员难以晋升更高职务。通过设置级别工资,能够使机关工作人员不提升职务也能享受晋升级别而提高工资待遇,从而避免为解决待遇问题而滥提职务和随意将机构升格等弊端,有利于鼓励公务员在一个工作岗位上安心工作,减少跑官要官现象,加强公务员队伍的职业化建设。第二,有利于克服工资"平台"问题,更好地贯彻按劳分配原则。同一职务层次的公务员的工作年限、任职年限、承担的责任和能力等各不相同,通过设置级别工资可以反映同一职务层次公务员的差别。

二、津贴的种类。津贴是根据不同公务员的不同情况给予的补贴。公务员津贴是公务员工资的一种补充形式,工资制度的重要组成部分。公务员按照国家规定享受地区附加津贴和艰苦边远地区津贴、岗位津贴等。

1. 地区附加津贴,主要反映地区间经济发展水平、物价消费水平等方面的差异,根据各地区经济发展水平和生活费支出等因素确定标准,同时还考虑机关、事业单位工作人员工资水平与企业职工工资水平的差距确定。实行地区附加津贴,可使不同地区的机关、事业单位工作人员工资的提高与经济发展联系起来,能够体现不同地区经济发展及物价变动情况的差异。

2. 艰苦边远地区津贴,主要体现不同地区自然、地理环境的差异,根据不同地区的地域、海拔高度、气候以及当地物价等因素确定。艰苦边远地区津贴是对在艰苦边远环境下工作的公务员额外劳动消耗和特殊生活费支出等的适当补偿。建立这项津贴,体现不同地区在自然地理环境等方面的差异,有利于发挥工资的补偿和导向作用,鼓励人们到艰苦边远地区工作。

3. 岗位津贴是国家对特殊工作岗位上工作的公务员支付的额外劳动报酬,根据公务员的工作岗位性质及工作条件确定。由于在不同岗位工作的人员，工作条件差异较大，因此，对在特殊岗位上工作的人员实行岗位津贴，有利于更好地体现按劳分配原则，鼓励和吸引特殊人才。岗位津贴是与岗位相联系的，公务员离开该岗位后，相应津贴即行取消。

三、公务员的住房、医疗补贴、补助。我国现行的公务员工资水平，没有完全反映公务员的住房需求。长期以来，我国公务员的住房消费采取实物分房的方式解决。这种形式弊端甚多。20 世纪 90 年代以来，国家实行住房制度改革，相继取消实物分房，采用货币化补助的形式。目前在这一领域里，各个地方、各个单位的做法还不完全统一。有的是在职工购买住房时，由单位一次性给予资金补助。有的是由单位建设购买住房后，再按一定的优惠价格出售给职工。这里都含有金额不等的住房补贴、补助。国家为了积极推进住房制度改革，还建立了住房公积金制度。住房公积金由职工和单位按工资的一定比例（不得低于当月职工工资的 5%）交纳储存，属于职工个人所有，用于职工购买、建造、翻建、大修自住房屋。

公务员医疗补助是在城镇职工基本医疗保险制度基础上对公务员的补充医疗保障，是保持公务员队伍稳定、廉洁，保证党政机关高效运行的重要措施。根据 2000 年由劳动保障部、财政部提出的，经国务院批准的公务员医疗补助的意见，补助水平要与当地经济发展水平和财政负担能力相适应，保证公务员原有医疗待遇水平不降低，并随经济发展有所提高。补助经费列入同级财政预算，具体筹资标准应根据原公费医疗的实际支出、基本医疗保障的筹资水平和财政承受能力等情况确定。补助经费专款专用、单建账户，与基本医疗保险基金分开核算。

四、公务员的奖金。奖金是根据按劳分配原则采取的作为工资补充的劳动报酬形式，是对工作认真负责、工作成绩显著的公务员的物质奖励。奖金的发放办法必须体现奖勤罚懒、奖优罚劣。

不能搞平均分配,人人有份。否则,发挥不了应有的激励作用。奖金不是工资构成的一部分,而是工作优异的一种奖赏。根据本条的规定,公务员在定期考核中被确定为称职和优秀的,按照国家规定享受年终奖金。根据现行有关规定和做法,年终奖金一次性发放,数额按公务员本人月工资的一定比例计发。

第七十五条　公务员的工资水平应当与国民经济发展相协调、与社会进步相适应。

国家实行工资调查制度,定期进行公务员和企业相当人员工资水平的调查比较,并将工资调查比较结果作为调整公务员工资水平的依据。

【释义】　本条是关于确定公务员工资水平原则的规定。

一、确定工资水平的依据。公务员应该得到与其劳动和贡献相适应的报酬。这是贯彻按劳分配原则的要求,也是绝大多数人的共识。但机关工作具有难以量化评估的特点,而且公务员参加社会二次分配,具体定位公务员工资水平缺乏参照标准。因此,本法原则规定,公务员的工资水平应当与国民经济发展相协调、与社会进步相适应。具体来说:一是要与经济发展水平相协调。如果国民经济持续、稳定、健康的发展,国家财力不断增加,在这种情况下,就需要相应地增加公务员的工资,使公务员成为经济发展成果的分享者,进而更好地调动其积极性。如果国民经济发展了,仍然维持原有的公务员工资水平,就会挫伤公务员工作的积极性。与国民经济发展协调,也包括公务员的工资增长不能超过经济和财力的增长。二是与社会进步相适应。社会处于不同的发展阶段,社会的消费水平和需要是不同的。如在改革开放初期,我国社会还主要处于解决温饱型阶段,解决吃穿是最紧要的任务,居民消费主要集中在食品。经过二十多年的改革开放,我国经济社会发展取得巨大成就,党的十六大提出,全面建设小康社会,实现中国人千年的梦想。在小康社会中,居民的消费需求不仅仅是吃,吃已经只是一小部分。消费的更多需求是居住、文化、教育、娱乐等方面。因此,在建设小康社会过程中,对于公务员工资水平的考虑,就要包括更多方面的内容,以和社会进步相适应。三是物价增长因素。《国家公务员暂行条例》中曾规定,国家根据国民经济的发展和生活费用价格指数的变动,有计划地提高国家公务员的工资标准,使国家公务员实际工资水平不断提高。本法虽然没有明确规定根据价格变动指数调整公务员的工资,但与国民经济发展相协调的规定包含了这样的意思。与物价增长幅度相适应调整公务员的工资,就是要使工资的增长率高于物价增长率的原则,以保证公务员的实际工资水平不因物价上涨而下降。这样做,才能保证公务员的实际生活水平不因物价上涨因素而下降,从而保持公务员的工作积极性。

二、工资调查制度。本法草案中曾规定,“公务员工资水平应当与企业相当人员工资水平大体平衡”。在审议和征求意见过程中,有的常委委员和一些地方、部门提出,公务员的层级比较多,企业人员的层级比较少;企业有效益好的,也有效益差的,收入差距很大,公务员的工资与企业人员的工资很难类比。最终,立法机关采纳了这一意见,将这一规定删去了。虽然本法没有规定公务员的工资要和企业相当人员的工资基本平衡,但仍然确立了公务员工资和企业人员工资的比较制度。建立工资调查制度的目的就是要为这种比较提供科学准确的数据。

国家实行工资调查制度,定期进行公务员和企业相当人员工资水平的调查比较。这里说的企业,不仅指国有企业,而且包括各种所有制类型的企业。在市场经济体制下,薪酬水平是引导人才流向、增强人才竞争力的关键因素。如果排除垄断行业,企业的薪酬水平总体而言体现社会平均劳动生产率的高低以及劳动力的价格。与企业相当人员工资水平进行比较,一方面可以较好地确定公务员的劳动价值和贡献，另一方面有利于形成良好的人才竞争机制，引导人才合理流动。

工资调查制度的内容大体包括：一是确定与企业相当人员工资水平进行比较，适用于哪些公务员；二是确定相当人员的界定条件以及对工资收入、福利待遇的哪些内容进行比较；三是确定如何应用工资调查比较结果确定公务员工资水平；四是确定机构和人员的抽样条件；五是建立调查系统，确定调查的具体方式，以及调查经费的保障等问题；六是调查周期，即以多长一个周期进行调查。

第七十六条　公务员按照国家规定享受福利待遇。国家根据经济社会发展水平提高公务员的福利待遇。

公务员实行国家规定的工时制度，按照国家规定享受休假。公务员在法定工作日之外加班的，应当给予相应的补休。

【释义】　本条是关于公务员福利的规定。

一、公务员的福利待遇。公务员的福利是指机关为改善和提高公务员的物质文化生活水平而采取的一些措施或提供的待遇。公务员的福利制度主要有：福利费制度、探亲制度、冬季取暖补贴制度、上下班交通费补贴制度和年休假制度。福利费制度是国家为解决公务员的生活困难问题而建立的一种专项费用制度；探亲假制度是国家为解决公务员探望分居两地的配偶、父母而建立的一种福利制度；冬季取暖补贴制度是国家为居住在寒冷地区的公务员因宿舍取暖所支出的费用而建立的一种福利性补贴制度；上下班交通费补贴制度是国家为减轻公务员上下班交通费负担而建立的一种福利性补贴制度；年休假制度是国家为保护职工身体健康，每年安排公务员集中轮休一段时间的一种福利制度。

二、公务员的工时制度。根据国务院关于职工工作时间的规定（此规定适用于国家机关、社会团体、企业事业单位以及其他组织的职工），职工每日工作八小时、每周工作四十小时。在特殊条件下从事劳动和有特殊情况、需要适当缩短工作时间的，按照国家有关规定执行。因工作性质或者生产特点的限制，不能实行每日工作八小时、每周工作四十小时标准工时制度的，按照国家有关规定，可以实行其他工作和休息办法。任何单位和个人不得擅自延长职工工作时间。因特殊情况和紧急任务确需延长工作时间的，按照国家有关规定执行。国家机关、事业单位实行统一的工作时间，星期六和星期日为周休息日。由于机关工作的特点，公务员有时需要在法定的工作时间之外加班。对于加班要给予补休，本条作了明确规定。需要进一步研究明确的是，公务员加班未能补休的，单位是否要发给加班工资。对于这个问题，立法过程中有不同意见，有的认为要体现按劳分配的原则，加班不补休的应当发给加班补助；有的认为，公务员是人民的公仆，为人民服务，加班不宜发给加班工资，并且机关中的各种加班情况很复杂，不好认定那些是确有需要的加班。这个问题法律并未规定，总的来看，加班未予补休是否发给加班工资，要视实际情况确定，对于为完成明显超过正常工作负荷的加班，单位又不能安排补休的，应当有一定的补偿。这需要相关政策法规予以进一步的明确。

三、公务员的休假制度。公务员按照国家规定享受休假。现行休假制度由法定节假日、年休假、探亲假、病事假、婚(丧)假、产假等几部分组成。其中除年休假制度外，其他休假制度均为改革开放前制定。根据中共中央、国务院关于职工休假问题的通知，公务员年休假的天数，根据工作任务、各类人员的资历、岗位等不同情况，有所区别，最多不超过两周。休假时间要注意均衡安排，一般以就地休假为主。

第七十七条　国家建立公务员保险制度，保障公务员在退休、患病、工伤、生育、失业等情况下获得帮助和补偿。

公务员因公致残的，享受国家规定的伤残待遇。公务员因公

牺牲、因公死亡或者病故的，其亲属享受国家规定的抚恤和优待。

【释义】 本条是关于公务员保险制度的规定。

一、公务员保险的涵义与作用。公务员保险是国家对因生育、年老、疾病、伤残和死亡等原因，暂时或永久丧失劳动能力的公务员给予物质保障的制度。实行公务员制度的国家，普遍建立了公务员的保险制度。建立和实施公务员保险制度具有以下作用：

1. 在一定程度上确保公务员健康地工作并解除他们的后顾之忧，公务员遇有生、老、病、死、伤残时，本人及其家庭生活可以得到基本生活保障。这对调动公务员的工作积极性，使他们把全部精力投身于工作之中，具有重要作用，也有利于维护社会的安定。

2. 公务员的保险为部分暂时丧失劳动能力的公务员提供了基本生活保障和必要的物质帮助，使他们能尽快地恢复劳动力，减轻国家和社会的负担，促进经济的发展。

3. 公务员的保险可以增加公务员对所在单位的信任感，促使他们提高工作效率，积极努力，尽职尽责地为国家工作。

二、公务员保险的内容与项目。公务员保险的内容，是指公务员出现生、老、病、死、伤残、待业等保险事项时所应享受的保险待遇。我国公务员保险的项目主要包括：

1. 生育保险。是指女性公务员生育小孩时所应享受的保险待遇。根据国家有关文件的规定，女公务员生育，产前产后共给五十六天假，难产或双胞胎增加十四天假；怀孕不满七个月流产的，可根据医生意见给予三十天以内的产假。只生一个孩子的公务员，发给独生子女证和独生子女费，标准为每月五元，至十四岁为止。

2. 养老保险。即公务员退休后应享受的养老保险金和其他各项待遇。这些待遇主要是：退休费、公费医疗、车旅费、安家补助费、住房、取暖补助、丧葬补助费、供养直系亲属抚恤费、生活补贴费等。健全公务员养老保险制度，主要是改变离休退休费由国家统包、现收现付的状况，建立养老保险基金由国家、单位、个人共同负担并有部分积累的筹集制度。我国现行的公务员退休养老制度，还未完全采取社会保险的形式。退休金由财政保障，根据公务员的工作年限，按其工资的一定比例计发。

3. 医疗保险。即公务员在患有疾病期间所应享有的保险待遇，主要表现为公费医疗。公务员在患病就医时，除部分贵重药品和滋补药品及挂号费由本人负担外，其他医药费均由国家报销。

4. 死亡保险。这是指公务员死亡后其所供养的直系亲属和配偶所享有的保险待遇。对于死亡的公务员，国家给予其遗属丧葬费、抚恤金和生活困难补助费三种待遇，具体标准由国家规定。

5. 伤残保险。这是指公务员受伤或残废时所应享受的保险待遇。伤残分因公伤残和非因工伤残。因公伤残的待遇高于非因公伤残的待遇，对因公伤残的公务员，属于完全残废或完全丧失工作能力的，可以退休并发给因工伤残抚恤费；属于部分伤残的，发给本人标准工资一定比例的护理费。

6. 待业保险。这是指公务员被辞退或因其他情况失业所享受的保险待遇。随着改革的深入和发展，一方面，政府机关工作人员开始流动起来，而且人数将会逐渐增多，如不尽快健全完善待业保险制度，公务员的辞职辞退制度就无法很好地实施；另一方面，如果公务员的待业保险制度迟迟得不到完善，也将会影响到待业保险制度的社会化和劳动力市场的培育和发展。公务员的待业保险制度的主要内容包括待业保险金的筹集、待业救济金的发放和待业保险金的管理三个方面。

三、公务员工资、福利、保险之间的区别。工资、福利、保险都是公务员物质保障的形式，相互之间有许多相同相似的地方，但它们在功能和作用上有所不同。

1. 工资与福利的区别

(1)工资制度体现按劳分配原则；而福利则是按需要与可能

提供,不是依据按劳分配原则提供。

(2)工资是公务员主要的收入形式,用来解决公务员的生活消费问题;而福利只是公务员的一种辅助性待遇,用以改善和提高公务员的物质文化生活水平。

(3)工资采取货币形式;而福利可采用多种形式,可以是实物,可以是提供某种方便,也可以是一种待遇。

2. 福利与保险的区别

(1)保险仅适用于暂时或永久丧失劳动能力或者机会的公务员;而福利则用于在职的公务员。

(2)保险是用以解决暂时或永久丧失劳动能力或者机会的公务员的生活必需;而福利则是改善和提高公务员的物质文化生活水平,是一种待遇。

(3)保险以货币形式发放;而福利则更多地表现为实物、方便、待遇。

第七十八条　任何机关不得违反国家规定自行更改公务员工资、福利、保险政策,擅自提高或者降低公务员的工资、福利、保险待遇。任何机关不得扣减或者拖欠公务员的工资。

【释义】　本条是关于不得变更公务员工资、福利和保险待遇的规定。

国家对公务员的工资、福利和保险待遇的各项规定,是经过科学研究、反复论证,权衡各方面的因素后确定下来的。认真贯彻执行国家规定的公务员工资福利保险制度,对于调动公务员队伍的积极性,保持全社会收入的平衡与稳定,具有重要作用。如果随意增加公务员的工资,势必会增加国家财政负担,影响其他各项事业的发展;如果随意扣减国家公务员的工资,则势必会影响他们的工作热情和积极性,甚至会引发大量的贪污受贿或公务员流失的现象。现实中,工资福利保险制度执行的并不尽如人意。特别是工资外收入分配秩序混乱。在地区附加津贴制度未能实施的情况下,为了弥补基本工资与当地经济发展、物价水平和企业相当人员工资收入的差距,并适应各项改革的需要,各地区各部门在国家工资政策外自行发放了一些津贴补贴,水平相互攀升,使地区间、部门间不合理的工资收入差距持续扩大,特别是同一地区不同部门之间工资收入存在相当大的差距。工资收入分配中"制度内统一、制度外分散"的现象越来越严重。针对这些问题,本条规定了两个不得:一是任何机关不得违反国家规定自行更改公务员工资、福利、保险政策,擅自提高或者降低公务员的工资、福利、保险待遇。二是任何机关不得扣减或者拖欠公务员的工资。本法还在法律责任中专门规定了上述行为的法律责任。违反国家规定,更改公务员工资、福利、保险待遇标准的,由县级以上领导机关或者公务员主管部门按照管理权限,区别不同情况,分别予以责令纠正或者宣布无效;对负有责任的领导人员和直接责任人员,根据情节,给予批评教育或者处分。

第七十九条　公务员工资、福利、保险、退休金以及录用、培训、奖励、辞退等所需经费,应当列入财政预算,予以保障。

【释义】　本条是关于公务员工资、福利、保险、退休金及公务员管理费用保障的规定。

财政预算是关于国家未来一年收入和支出的安排,包括各种依法可以收取的税收和费用的预测;国家和社会各项事业及行政管理费用的开支。我国预算法规定,各级政府部门必须依照法律、行政法规和国务院财政部门的规定,及时、足额地拨付预算支出资金,加强对预算支出的管理和监督。公务员是履行公职、纳入国家行政编制、由国家财政负担工资福利的工作人员,因此,有关公务员的工资、福利、保险、退休金以及录用、培训、奖励、辞退等所需的经费,应当列入财政预算,予以保障。

我国的预算体制分中央和地方两级财政,中央和地方实行分税制,并分清各自的事权。因此,公务员工资福利和管理费用等项的开支,原则上都列入本级财政,由本级财政予以保障。由于我国经济发展水平不平衡,各地的财力状况不同,中央对地方公务员的工资根据不同情况予以支持和保障。目前除少数几个省市外,其他地方的公务员工资还需要由中央财政给予支持。

第十三章　辞职辞退

辞职辞退制度是公务员管理的重要环节,它解决的是公务员队伍的“出口”问题。确立公务员辞职辞退制度,为公务员的合理流动提供了正常的法律机制,解决了公务员“能进不能出”“能上不能下”问题。对于打破过去长期存在的公务员的“铁饭碗”,保证公务员队伍的优化、精干,保持公务员队伍活力,提高机关工作效率,都具有十分积极的意义。本章规定了公务员的辞职辞退制度。公务员的辞职,就是公务员根据本人意愿,辞去所担任的职务,离开公务员队伍,解除与所在机关的任用关系的行为。为了适用目前新形势下公务员管理的需要,本章对原来的辞职制度设计有所改进,将辞职规定了既包括通常理解的辞去公职(即本法第八十条的规定),又包括担任领导职务的公务员辞去公职和自愿辞职以及领导成员的引咎辞职和责令辞职(即本法第八十二条的规定)。公务员的辞退,就是在公务员不符合机关工作要求的情况下,机关依照法律规定的条件和程序,解除与所属的公务员的任用关系的行为。本章共有七条,分别规定了辞去公职的程序和不得辞去公职的条件、担任领导职务公务员辞去领导职务、辞退公务员的条件和不得辞退公务员的情形以及辞退的程序、辞职或者辞退后的手续等。与《国家公务员暂行条例》相比较,完善了不得辞职的情形的规定,增加了领导干部辞去领导职务的规定和不得辞退公务员的情形的规定。

第八十条　公务员辞去公职,应当向任免机关提出书面申请。

任免机关应当自接到申请之日起三十日内予以审批，其中对领导成员辞去公职的申请，应当自接到申请之日起九十日内予以审批。

【释义】 本条是关于公务员辞去公职的规定。

一、辞去公职的含义和特点

所谓辞去公职，是指公务员按照自己的意愿，辞去所担任的公务员职务，解除与所在机关的任用关系的行为。也就是一般意义上讲的公务员的辞职。

公务员辞去公职，涉及以下几个方面的特点：(1)辞去公职是公务员的一项权利。劳动权是受宪法保护的每个公民的一项基本权利。从事什么职业，不从事什么职业，是公民的择业自由，是公民劳动权的当然内容。公民有权依法通过法定程序担任公务员职务，也应当有权通过法定程序不再担任公务员职务。正是因为辞去公职是公务员的一项权利，所以应当出于公务员本人的自愿，一般情况下，任何机关、团体和组织或者个人，都不能强迫公务员辞去公职。(2)辞职必须经过一定的法律程序。公民担任公务员职务必须经过法定的程序，如有的要通过公务员考试，有的要通过选举。同样，辞去公务员职务，也需要经过法定的程序。公务员作为履行公职的国家工作人员，承担了一定的管理或者服务职能，就其所处的职位而言，对国家和社会有一种责任，不能说不干就不干。因此，公务员辞去公职要有一个批准程序，未经批准，不得辞去公职，这样规定对保证公务员管理的严肃性是必要的。(3)辞去公职不是无条件、无限制的，而是附条件的、有限制的。不符合法定的条件，都不得辞去公职。(4)辞去公职是有利益保障的。公务员辞去公职后，可以享受法定的辞职待遇。如可以按照有关规定获得各种人事关系证明，可以重新通过考试担任公务员；在辞职者担任其他机关公职时，其工龄可以连续计算。

此外，在理解辞去公职时，还需要注意它与免职、辞退的区别与联系。

1. 辞去公职与免职的区别

免职是任免机关免去公务员所担任职务的行为。免职属于公务员职务的变更,与公务员的任职相对应。辞去公职与免职的区别是:(1)辞去公职是由公务员自愿、主动提出的;免职是任免机关单方面作出的,无需征得公务员本人的同意,而且公务员必须服从。(2)辞去公职通常是公务员因为个人的原因而提出;免职则需要有法定的事由,如退休退职、因健康原因不能坚持正常工作、离职学习超过一年等。(3)公务员辞去公职后,与国家机关的人事行政关系解除,不再保留公务员身份;公务员被免职后,只是职务关系发生变化,公务员身份仍保留。

2. 辞去公职与辞退的区别

公务员在辞去公职和被辞退后,就解除了与所在机关的任用关系,不再保留公务员身份。它们的区别是:(1)辞去公职是由公务员自愿提出的,是公务员的权利;辞退是由公务员所在机关解除与公务员的任用关系,是机关单方面的行为,是机关的权力。(2)原因不一样。辞去公职一般是因为公务员个人原因提出的;辞退的原因是因为公务员有在年度考核中连续两年被确定为不称职等法定事由。(3)后果不同。辞去公职享受其他法定待遇,但没有辞职费;被辞退的公务员可以领取辞退费或者根据规定享受失业保险。

二、辞去公职的程序

公务员辞去公职必须遵守提出申请和获得批准两个程序:

1. 提出书面申请

公务员辞去公职,应当向任免机关提出书面申请。辞去公职意味着公务员身份的失去,涉及公务员的切身利益,因此必须慎重。申请必须以书面形式提出,这样一方面可以使公务员审慎思考,另一方面也可以使审批机关有审批的对象,并可为以后出现纠纷处理时提供证据。根据 1995 年人事部发布的《国家公务员辞职辞退暂行规定》的要求,行政机关的公务员辞职,要向所在单位提出辞职申请,填写国家公务员辞职申请表,由所在单位提出意见,按照管理权限报任免机关。

2. 任免机关审批

对于公务员的辞职申请,任免机关必须认真审查。对于符合法定条件的,应当自接到申请之日起三十日内予以批准;不符合辞职条件的,也要在自接到申请之日起三十日内作出不予批准的决定。对领导成员辞去公职的申请,应当自接到申请之日起九十日内决定批准还是不批准。这里的领导成员,是指本法第一百零五条规定的机关的领导人员,就是一个机关的领导班子成员。《国家公务员暂行条例》笼统规定了公务员辞职的审批期限为三个月,本法规定的领导成员辞去公职的审批期限还是三个月,非领导成员辞去公职的审批期限缩短为三十天。这样规定,既体现了对领导成员辞去公职的慎重审查,又提高了对一般公务员辞去公职审批的效率,有利于保护公务员辞职权的实现。在审批期间,公务员不得擅自离职。任免机关超过期间没有答复的,视为同意该公务员辞职。

第八十一条　公务员有下列情形之一的,不得辞去公职:

(一)未满国家规定的最低服务年限的;

(二)在涉及国家秘密等特殊职位任职或者离开上述职位不满国家规定的脱密期限的;

(三)重要公务尚未处理完毕,且须由本人继续处理的;

(四)正在接受审计、纪律审查或者涉嫌犯罪,司法程序尚未终结的;

(五)法律、行政法规规定的其他不得辞去公职的情形。

【释义】　本条是关于公务员辞去公职限制性条件的规定。

一、对辞去公职作限制性规定的必要性

公务员辞去公职,通常是因为个人的原因,不愿意在机关工作，一般情况下，有关机关应当准予辞职。但是，申请辞去公职作为公务员的一项权利，在行使时必须符合法律的规定，履行法定的程序。公民进入公务员队伍后，与所在单位建立了相应的人事行政关系，享有一定的权利，承担了一定的义务，要受所在单位的人事行政关系的约束，不能随意辞职，说不干就不干。由于公务员的特殊身份和所承担的公务，公务员辞去公职要考虑所在机关正常的工作运转，要考虑国家的利益。因此，本法对公务员辞职作了限制性的规定，在国家公务员暂行条例两项限制性条件的基础上，增加了两项条件和一项兜底性的规定。

二、公务员辞去公职的限制性条件

根据本条的规定，公务员辞去公职的限制性条件是：

1. 未满国家规定的最低服务年限的

《国家公务员暂行条例》第七十一条规定，国家行政机关可以根据实际情况，规定国家公务员三至五年的最低服务年限。如人事部发布的《新录用国家公务员任职定级暂行规定》中规定，通过考试录用为国家公务员的最低服务年限为五年（含试用期）。因此，为了保证机关工作的连续性和稳定性，只有在最低服务年限届满后，公务员才能提出辞职。

2. 在涉及国家秘密等特殊职位任职或者离开上述职位不满国家规定的脱密期限的

涉及国家秘密等特殊职位任职是指公务员本职工作直接涉及国家安全和利益的秘密事项。这些在特殊职位任职的公务员，掌握着国家重要的秘密事项，辞去公职有可能会使国家利益遭受损失，因此，不允许他们在这些职位上辞去公职。在这些特殊职位上任职的公务员要辞去公职，必须离开这些特殊职位后一定时期，也就是过了国家规定的脱密期限，才可以辞去公职。离开这些特殊职位不满国家规定的解密期限的，不得辞去公职。国家秘密是指保守国家秘密法第八条规定的秘密事项。

3. 重要公务尚未处理完毕，且须由本人继续处理的

有些公务员工作的性质比较特殊，如要求专业性比较强，需要特殊知识或者技能，或者完成任务的周期比较长，工作需要有连续性等。如果从事这些工作的公务员辞去公职，别的公务员可能一时衔接不上，影响机关的正常工作，给国家造成损失。为了保证国家机关工作的稳定、正常、有序进行，避免和减少国家利益损失的发生，本法规定重要公务尚未处理完毕，且须由本人继续处理的，不得辞去公职。

4. 正在接受审计、纪律审查或者涉嫌犯罪，司法程序尚未终结的

本项不得辞去公职的规定涉及三个内容：(1)公务员正在接受审计；(2)公务员有违法违纪行为正在接受纪律审查；(3)公务员涉嫌犯罪，司法程序尚未终结。在上述三种情况下，如果公务员辞去公职，一是可能影响调查的顺利进行，二是可能逃避责任，如违法违纪，应当受到开除处分，如果该公务员辞去公职，就无法对他处以开除处分了。因此，公务员正在接受审计机关、纪检部门的审计、纪律审查或者涉嫌犯罪、司法机关的司法程序尚未终结的，不得辞去公职。

5. 法律、行政法规规定的其他不得辞职的情形

前四项列举了目前公务员不得辞去公职的情形。但这种列举可能不全面，为了防止遗漏，给弥补本规定留下立法空间，本条给法律、行政法规开了一个口子，就是说其他法律、行政法规还可以规定不得辞去公职的情形。

第八十二条　担任领导职务的公务员，因工作变动依照法律规定需要辞去现任职务的，应当履行辞职手续。

担任领导职务的公务员，因个人或者其他原因，可以自愿提出辞去领导职务。

领导成员因工作严重失误、失职造成重大损失或者恶劣社会影响的,或者对重大事故负有领导责任的,应当引咎辞去领导职务。

领导成员应引咎辞职或者因其他原因不再适合担任现任领导职务,本人不提出辞职的,应当责令其辞去领导职务。

【释义】 本条是关于担任领导职务公务员辞职的规定。

根据本法第十六条规定,公务员职务分为领导职务和非领导职务。领导职务是在各级各类机关中,具有组织、管理、决策、指挥职能的职务。担任领导职务的公务员也是公务员中的一分子,享有普通公务员的权利,也可以辞去公职。

同时,担任领导职务的公务员与普通公务员不同。担任领导职务,相应地承担了较大的责任,据此,本法规定了担任领导职务的公务员辞去领导职务的制度。建立领导干部辞去领导职务的制度,体现了权责一致的精神,是对公务员辞职制度的发展和完善,也是对我国公务员制度的发展和完善。需要说明的是,辞去领导职务与辞去公职不同,公务员辞去领导职务后,还保留公务员身份,还可能安排别的工作,还是公务员队伍中的一员。

根据本条的规定,担任领导职务的公务员辞去领导职务,可以分为以下四种:

一、因公辞职

所谓因公辞职,是指担任领导职务的公务员因工作需要变动职务,依照法律或者有关规定,向任免机关提出辞去现任领导职务。因公辞职主要适用于选任制公务员,是公务员调动和交流应履行的一种正常的法律程序,体现了公务员对选举其担任领导职务机关的负责。如《全国人民代表大会议事规则》第三十八条规定,“全国人民代表大会会议期间,全国人民代表大会常务委员会的组成人员,中华人民共和国主席、副主席,国务院的组成人员,中央军事委员会的组成人员,最高人民法院院长和最高人民检察院检察长提出辞职的，由主席团将其辞职请求交各代表团审议后，提请大会全体会议决定；大会闭会期间提出辞职的，由委员长会议将其辞职请求提请全国人民代表大会常务委员会会议审议决定。全国人民代表大会常务委员会接受全国人民代表大会常务委员会组成人员，中华人民共和国主席、副主席，国务院总理、副总理、国务委员，中央军事委员会主席，最高人民法院院长和最高人民检察院检察长辞职的，应当报请全国人民代表大会下次会议确认。”地方各级人民代表大会和地方各级人民政府组织法第二十七条规定：“县级以上的地方各级人民代表大会常务委员会组成人员和人民政府领导人员，人民法院院长，人民检察院检察长，可以向本级人民代表大会提出辞职，由大会决定是否接受辞职；大会闭会期间，可以向本级人民代表大会常务委员会提出辞职，由常务委员会决定是否接受辞职。常务委员会决定接受辞职后，报本级人民代表大会备案。人民检察院检察长的辞职，须报经上一级人民检察院检察长提请该级人民代表大会常务委员会批准。”“乡、民族乡、镇的人民代表大会主席、副主席，乡长、副乡长，镇长、副镇长，可以向本级人民代表大会提出辞职，由大会决定是否接受辞职。”政协的领导人员因公辞职，按照政协章程规定的程序办理。

二、自愿辞职

所谓自愿辞职，是指公务员因个人或者其他原因，自行提出辞去现任领导职务。这里的个人或者其他原因，一种情况可能是公务员自身的健康状况、工作或者专业志趣、人际关系状况、工作能力等原因，在这种情况下，公务员自愿辞职不带有追究责任的意思；另一种情况可能是公务员在工作作风、工作纪律、政治言论、道德、职务行为等方面有瑕疵或者过失，在这种情况下，自愿辞职也是自我追究责任的一种形式。自愿辞职与因公辞职的不同之处在于，因公辞职是公务员要调任其他公职，是出于组织上的安排。自愿辞职是公务员因个人或者其他原因而辞去领导职务。担任领导职务的公务员自愿辞职后,可以担任其他非领导职务,继续留在公务员队伍中。自愿辞职和因公辞职在程序上是一样的。如在国家机关中担任领导职务的公务员自愿辞职的,应当按照《全国人民代表大会议事规则》第三十八条或者地方各级人民代表大会和地方各级人民政府组织法第二十七条规定的程序,由同级人大及其常委会决定是否接受辞职。在党的机关担任领导职务的公务员要根据中共中央发布的《党政领导干部选拔任用工作条例》的规定,必须写出书面申请,按照公务员的管理权限报任免机关审批。任免机关应当自收到申请书之日起三个月内予以答复。

三、引咎辞职

所谓引咎辞职,是指公务员中的领导成员因工作严重失误、失职造成重大损失或者恶劣影响,或者对重大事故负有重要领导责任,不宜再担任现职,由本人主动提出辞去现任领导职务。引咎辞职只是辞去现任的领导职务,根据本法第一百零五条的规定,这里的"领导成员"是指机关的领导人员,不包括机关内设机构担任领导职务的人员。

引咎辞职制度不同于公务员因自己直接的违法违纪行为导致的带有强制性的纪律处分和法律制裁,而是在领导成员的行为尚不够纪律处分和法律制裁的情况下承担政治责任的一种形式。在国外,引咎辞职是选举产生的政治官员的一种自责行为。由选举产生的政治官员在公共政策的制定和执行中享有较大的权力和影响力,必须具有高度的政治责任感,必须对选民或者议会负责。如其工作上有失误或者失职,或者其行为在道德上有瑕疵,有负选民或者议会的信任,一般在社会舆论或者反对党的压力下,会选择辞职。在我国,引咎辞职是近几年才发展起来的一种党政领导干部承担责任的方式,2002 年中共中央在总结干部人事制度改革成果的基础上,制定了《党政领导干部选拔任用工作条例》,对领导干部引咎辞职作了规定。本法在此基础上,将引咎辞职制度法制化。

因此,引咎辞职既有政治性,又有法律性,可以说是一种政治法律责任,这是我国法律责任体系中一种新的责任制度。建立引咎辞职制度,从法律上解决了长期困扰人事管理中领导干部“能上不能下”的问题,为建立一支适合新时期任务的领导干部队伍提供了法制保障。

四、责令辞职

所谓责令辞职,是指担任领导成员应当引咎辞职或者因其他原因不再适合担任现任领导职务,本人不提出辞职,由任免机关责令其辞去领导职务。被责令辞职的情况有两种,一种是应当引咎辞职而本人不提出辞职;一种是因其他原因不再适合担任现任领导任职,本人不提出辞职。这里的其他原因也就是担任领导职务的公务员应当自愿辞职的原因。《党政领导干部选拔任用工作条例》第六十条规定:“责令辞职,是指党委(党组)及其组织(人事)部门根据党政领导干部任职期间的表现,认定其已不再适合担任现职,通过一定程序责令其辞去现任领导职务。拒不辞职的,应当免去现职。”在国家机关中担任领导成员的公务员被责令辞职,应当按照《全国人民代表大会议事规则》第三十八条或者地方各级人民代表大会和地方各级人民政府组织法第二十七条规定的程序,由同级人大及其常委会决定。在政协担任领导职务的公务员被责令辞职,应当按照政协章程的规定办理。

第八十三条　公务员有下列情形之一的,予以辞退:

(一)在年度考核中,连续两年被确定为不称职的;

(二)不胜任现职工作,又不接受其他安排的;

(三)因所在机关调整、撤销、合并或者缩减编制员额需要调整工作,本人拒绝合理安排的;

(四)不履行公务员义务,不遵守公务员纪律,经教育仍无转变,不适合继续在机关工作,又不宜给予开除处分的;

(五)旷工或者因公外出、请假期满无正当理由逾期不归连续超过十五天,或者一年内累计超过三十天的。

【释义】　本条是关于公务员辞退条件的规定。

一、建立公务员辞退制度的必要性

所谓辞退,是指国家机关或者其他具有公共职能的组织依照法律规定的条件和程序,解除与公务员的任用关系。辞退公务员是国家机关的一项权力,是国家机关单方面的行为,只要符合法定的事由,国家机关就可以按照法定程序,解除与公务员的人事行政关系,无需征得公务员本人的同意。辞退不同于开除,开除是一种行政处分,是公务员处分中最严重的一种,适用于那些严重违法违纪,严重侵犯人民群众利益、损害国家机关声誉、屡教不改的公务员。辞退虽然也是要让公务员离开公务员队伍,被辞退的公务员不再具有公务员身份,但辞退不是行政处分,辞退不具有惩戒性。此外,辞退与开除在后果上也不一样,被辞退的公务员可以领取辞退费或者享受失业保险,被开除的公务员不能享受这些待遇。

辞退是公务员的一种正常的退出机制,建立公务员的辞退制度,是对传统人事体制的重大改革。长期以来,我国公务员的入口把关不严,队伍过于庞大,公务员的素质参差不齐。建立公务员的辞退制度,实行公务员的选优汰劣,解决了公务员"能进不能出"的问题,有利于打破长期存在的公务员的"铁饭碗"制度,对提高公务员的素质,优化公务员队伍的结构,增强公务员队伍的战斗力,提高工作效率,都具有重要意义。本法总结了《国家公务员暂行条例》实施以来的经验,进一步完善了公务员的辞退制度。

二、辞退的条件

辞退条件是公务员辞退制度的一项重要内容。什么样的公务员应当被辞退,不仅关系到公务员的切身利益,还关系到公务员辞退制度是否合理。因此,科学、合理地界定辞退公务员的条件,做到宽严适度,是搞好公务员辞退工作的重要保障。根据本条规定,辞退公务员的条件是：

1. 在年度考核中，连续两年被确定为不称职的

公务员的年度考核即定期考核。根据本法的规定，定期考核的结果分为优秀、称职、基本称职和不称职四个等次。定期考核的结果作为调整公务员职务、职级、工资以及公务员奖励、培训、辞退依据。如果公务员在年度考核中，连续两年被评为不称职，说明该公务员不能很好履行公务员的义务和完成公务员的工作，就不适于继续担任公务员职务，就可以将其辞退。

2. 不胜任现职工作，又不接受其他安排的

不胜任现职工作，就是公务员不能完成本职工作。公务员能否胜任现职工作，要根据公务员的任职条件，将年度考核与平时考核结合起来，主要从该公务员的业务能力、思想水平、身体状况等方面加以考察。如确定该公务员不能胜任现职工作，一般应安排与其实际能力相适应的其他工作。公务员拒绝接受安排的，才可以予以辞退。

3. 因所在机关调整、撤销、合并或者缩减编制员额需要调整工作，本人拒绝合理安排的

机构改革是行政体制改革的内容。为了建立适合社会主义市场经济需要的行政体制，我们在进行经济体制改革的同时，也对国家机构进行不断地改革。机构改革必然涉及机关的调整、撤销、合并，涉及缩减编制员额，调整工作岗位。从保护公务员权利的角度，国家应当对因机关调整、撤销、合并涉及的公务员作出合理的安排。对公务员来说，也要以大局和国家的整体利益为重，服从合理的安排，不要挑三拣四，跟单位讨价还价。如果机关已经对公务员作了合理的安排，公务员还加以拒绝的，单位可以予以辞退。

4. 不履行公务员义务，不遵守公务员纪律，经教育仍无转变，不适合继续在机关工作，又不宜给予开除处分的

履行公务员义务，遵守公务员纪律是对公务员的基本要求。

本法第十二条规定了公务员应当履行的九项义务,第五十三条规定了公务员的十六项纪律要求。每一个公务员都应当忠实履行这些义务,严格遵守这些纪律。如果公务员不履行这些义务,或者不遵守这些纪律,经机关教育仍无转变,表明该公务员不适合在机关工作,不适合继续留在公务员队伍。如果还未达到开除的程度,不宜于给予开除处分,机关可以将其辞退。

5. 旷工或者因公外出、请假期满无正当理由逾期不归连续超过十五天,或者一年内累计超过三十天的

忠于职守,勤勉尽责是公务员的基本义务。如果公务员不忠于职守,擅自离开工作岗位,超过一定期限,机关就可以予以辞退。所谓旷工,是指公务员无正当理由,不经请假,离开工作岗位,不从事本职工作;所谓无正当理由,是指没有疾病、自然灾害、社会事故等不可抗力事由;所谓逾期,是指超过事假、年休假、探亲假、出差假等国家法定的休假期限。本法规定的期限是连续超过十五天,或者一年内累计超过三十天。

第八十四条 对有下列情形之一的公务员,不得辞退:

(一)因公致残,被确认丧失或者部分丧失工作能力的;

(二)患病或者负伤,在规定的医疗期内的;

(三)女性公务员在孕期、产假、哺乳期内的;

(四)法律、行政法规规定的其他不得辞退的情形。

【释义】 本条是关于不得辞退的情形的规定。

辞退是将不合格的公务员清理出公务员队伍,解除国家机关与公务员的任用关系。公务员被辞退后就失去了公务员身份,不再享受公务员待遇,对公务员的权利影响比较大。因此,辞退公务员需要非常慎重,不能随便辞退公务员。在国外,不得随便辞退或者解雇公务员,保持公务员职业的稳定性是文官制度的一个重要特点。国家公务员暂行条例没有规定不得辞退公务员的情形,为

了保护公务员的合法权益，保持公务员队伍的稳定性，参照劳动法第二十九条的关于用人单位不得解除劳动合同的规定，本条规定了机关不得辞退公务员的四种情形：

1. 因公致残，被确认丧失或者部分丧失工作能力的

公务员因公致残，为了工作付出了牺牲和代价，应当享受国家的特别保障，如按照规定获得抚恤金或伤残补助。如果被确认丧失或者部分丧失工作能力，所在单位也不得予以辞退。

2. 患病或者负伤，在规定的医疗期内的

这里的医疗期是指公务员患病或非因公负伤停止工作治病休养的时限。本法没有具体规定医疗期是多长，根据1994年劳动部发布的《企业职工患病或非因工负伤医疗期规定》，企业职工因患病或非因工负伤，需要停止工作医疗时，根据本人实际参加工作年限和在本单位工作年限，给予三个月到二十四个月的医疗期：实际工作年限十年以下的，在本单位工作年限五年以下的为三个月；五年以上的为六个月。实际工作年限十年以上的，在本单位工作年限五年以下的为六个月；五年以上十年以下的为九个月；十年以上十五年以下的为十二个月；十五年以上二十年以下的为十八个月；二十年以上的为二十四个月。在理解本条的医疗期时可以参照这个规定。

3. 女性公务员在孕期、产假、哺乳期内的

对妇女的特别保护是我国一贯的立法政策。为了保护妇女的劳动权益，妇女权益保障法第二十六条规定："任何单位不得以结婚、怀孕、产假、哺乳等为由，辞退女职工或者单方面解除劳动合同。"劳动法第二十九条对也作了类似的规定，体现了对非公务员身份的女职工的特殊保护。作为行使公共权力的机关，更应当在保护妇女权益中起带头作用。因此，本法规定女性公务员在孕期、产假、哺乳期内的，也不得辞退。

4. 法律、行政法规规定的其他不得辞退的情形

这是一个兜底性的条款,以防止出现新的情况或者本法的列举不全面,为以后的立法留下空间。需要注意,根据本规定,只有法律、行政法规可以增加不得辞退的情形,地方性法规和规章不得规定。

第八十五条　辞退公务员,按照管理权限决定。辞退决定应当以书面形式通知被辞退的公务员。

被辞退的公务员,可以领取辞退费或者根据国家有关规定享受失业保险。

【释义】 本条是关于公务员辞退程序和待遇的规定。

一、辞退的程序

辞退公务员是国家机关的一项权利,但处理不好,也会侵害公务员的合法权益。因此,必须严格按照法定的程序进行。

1. 由任免机关按照管理权限决定

按照《国家公务员辞职辞退暂行规定》第十一条的规定,辞退国家公务员按下列程序办理:(1)所在单位在核准事实的基础上,经领导集体研究提出建议,填写辞退国家公务员审批表,按管理权限报任免机关审批;(2)任免机关人事部门审核;(3)任免机关审批。作出辞退决定的,以书面形式通知呈报单位和被辞退的国家公务员,同时抄送同级政府人事部门备案。县级以下国家行政机关辞退国家公务员,须报经县级人民政府批准。

2. 辞退通知以书面形式送达本人

在辞退程序中,将辞退通知以书面形式送到被辞退的公务员本人是非常重要的一个环节。公务员被辞退后就失去了公务员的身份,不能享受公务员的待遇,需要让公务员知道被辞退的事实和理由,这样在他不服时可以通过行使申诉权和控告权来保护自己的合法权益。因此,书面通知本人既是公务员进行申诉控告的依据,也是辞退决定生效的条件。

二、辞退的待遇

公务员被辞退后，享受的待遇是可以领取辞退费，或者根据国家有关规定享受失业保险。被辞退的公务员应在接到辞退通知的三十日内，持有关证件到当地政府人事部门指定的有关机构登记。建立了失业保险制度的地区，可以享受失业保险；在没有建立失业保险制度的地区，可以领取辞退费。目前，辞退费的发放标准，由各省、自治区、直辖市人民政府根据“低于国家公务员办事员职务的最低工资，高于社会救济”的原则确定。一般是按照基础工资、工龄工资、职务工资、级别工资和保留补贴的80%确定。辞退费的发放期限是：被辞退的公务员工作年限不足两年的，发放三个月的辞退费；工作年限满两年的，发放四个月的辞退费；工作年限两年以上的，每增加一年增发一个月的辞退费，但最长不得超过二十四个月。公务员重新就业、参军、出境或出国定居、劳动教养或判刑的，停发辞退费。

第八十六条　公务员辞职或者被辞退，离职前应当办理公务交接手续，必要时按照规定接受审计。

【释义】　本条是公务员辞职或者被辞退前办理交接手续和接受审计的规定。

公务员辞职或者被辞退，离职前应当作好善后工作。按照《国家公务员辞职辞退暂行规定》的规定，国家公务员辞职或者被辞退，应在批准之日起半个月内，办理公务交接手续和辞职、辞退手续，必要时应接受财务审计。对拒不办理公务交接手续或不接受财务审计的，给予开除处分。

1. 办理公务交接手续

每个公务员都承担有一定的公共事务，公务员辞职或者被辞退后，离开了公务员队伍，但他所承担的公务事务还得有其他公务员来接着做。为了保持公务的连续性，保证机关工作的正常运行，公务员辞职或被辞退后，应当办理公务交接手续。如交办自己主管或者经办的各项工作，交代各项工作完成的进度，移交自己保管或使用的各种文件资料和办公用具等。在没有办结公务交接手续前，不能一走了之。

2. 接受审计

我国已建立了比较完善的审计制度，不仅有国家专门审计机关的审计，每个单位还有内部审计，审计的范围和力度在不断地扩大，对公务员的离任审计也正在日常化。因此，本法进一步规定公务员辞职或者被辞退，必要时按照规定接受审计。对于辞职或者被辞退的公务员中的主管或者经管财物的人，应当按规定进行财务审计，对其任职期间执行财务纪律的情况进行检查，以保证本单位财务开支的合法合纪。

第十四章　退　　休

公务员退休是指公务员因达到退休年龄等原因而退出工作岗位,公务员退休制度是社会保障制度的重要组成部分。建立公务员退休制度,对于维护公务员的合法权益、保证公务员队伍的新陈代谢都具有重要的意义。本章共三条,对公务员强制退休、提前退休以及退休后的待遇作了规定。

第八十七条　公务员达到国家规定的退休年龄或者完全丧失工作能力的,应当退休。

【释义】　本条是关于公务员强制退休的规定。

一、规定公务员强制退休制度的必要性

规定公务员强制退休是十分必要的。首先,这是宪法的要求。宪法第四十四条规定:“国家依照法律规定实行企业事业组织的职工和国家机关工作人员的退休制度。退休人员的生活受到国家和社会的保障。”本条的规定就是落实宪法的规定。其次,规定公务员强制退休制度有利于公务员队伍保持正常的新老交替,从而保持机关的活力和工作效率。公务员要圆满完成工作任务,不仅仅需要有相关的知识、能力和经验,还要具备充沛的精力和体力。基于人类的生理规律与社会实际,中青年时期的体力、智力、精力最为旺盛,步入老年后,身体开始衰老,工作能力也逐步减退,难以承受繁重的工作负担。因此,使年老体弱、已不能适应工作需要的人员退出工作岗位,吸收年轻的人才进入公务员队伍,有利于保持正常的新老交替,保证机关工作的高效率,保证国家公务可以得到准确、及时的执行。

二、公务员强制退休的条件

所谓退休,是指企业事业组织的职工和机关工作人员达到一定年龄时,退出原来的生产和工作岗位,并按照规定领取一定的退休金。所谓公务员强制退休,是指公务员在达到国家规定的退休年龄或者完全丧失工作能力的,予以强制退休。

按照公务员法的规定,公务员强制退休的条件有:

(一)达到国家规定的退休年龄的。我国对公务员的退休年龄的规定有一个发展演变的过程。1978 年经全国人大常委会原则同意,国务院颁布的《关于安置老弱病残干部的暂行办法》规定,党政机关、群众团体、企业、事业单位的干部,男年满六十周岁,女年满五十五周岁,参加革命工作年限满十年的,可以退休。1978 年中组部、劳动人事部《关于女干部离休退休年龄问题的通知》规定,在党政机关、群众团体、事业单位工作,年满五十五周岁的处(县)级女干部,确因工作需要,一时尚无适当接替人选,且身体能坚持正常工作的,根据本人自愿,经所在单位审查同意,报任免机关批准,其离休、退休年龄可适当推迟。1982 年中共中央《关于建立老干部退休制度的决定》规定,担任中央、国家机关部长、副部长,省、市、自治区党委第一书记、书记,省政府省长、副省长,以及省、市、自治区纪律检查委员会和法院、检察院主要负责干部的,正职一般不超过六十五岁,副职一般不超过六十岁,担任司局长一级的干部,一般不超过六十岁。个别虽已达到离休退休年龄,但因工作确实需要,身体又可以坚持正常工作的干部,经过组织批准,也可以在一定时间内暂不离休退休,继续担任领导职务。1993 年国务院制定的《国家公务员暂行条例》基本沿用了《关于安置老弱病残干部的暂行办法》的规定,即男性六十岁退休,女性五十五岁退休。公务员法没有对公务员退休年龄作明确的规定,继续沿用原有的相关规定执行。

（二）完全丧失工作能力的。公务员在完全丧失工作能力时，应当退休。所谓完全丧失工作能力，是指因病或意外事故，人的生理或者心理受到极大的损害，无法从事正常工作的状况。公务员如果完全丧失了工作能力，就应当退休，进行休养和康复。在这里，公务员完全丧失工作能力的退休体现了机关对公务员的爱护和关怀。需要指出的是，《国家公务员暂行条例》规定，公务员“丧失工作能力的”，应当退休。公务员法对此作了改变。这意味着，公务员如果只是部分丧失了工作能力，而不是完全丧失了工作能力，就不应该退休。对于这种情况，机关单位应当根据公务员丧失部分工作能力后的生理与心理状况，给予安排适当的职位以解决其工作问题。

目前国家还没有制定一个完善、统一的完全丧失工作能力的标准。参照2002年4月劳动和社会保障部颁布的《职工非因工伤残或因病丧失劳动能力程度鉴定标准（试行）》，完全丧失工作能力的情形包括：

1. 各种中枢神经系统疾病或周围神经肌肉疾病等，经治疗后遗有下列情况之一者：（1）单肢瘫，肌力2级以下（含2级）；（2）两肢或三肢瘫，肌力3级以下（含3级）；（3）双手或双足全肌瘫，肌力2级以下（含2级）；（4）完全性（感觉性或混合性）失语；（5）非肢体瘫的中度运动障碍。

2. 长期重度呼吸困难。

3. 心功能长期在Ⅲ级以上。左室疾患左室射血分数≤50%。

4. 恶性室性心动过速经治疗无效。

5. 各种难以治愈的严重贫血，经治疗后血红蛋白长期低于6克/分升以下（含6克/分升）者。

6. 全胃切除或全结肠切除或小肠切除3/4。

7. 慢性重度肝功能损害。

8. 不可逆转的慢性肾功能衰竭期。

9. 各种代谢性或内分泌疾病、结缔组织疾病或自身免疫性疾病所导致心、脑、肾、肺、肝等一个以上主要脏器严重合并症，功能不全失代偿期。

10. 各种恶性肿瘤（含血液肿瘤）经综合治疗、放疗、化疗无效或术后复发。

11. 一眼有光感或无光感，另眼矫正视力 <0.2 或视野半径≤20 度。

12. 双眼矫正视力 <0.1 或视野半径≤20 度。

13. 慢性器质性精神障碍，经系统治疗 2 年仍有下述症状之一，并严重影响职业功能者：痴呆（中度智能减退）；持续或经常出现的妄想和幻觉，持续或经常出现的情绪不稳定以及不能自控的冲动攻击行为。

14. 精神分裂症，经系统治疗 5 年仍不能恢复正常者；偏执性精神障碍，妄想牢固，持续 5 年仍不能缓解，严重影响职业功能者。

15. 难治性的情感障碍，经系统治疗 5 年仍不能恢复正常，男性年龄 50 岁以上（含 50 岁），女性 45 岁以上（含 45 岁），严重影响职业功能者。

16. 具有明显强迫型人格发病基础的难治性强迫障碍，经系统治疗 5 年无效，严重影响职业功能者。

17. 符合《职工工伤与职业病致残程度鉴定》标准 1 至 4 级者。

第八十八条　公务员符合下列条件之一的，本人自愿提出申请，经任免机关批准，可以提前退休：

（一）工作年限满三十年的；

（二）距国家规定的退休年龄不足五年，且工作年限满二十年的；

（三）符合国家规定的可以提前退休的其他情形的。

【释义】 本条是关于公务员提前退休的规定。

提前退休是指公务员达到一般退休年龄以前,符合规定的提前退休条件时,可以自愿申请退出工作岗位,享受退休待遇。建立自愿提前退休制度,一方面有利于鼓励公务员提前退休,以增加公务员队伍的活力,保持公务员队伍的精干;另一方面也照顾了一些公务员希望提前退休的愿望和需要,为他们提供了选择的机会。因此,世界上许多国家均建立了自愿提前退休制度。

按照我国公务员法的规定,公务员提前退休的条件有:第一,工作年限满三十年的。这是指公务员在国家机关工作的第一年到提出退休的那一年止,公务员一共在机关至少工作了三十年整。第二,距国家规定的退休年龄不足五年,且工作年限满二十年的。按照有关规定,男性公务员一般在五十五岁以上,并且在机关至少工作二十年整的可以提前退休;女性公务员一般在五十岁以上,并且在机关工作至少二十年整的可以提前退休。第三,符合国家规定的可以提前退休的其他情形的。这种情况一般是指特殊岗位的公务员,由于其岗位特殊的工作条件,为保护其健康,国家允许其提前退休。例如,从事核试验、野外作业以及工作过程中会涉及有毒有害物质的公务员,可以按照规定,提前退休。这有利于保护这类公务员的身体健康。

按照我国公务员法的规定,公务员提前退休的程序有:首先,符合条件的公务员自愿提出申请。公务员自愿提出申请是提前退休的启动程序,只有符合条件的公务员自愿提出了退休申请才能够让其提前退休。否则,就算公务员符合提前退休的条件,任何个人、单位都不得令其退休。其次,任免机关批准其提前退休。任免机关在接到公务员提出提前退休的申请后,应当审查该公务员是否符合提前退休的条件,不符合提前退休的条件的,不予批准;如果该公务员符合提前退休的条件,就应当批准。

第八十九条 公务员退休后，享受国家规定的退休金和其他待遇，国家为其生活和健康提供必要的服务和帮助，鼓励发挥个人专长，参与社会发展。

【释义】 本条是关于公务员退休待遇的规定。

一、公务员退休后享受国家规定的待遇

公务员退休的待遇，是指公务员退休后依法应享受的权利，主要是指经济待遇，即退休者应享受的退休金和其他生活福利补贴。退休金是公务员退休后享受的主要经济待遇。国外公务员退休金的标准一般根据退休前工资基数和工龄长短计算，大多是按月或按年发放，少数为一次性发放。退休金的筹集方式则可分为两大类：一类是分担筹款制，即退休金由政府与公务员共同筹措，采用这种方式的有美国、日本等。例如，美国联邦政府公务员的退休金来源于四个渠道：一是公务员每月交纳工资的7%作为退休基金；二是公务员所服务的政府机关交纳与公务员相同的基金数额；三是政府拨专款；四是以上三项基金的利息。另一类是政府筹款制，即退休金全部由政府筹集，所需款额列入国家财政预算支出，公务员任职期间无须定期交付退休基金。英国、法国等采用这种方式。我国公务员退休金的筹集方式属于第二类，即由国家财政拨款支付，公务员在任职期间不需交纳。我国公务员退休金的计算方法通常为退休前的标准月工资乘以一定的百分比。百分比的高低则根据工龄的长短来确定。退休金实行按月发放，其最低额应能维持社会一般生活水平，最高额则不应超过现任职同职级公务员的工资。除退休金外，公务员退休后，还可享受政府提供的其他福利待遇，其中一部分是在职时所享受的，退休后继续予以保留，一部分是国家为退休人员专门设置的，主要包括公费医疗、寒暑补贴、车旅费、丧葬补助、供养直系亲属的抚恤费等。

我国公务员法第七十七条第一款规定："国家建立公务员保险制度，保障公务员在退休、患病、工伤、生育、失业等情况下获得帮助和补偿。”第七十九条规定:“公务员工资、福利、保险、退休金以及录用、培训、奖励、辞退等所需经费,应当列入财政预算,予以保障。”根据我国公务员法的规定,公务员的退休待遇属于公务员的福利保险权。同时,公务员退休所需经费,由国家财政予以保障。国家在制定财政预算时,应当将公务员的退休待遇所需经费列入其中。机关对于公务员的退休待遇预算资金,应专款专用,不得挪用。

二、公务员退休后的活动

公务员在退休后,可以发挥个人专长,参与社会发展,继续为社会与国家作出应有的贡献。充分调动众多老年公务员的积极性及其他各方面的积极因素,可以为我国改革开放与社会主义现代化事业提供力量支持。随着生活水平的提高和医疗条件的改善,目前许多已届退休年龄的人员健康状况良好,精力充沛,但由于国家实行公务员强制退休制度,达到退休年龄的公务员必须执行退休制度,按时退休。在退休人员中,有一些长期担任领导职务,具有较高的政策理论和组织管理能力;有一些学有所长,又长期从事某方面的工作,成为某些领域的专家;还有一些具有某些特殊的才能。发挥这些退休人员的长处,既可以使其老有所为,又可以满足一些企业、组织的需求。

需要指出的是,公务员退休后的活动应当遵守法律特别是公务员法的规定。我国公务员法第一百零二条第一款规定:“公务员辞去公职或者退休的,原系领导成员的公务员在离职三年内,其他公务员在离职两年内,不得到与原工作业务直接相关的企业或者其他营利性组织任职,不得从事与原工作业务直接相关的营利性活动。”这表明,原系领导成员的公务员在退休后三年内,其他公务员在退休后两年内,不得到与原工作业务直接相关的企业或者其他营利性组织任职,不得从事与原工作业务直接相关的营利性活动。这种规定,有利于预防腐败的发生。如果不对公务员退休后的活动领域与方式进行规范，公务员就可能在退休后，利用其原有的身份与人际关系影响国家的正常、公正的决策。同时，公务员法第一百零二条第二款规定："公务员辞去公职或者退休后有违反前款规定行为的，由其原所在机关的同级公务员主管部门责令限期改正；逾期不改正的，由县级以上工商行政管理部门没收该人员从业期间的违法所得，责令接收单位将该人员予以清退，并根据情节轻重，对接收单位处以被处罚人员违法所得一倍以上五倍以下的罚款。"

第十五章 申 诉 控 告

本章是关于公务员申诉控告制度方面的规定。公务员的申诉控告制度，不仅是公务员制度的有机组成部分，而且也是整个社会主义民主政治和法制建设的重要内容。建立和完善公务员申诉和控告制度，对维护公务员合法权益，促使各机关及其公务员依法办事，具有重要意义。

第九十条 公务员对涉及本人的下列人事处理不服的，可以自知道该人事处理之日起三十日内向原处理机关申请复核；对复核结果不服的，可以自接到复核决定之日起十五日内，按照规定向同级公务员主管部门或者作出该人事处理的机关的上一级机关提出申诉；也可以不经复核，自知道该人事处理之日起三十日内直接提出申诉：

（一）处分；

（二）辞退或者取消录用；

（三）降职；

（四）定期考核定为不称职；

（五）免职；

（六）申请辞职、提前退休未予批准；

（七）未按规定确定或者扣减工资、福利、保险待遇；

（八）法律、法规规定可以申诉的其他情形。

对省级以下机关作出的申诉处理决定不服的，可以向作出处理决定的上一级机关提出再申诉。

行政机关公务员对处分不服向行政监察机关申诉的，按照《中华人民共和国行政监察法》的规定办理。

【释义】 本条是关于公务员不服机关人事处理决定而申请救济的规定。

一、公务员申诉制度的涵义

公务员申诉制度是关于公务员对涉及本人的人事处理决定不服，有权向原处理机关申请复核，或向同级公务员主管部门或者人事处理决定机关的上级机关申诉理由，要求重新处理；受理机关必须按照有关规定作出处理的制度。

公务员的人事处理决定是指公务员的管理机关对公务员的违纪行为，或尚未构成犯罪的一般违法行为进行的精神处罚、物质处罚和职务处罚等方面的处理决定。精神处罚是使公务员声誉受损的处罚，主要有通报批评、警告、记过、记大过等形式。物质处罚是使公务员经济利益受损的处罚，主要有减薪、停薪、不加薪或取消某种津贴等形式。职务处罚是使公务员名誉、地位、物质各方面都受损的处罚，主要有降级、撤职、开除等形式。

对公务员的人事处理决定，不论是非因法定事由和非经法定程序作出的，还是因法定事由和经法定程序作出的，公务员只要不服，都有申诉的权利，处理决定机关也有受理的责任。因为即使原处理决定机关的人事处理决定是根据法定事由和按法定程序作出的，也不是最终决定。公务员如有不服，仍可以依法申诉。

二、公务员有权提出复核和申诉的范围

1. 处分。本法规定的处分有警告、记过、记大过、降级、撤职、开除等六种。公务员对本人的处分决定不服的，可以申请复核和申诉。

2. 辞退或者取消录用。辞退是机关依法解除与公务员任用关系的行为。公务员有下列五种情形之一的，用人机关可以予以辞退：(1)在年度考核中，连续两年被确定为不称职的；(2)不胜任现职工作,又不接受其他安排的;(3)因所在机关调整、撤销、合并或者缩减编制名额需要调整工作,本人拒绝合理安排的;(4)不履行公务员义务,不遵守公务员纪律,经教育仍无转变,不适合继续在机关工作,又不宜给予开除处分的;(5)旷工或者因公外出、请假期满无正当理由逾期不归连续超过十五天,或者一年内累计超过三十天的。

新录用的公务员,试用期为一年,试用期满合格的予以任职,不合格的取消录用。新公务员被取消录用资格的,也可以提出复核或申诉。辞退和取消录用都是解除公务员与机关的任用关系。

3. 降职。降职就是降低公务员的职务。本法规定,公务员在定期考核中被确定为不称职的,按照规定程序降低一个职务层次任职。

4. 定期考核定为不称职。公务员的考核分为平时考核和定期考核。定期考核采取年度考核的方式,定期考核的结果分为优秀、称职、基本称职和不称职。由于定期考核的结果是调整公务员职务、级别、工资等的依据。如果被评为不称职,就会影响公务员的职务、级别、工资的晋升,连续两年被评为不称职,就可以被辞退,对公务员的权利影响较大。

5. 免职。免职就是免除公务员担任的现任职务,包括两种情形:一种是正常的免职,如公务员转换职位任职、调离原工作岗位等,都需要办理免职手续。还有一种免职是因公务员的过错或不当而免职,如不胜任工作、工作失误等。公务员对免职提出复核或申诉,一般是就后一种情形进行的。

6. 申请辞职、提前退休未予批准的。辞职就是公务员因个人原因主动辞去公职。除法定不得辞退或提前退休的情形外,任免机关应当准许公务员辞职或者提前退休,因为这是公务员选择职业的自由。如果任免机关不批准公务员辞职或不按规定批准公务员提前退休,公务员就可以提出复核申请或向上级机关申诉。

7. 未按规定确定或者扣减工资、福利、保险待遇。工资、福利和保险待遇是国家为公务员提供的物质生活保障，任何机关不得违反国家规定自行更改公务员工资福利保险政策，擅自提高或者降低公务员的工资、福利、保险待遇。任何机关不得扣减、拖欠公务员的工资。

8. 法律、法规规定可以申诉的其他情形。这项是指本法以外的其他法律、法规规定的公务员可以申诉的其他情形。

三、公务员申诉的程序

公务员申诉一般包括三个程序，即复核程序、申诉程序和再申诉程序。

1. 复核程序。复核程序是公务员对涉及本人的人事处理决定不服，向原处理机关陈述理由，并请求重新处理的行为。原处理机关应当及时进行复核。

申请复核的期限是从公务员知道或者可以知道该人事处理之日起三十日内。起算日是自该公务员接到人事处理决定之日起的次日，最后一日是法定节假日或休息日的，则可以顺延至法定节假日或休息日后的第一个工作日。申请复核是一个可选择的救济程序，公务员可以不经复核，直接提出申诉。

2. 申诉程序。申诉程序即公务员向原处理机关的同级公务员主管部门或者作出该人事处理的机关的上一级机关或者行政监察机关提出申诉的程序。公务员提出申诉应符合以下规定：(1)申诉人。在正常情况下，被处理的公务员本人才能成为依法提出申诉的申诉人。正常情况是指公务员本人不仅具有申诉的权利能力，也具有申诉的行为能力。也就是说公务员能以自己的行为行使申诉的有关权利和履行申诉的有关义务。在特殊情况下，申诉人的资格可以由近亲属继承或代理。这包括两种情况：一是有申诉权的公务员死亡，其近亲属可以继承申诉权。二是有申诉权的公务员发生了无行为能力或限制行为能力的情况，其近亲属可以代理申诉权。(2)申诉形式。申诉形式一般应采用书面形式,这能够较好地、详尽地表达申诉人的意见和要求,也有利于申诉的受理机关清楚、准确地了解情况。(3)申诉要求。申诉人必须明确表达申诉的理由,申诉请求,并且能够提出明确的事实根据。(4)申诉期限。经过复核后,对复核结果不服的,申诉的时限是自接到复核决定之日起十五日内;不经复核直接提起申诉的期限是自知道该人事处理决定之日起三十日内。

3. 再申诉程序。公务员对第一次申诉的结果不服,还可以再向上一级机关提出再申诉,再申诉决定为终局决定。但是,两次申诉是有条件的,公务员对省级以下机关作出的申诉处理决定不服的,才可以向作出申诉决定的机关的上一级机关提出再申诉。但对省级机关如省政府、国务院组成部门等机关作出的申诉决定不服的,不能再申诉。

四、向监察机关提出申诉的程序

监察机关是人民政府行使监察职能的机关,依照行政监察法对国家行政机关、国家公务员和国家行政机关任命的其他人员实施监察。

监察机关受理申诉的程序也是再申诉程序。向监察机关提出申诉的主体,仅限于行政机关的公务员。其他机关的公务员,人大、法院、检察院等机关的公务员则不能向行政监察机关提出申诉。因为,监察机关的对象限于行政机关及其公务员。各级行政机关公务员对涉及本人的人事处理决定不服的,除按照本条第一款规定的程序寻求救济外,还可以向监察机关提出申诉。行政监察法第三十七条规定,国家公务员和国家行政机关任命的其他人员对主管行政机关作出的行政处分决定不服的,可以自收到行政处分决定之日起三十日内向监察机关提出申诉,监察机关应当自收到申诉之日起三十日内作出复查决定;对复查决定仍不服的,可以自收到复查决定之日起三十日内向上一级监察机关申请复核,上一级监察机关应当自收到复核申请之日起六十日内作出复核决定。

第九十一条　原处理机关应当自接到复核申请书后的三十日内作出复核决定。受理公务员申诉的机关应当自受理之日起六十日内作出处理决定；案情复杂的，可以适当延长，但是延长时间不得超过三十日。

复核、申诉期间不停止人事处理的执行。

【释义】　本条是关于作出复核、申诉决定的期限的规定。

一、作出复核、申诉决定的期限

1. 复核决定作出的期限。公务员对涉及本人的人事处理决定不服，向原处理机关申请复核的，原处理机关应当自接到复核申请书后的三十日内作出复核决定。

2. 申诉决定作出的期限。公务员对人事处理决定不服，无论是对复核提出申诉，还是不服人事处理决定直接提出申诉，受理申诉的机关都应当自受理之日起六十日内作出处理决定；案情复杂的，可以适当延长，但是延长时间不得超过三十日。

二、复核、申诉期间不停止人事处理决定的执行

公务员对涉及本人的人事处理决定不服提出复核或者申诉的，复核和申诉期间，原处理决定依然有效，有关机关和公务员本人都必须执行。

复核和申诉期间，不停止对公务员处理决定的执行。这样规定的考虑有两点：一是因为机关对公务员作出的人事处理决定具有约束力。人事处理决定机关是根据授权对公务员行使管理和监督权，其作出的决定具有约束力，非经授权的机关或者监察机关依法复核决定，任何人不得改变原决定。二是因为对于公务员的管理具有连续性和稳定性的特点。为了保证国家机器的正常运行和对公务员的正常管理，处理机关的原决定应与有关机关和监察机

关的复核决定相衔接,否则就会导致管理和监督工作的混乱,干扰正常的工作秩序和效率。因此,只有在有关机关和监察机关作出复核决定后,对公务员的原处理决定才能停止执行。

第九十二条　公务员申诉的受理机关审查认定人事处理有错误的,原处理机关应当及时予以纠正。

【释义】　本条是关于申诉受理机关处理原则的规定。

对于公务员的申诉,上级机关对原机关的原处理决定和复核决定经过再复核后,必须按照“全错全纠,部分错部分纠,不错不纠”的原则,实事求是地作出维持、变更和撤销的处理决定。

1. 维持原决定。原决定如果事实清楚,证据充分,适用法律法规得当,结论准确,符合法定的权限和程序,受理机关应维持原决定。

2. 变更原决定。原决定如果事实清楚,证据充分,只是适用法律法规不当,有失偏颇或者有违反法定程序的情形,在这种情况下,受理机关可以建议原处理机关变更原决定,也可以直接作出处理决定。

3. 撤销原决定。原决定如果事实不清楚,证据不充分,或者适用法律法规有错误,在这种情况下,受理机关可以撤销原决定,发回原处理机关重新审查。

对于申诉受理机关复核的法律效力,行政监察法第四十一条明确规定,上一级监察机关的复核决定和国务院监察机关的复查决定或者复审决定为最终决定。

第九十三条　公务员认为机关及其领导人员侵犯其合法权益的,可以依法向上级机关或者有关的专门机关提出控告。受理控告的机关应当按照规定及时处理。

【释义】　本条是关于公务员享有控告权的规定。

控告是指合法权益受到国家机关及其工作人员的违法侵害的公民，向有关国家机关指控、告发、请求保护、要求惩处违法者的一种行为。控告权是我国宪法赋予公民的一项政治权利。公务员法规定的公务员的控告权是这一宪法权利的具体化。

一、公务员控告制度的涵义

公务员控告制度是关于公务员对于机关及其领导人侵害其合法权益的行为、向上级机关或者有关专门机关提出控告；受理机关必须按照有关规定作出处理的制度。

公务员的合法权益是指法律赋予公务员的权利和利益，包括公务权益和个人权益两大类。公务权益即与公务员公务活动有关的权益，主要有执行公务保障权和公务身份保障权。前者是指公务员有权获得履行职责的权力和工作条件，如排除妨害权、公款公物使用权、了解国家机密权等。后者是指非因法定事由和非经法定程序，公务员不应受到人事处分。个人权益即与公务员个人生活和学习有关的权益。主要有三种权益：政治生活权，即公务员参与国家政治活动，表达个人意愿和见解的民主权利，如出版权、批评建议权、申诉控告权、信仰自由权等。但这种权利与一般公民相比，有一定的限制，如不得参加反对国家的游行、集会和示威的活动。经济保障权，即公务员在物质生活待遇方面享有的权益，如获得劳动报酬权、享受福利保险权、享受法定休假权、按规定辞职择业权等。素质发展权，即公务员追求开发自身潜能、优化个人德才的权益，如政治理论学习权、业务知识培训权等。另外，还有宪法和法律规定的其他权益。

公务员的合法权益都是由法律确立，并受法律保护的。和其他公民的权益一样，也是不可侵害的。当公务员的合法权益遭到机关及其领导人的践踏和剥夺时，公务员有权控告；国家也应依法予以恢复和补偿其权益，并依法惩处违法侵权者。

公务员具有公务员和公民双重身份。公务员并非每时每刻都在代表国家执行公务，他们还以个人的名义从事职务以外的活动。这便决定了公务员的控告具有双重性。而这里的控告主要是指公务员对侵犯其公务员身份权益而进行的控告，其处理按公务员法办理。另外，如有其他侵害公务员作为自然人的权益的行为，公务员则可根据情况，分别依照宪法、刑法、民法、经济法、行政法等去申诉控告。

二、公务员申诉、控告的区别

1. 申诉和控告的对象不同。申诉所针对的是公务员的人事处理机关对公务员作出的人事处理决定。控告所针对的则是机关及其领导人侵害公务员合法权益的行为。

2. 申诉人和控告人自身的情况不同。申诉人自身涉嫌违法违纪，需要受到人事处理，但个人认为处理是不公正或有误。控告人一般没有违法违纪行为，其合法权益不应受到侵害，但由于种种原因而被侵害了。

3. 申诉和控告对象不同。申诉一般是先请求原处理机关复核，原处理机关如果不予复核或公务员对复核决定仍不服，再向同级公务员主管部门或上级机关申诉。控告则可直达上级机关或专门机关。

4. 申诉和控告被受理后的处理不同。申诉被受理后，有关机关一般只作书面审理和处理决定。控告被有关机关受理后，有关机关则要立案调查，并区别违法侵权行为的不同情节予以处理。对违法不犯罪的行为人可直接作出处理决定；对违法犯罪需判刑的行为人，要移送司法机关依法给予制裁。

三、受理控告的机关应当按照规定及时处理

为了保护公务员的合法权益，纠正违法违纪行为，本法规定受理控告的机关应当按照规定及时处理公务员的控告。上级行政机关或专门机关对公务员控告的处理程序大致分为受理控告、立案调查和案件处理三个步骤。

1. 受理控告。受理控告是指控告人提出控告后,上级或者专门机关经过对控告书和有关证据的审查,认为符合控告条件,决定立案的活动。审查控告书和证据的四个条件是控告人是否具有资格;被控告人是否明确;控告事实是否清楚;控告请求是否具体。如果上述内容有遗漏,受理机关可以限期让控告人予以补正。如果不符合以上条件,受理机关应驳回控告,并说明理由。如果符合以上条件,受理机关则应受理控告,并确定立案调查。

受理机关确定立案调查后,应立即书面通知双方当事人。同时必须维护当事人的合法权利,对控告人的情况应当保密,不准将控告材料转给被控告人,也不得歧视、刁难和压制控告人。

2. 立案调查。立案调查是指上级或专门机关对控告人控告的违法侵权案件,经过一定的立案程序后进行的查证活动。其目的在于查清事实,收集证据,为严肃、慎重、准确地追究被控告人的责任奠定基础。

3. 案件处理。受理控告的机关对公务员提出的控告立案调查后,应当区分不同情况作出处理决定,并将处理决定以书面形式送达控告人、被控告机关、被控告人和控告人所在机关。根据有关规定作出处理决定的时限为六个月,最长不超过一年。有关机关和人员在接到处理决定后,应当在规定的期限内执行,并将执行情况通报给作出处理决定的机关。

对于立案调查的案件,经调查认定违法违纪事实不存在,或者不需要追究行政责任的,应予以撤销,并告知被调查部门的上级机关或者被调查人员的所在单位。重要案件的撤销,应当报本级领导机关和上一级专门机关。

第九十四条　公务员提出申诉、控告,不得捏造事实,诬告、陷害他人。

【释义】 本条是关于不得利用申诉、控告进行诬告、陷害他人的规定。

法律明确规定了公务员有申诉和控告的权利,但任何一个公务员在行使自己权利的同时,不得妨碍其他公民的权利和自由,即公务员提出申诉和控告,不得捏造事实,诬告、陷害他人,否则要承担相应的法律责任。

认定公务员的申诉、控告是否属于诬告、陷害他人,可以从四个方面进行判断:第一,是否有捏造事实的行为;第二,是否根据捏造的事实提出申诉、控告;第三,是否有特定的诬告、陷害对象;第四,是否有主观故意。只有这四个条件同时具备,才可认定是否构成诬告、陷害。根据《国家公务员申诉控告暂行规定》规定,公务员在申诉、控告中捏造事实、弄虚作假、诬陷他人的,国家行政机关要根据情节轻重,给予批评或行政处分;触犯刑法的,要依法追究刑事责任;给国家和他人造成经济损失的,要承担经济赔偿损失责任;给他人造成名誉损害的,要负责恢复名誉、公开赔礼道歉、挽回影响。

第十六章　职 位 聘 任

职位聘任是机关通过合同选拔、任用公务员的一种人事管理制度。与选任制、委任制相比，职位聘任具有引入市场机制、开放灵活的特点，近一二十年来，国外公务员管理越来越多地采用聘任制。公务员法专章规定职位聘任，是对我国公务员制度的发展和创新。在机关内，部分职位实行聘任制，具有非常重要的理论意义和实践意义。一是实行聘任制可以满足机关的用人需求。随着国际国内环境的变化发展，我国公共管理事务日益复杂，专业性不断增强，一些职位需要特殊技能、经验或资历，而具有特殊技能、经验或资历的人才，机关短时间内难以培养出来，有的也不可能通过机关自身培养，只能采取措施从机关以外引进；如果从机关外引进这些人才时仍采取通常做法，一方面难以吸引他们，另一方面即使引进来，也难以留住。对这些职位实行聘任制，可以满足公共管理对高技术、新技术人才的需要。二是实行聘任制可以降低机关用人成本。对于一些社会通用性较强的事务性、辅助性工作，机关可以随时从社会上直接招聘适当人员来做，没必要经过严格的考试录用和长期培养，从而进一步降低了机关用人成本。三是实行聘任制可以健全用人机制，增强公务员队伍的生机和活力。党的十六大提出，要努力形成广纳群贤、人尽其才、能上能下、充满活力的用人机制。委任制的一个弊端就是管理缺乏弹性，国外推行聘任制的主要目的也在于解决委任制活力不足的问题。当前，我国公务员任用方式单一，机制不活，机关中"大材小用""小材大用"现象同时存在。把聘任制作为公务员任用的补充形式，可以拓宽选人、用人的渠道，吸引多样化的优秀人才，改善公务员队伍结构，保持机关与全社会各类人才的合理交流，体现公开、平等、竞争、择优原则，有利于提高公务员队伍的整体素质。本章共六条，分别对职位聘任的范围、程序、聘任合同、人事争议仲裁制度等作了规定，奠定了职位聘任制度的基础。

第九十五条　机关根据工作需要，经省级以上公务员主管部门批准，可以对专业性较强的职位和辅助性职位实行聘任制。

前款所列职位涉及国家秘密的，不实行聘任制。

【释义】　本条是关于聘任制适用范围的规定。

一、职位聘任的范围

根据本条的规定，我国聘任制的范围，主要包括下列两方面职位：（一）专业性较强的职位。这些职位包括领导职位，也包括非领导职位。中共中央印发的《党政领导干部选拔任用工作条例》第四十条规定："党政机关部分专业性较强的领导职务实行聘任制。"这些职位有两个特点，一是对专业技术知识的要求很高，二是机关急需紧缺的人才。主要集中在金融、财会、法律、信息技术等方面，这部分专业技术工作社会通用性、专业性都比较强。从事这些技术工作的人员，人才市场上比较紧缺，机关需要并且必须增强吸引这些人才的竞争力。（二）辅助性职位。这部分事务性强的辅助性职位，在机关工作中处于辅助、从属地位，如普通文秘、书记员、资料管理、文件分发、数据录入等方面的职位。

二、涉及国家秘密的职位，不得实行职位聘任

本条还规定涉及国家秘密的专业性较强的职位和辅助性职位不实行聘任制。主要考虑是在涉及国家秘密的职位上工作，需要较高的政治素质，需要较长时间的培养和考察，通过聘任难以找到合适人选。根据保守国家秘密法的规定，国家秘密是关系国家的安全和利益，依照法定程序确定，在一定时间内只限一定范围的人

员知悉的事项。这包括:(一)国家事务的重大决策中的秘密事项;(二)国防建设和武装力量活动中的秘密事项;(三)外交和外事活动中的秘密事项以及对外承担保密义务的事项;(四)国民经济和社会发展中的秘密事项;(五)科学技术中的秘密事项;(六)维护国家安全活动和追查刑事犯罪中的秘密事项;(七)其他经国家保密工作部门确定应当保守的国家秘密事项。保密法还规定,任用经管国家秘密事项的专职人员,应当按照国家保密工作部门和人事主管部门的规定予以审查批准。经管国家秘密事项的专职人员出境,应当经过批准任命的机关批准;国务院有关主管机关认为出境后将对国家安全造成危害或者对国家利益造成重大损失的,不得批准出境。

三、实行聘任的职位应经公务员主管部门批准

专业性较强的职位和辅助性职位,是否实行聘任制,机关和公务员主管部门具有一定的灵活选择的余地和空间。机关和公务员主管部门可以根据实际工作需要,确定这些职位是否实行聘任制。

本条还规定,实行聘任制应当经过省级以上公务员主管部门批准。"省级以上公务员主管部门"包括本法规定的中央公务员主管部门和省、自治区、直辖市公务员主管部门。

第九十六条　机关聘任公务员可以参照公务员考试录用的程序进行公开招聘,也可以从符合条件的人员中直接选聘。

机关聘任公务员应当在规定的编制限额和工资经费限额内进行。

【释义】 本条是关于机关聘任公务员方式和条件的规定。

一、聘任方式

根据本条规定,机关聘任公务员可以采取两种方法:一种是公开招聘的方法,另一种是直接选聘的方法。

公开招聘的方法参照公务员考试录用的程序进行。录用公务员的程序主要有:(一)发布招考公告。招考公告应当载明招考的

职位、名额、报考资格条件、报考需要提交的申请材料以及其他报考须知事项。（二）招录机关根据报考资格条件对报考申请进行审查。报考者提交的申请材料应当真实、准确。（三）进行考试。公务员录用考试采取笔试和面试的方式进行，考试内容根据公务员应当具备的基本能力和不同职位类别分别设置。（四）招录机关根据考试成绩确定考察人选，并对其进行报考资格复审、考察和体检。体检的项目和标准根据职位要求确定。（五）招录机关根据考试成绩、考察情况和体检结果，提出拟录用人员名单，并予以公示。公示期满，中央一级招录机关将拟录用人员名单报中央公务员主管部门备案；地方各级招录机关将拟录用人员名单报省级或者设区的市级公务员主管部门审批。公开招聘聘任制公务员的主要做法是：首先由招聘机关通过报纸、刊物、电视、广播或者互联网等媒体公开发布招聘公告，说明招聘职位的性质、责任、待遇，对应聘人员的资历、学历和年龄等方面的要求以及招聘手续。其次，应聘人员应向招聘机关提交申请书，同时还应提交个人简历、毕业证书、学位证书、科研成果、工作成绩等材料。第三，招聘聘任制公务员可以举行公开考试，也可以不举行公开考试，只审核应聘人员的资历和学历，并通过面谈，对应聘人员进行考核。第四，招聘机关审查应聘人员的条件、考核或考试成绩，然后再确定聘任人员。最后，被聘任公务员，要同聘任机关签订合同，经双方或者公证机关认定，产生法律效力，聘任关系由此形成。

直接选聘的方法是与符合条件的人员直接签订聘任合同。与公开招聘方法的不同，在于直接选聘不发布公告、不接受社会广大应聘人员的申请，直接对符合条件的人员进行考核，审查其条件，如学历、资历或者经验等，然后确定是否聘任。直接选聘的人选，一般通过机关自己有所储备、有关组织或人员推荐、个人自荐等方式产生。直接选聘的方法简便易行，程序简单，但选人视野窄小，缺乏客观标准，又容易受到人为因素的影响，因此，应当加强对直接选聘方法的监督管理。

二、聘任公务员应当遵循的要求

聘任公务员的前提条件，一是编制限额，二是工资经费限制。机关编制和工资经费的多少，都是通过法定标准和程序来确定的。每一个机关都有确定的编制限额和工资经费限额，非经法定程序不得变更。各机关都不得超出规定的编制限额和工资经费限额任用人员，实际上，超出编制限额和工资经费限额任用人员，也得不到国家的承认和财政的保障。因此聘任公务员只能在规定的编制限额和工资经费限额内进行。

第九十七条　机关聘任公务员，应当按照平等自愿、协商一致的原则，签订书面的聘任合同，确定机关与所聘公务员双方的权利、义务。聘任合同经双方协商一致可以变更或者解除。

聘任合同的签订、变更或者解除，应当报同级公务员主管部门备案。

【释义】　本条是关于机关聘任公务员应当签订聘任合同的规定。

本条规定了以下几个方面的内容：

一是明确了签订聘任合同的主体是机关与公务员。这里的公务员应当是符合本法规定条件的公务员，包括一般条件和所聘职位的特殊条件。明确了签订聘任合同的是公务员，就排除了那些机关以其他合同形式聘请的人员，如政府雇员或者兼职顾问等。这里的机关是指实行公务员制度的机关。

二是明确了签订聘任合同的原则是平等自愿、协商一致。所谓平等，是指聘任合同当事人双方在签订聘任合同时的法律地位是平等的。当事人双方都以平等的身份订立聘任合同。所谓自愿，是指聘任合同当事人双方，完全出于自己的意愿而签订合同，决不允许任何一方采取强迫、威胁的手段，将自己的意志强加于对方;也不允许第三方进行非法干预。所谓协商一致,是指双方当事人进行充分平等协商,在双方意思表示完全达成一致的基础上,签订聘任合同。

三是明确了签订聘任合同的方式。根据本条第一款规定,聘任合同应当是书面形式的。这是因为聘任合同的期限比较长,为避免或减少争议,必须以书面形式确定双方的权利和义务。这样,既便于监督检查,也便于发生纠纷时,能有据可查,避免空口无凭,无法确认。签订书面合同有利于合同的履行和保护当事人双方的合法权益。因此,机关聘任公务员必须依法签订书面合同。

四是明确了签订聘任合同的目标是确定机关与所聘公务员双方的权利、义务。根据本法规定和聘任约定,机关与公务员都分别享有相应权利,应各自履行相应义务。具体而言,根据本法规定和合同约定,公务员参加机关工作,成为该机关的一员,承担某一职位的工作,并遵守机关工作纪律和其他规章制度,按质按量地完成工作任务;机关则负责分配合同中约定的工作,提供相应的工作条件和工资保险福利待遇。

五是明确了聘任合同既可以签订,也可以变更或解除。变更是机关与所聘公务员权利、义务的变化,如同签订新的聘任合同。解除是指当事人双方提前终止聘任合同的履行,即终止双方的权利和义务关系。聘任合同依法订立后,双方当事人必须履行聘任合同规定的义务,但在发生特殊情况导致履行合同不可能,或者会招致一方或双方利益的损害时,可以依法变更或者解除聘任合同。本条规定聘任合同经双方当事人协商一致可以变更或者解除。根据这一规定,当事人一方要求变更或者解除聘任合同,应事先向对方提出要求,经过双方协商一致,同意变更或者解除聘任合同,聘任合同才可以变更或者解除。但是,如果对方不同意,经协商未达成协议,聘任合同就不能变更或者解除。如果单方擅自变更或者解除聘任合同,其变更或者解除合同的行为无效,不受法律保护。

机关对因变更或者解除合同而受损害的公务员，应依照国家有关法律规定给予经济补偿。

本条第二款规定聘任合同的签订、变更或者解除，应当报同级公务员主管部门备案。目的是为了稳步推行聘任制，防止一哄而上、过乱过滥现象，影响整个制度的实施，从而偏离实行聘任制的目的。因此，必须加强对实行聘任制的管理。

第九十八条　聘任合同应当具备合同期限，职位及其职责要求，工资、福利、保险待遇，违约责任等条款。

聘任合同期限为一年至五年。聘任合同可以约定试用期，试用期为一个月至六个月。

聘任制公务员按照国家规定实行协议工资制，具体办法由中央公务员主管部门规定。

【释义】 本条是关于聘任合同内容的规定。

聘任合同的内容，是指合同当事人双方经过协商所达成的关于权利和义务及其他事项的约定。关于聘任合同的具体内容，根据本条规定，应包括两方面：一是必备条款，二是协商条款。必备条款是指本条明确规定的，当事人双方必须约定的条款，其具体内容包括：

（一）聘任合同期限。聘任合同的期限，是指合同当事人双方协商确定合同起始和终止的时间。这是双方当事人相互享有权利，履行义务的时间界限。劳动法对劳动合同规定了三种期限：一是有固定期限。即明确规定合同的有效期。二是无固定期限。即合同有效期无明确规定。这种期限主要根据单位生产或工作的特殊性，由专业技术和保密性来决定某些行业或工种适合签订无固定期限或到退休为止的合同。三是以完成一定的工作为期限。这是指由工作性质决定，必须以工作任务完成为期限。例如，建筑业、铁路、桥梁、公路、水上建筑等工作多采取这种期限形式。根据本条第二款规定，聘任合同采取有固定期限，聘任合同期限为一年至五年。具体合同期限确定为几年，由公务员和机关协商确定。

（二）职位及其职责要求。这是聘任合同的最重要的内容。聘任合同要明确职位的名称，工作性质及相应的职务；要明确该职位所直接隶属的最小行政单位；要明确该职位承担的具体工作任务。职责要求是指公务员在工作中的工作权限和责任。没有职位及其职责要求的具体约定，公务员的权利和义务就处于不明确状态，无法履行合同。

（三）工资、福利、保险待遇。工资是指公务员以其知识和技能为国家提供服务后，机关按照事先约定的标准，以货币形式支付的劳动报酬。聘任制公务员的工资，按照本条第三款的规定，实行协议工资制，由公务员与机关通过协商，达成一致意见后确定。具体办法由中央公务员主管部门规定。福利是指机关为解决公务员生活方面的共同需要和特殊需要，对公务员在经济上的帮助和生活上照顾的制度。保险，主要是社会保险，是国家对因生育、年老、疾病、伤残和死亡等原因，暂时或永久丧失劳动能力的公务员给予必要的物质帮助的一种保障制度。聘任制公务员作为公务员集体的一部分，应当享受相应的公务员福利、保险待遇。聘任制公务员的工资、福利、保险待遇必须符合国家法律、法规、政策的规定。

（四）违反聘任合同的责任。违反聘任合同的责任是指聘任合同的一方或双方当事人由于其主观过错造成合同不能履行或不能适当履行时必须承担的法律责任。责任种类分为民事责任、行政责任和刑事责任。

除了本条第一款所列必备条款外，还应当有一些必备条款，包括：

1. 工作条件。工作条件是指机关按照国家规定为公务员履行职责提供的条件。如办公场所、办公用品、工作流程、辅助设施等。对一些特殊的职位，还应当约定劳动保护的措施，机关应当依据国家法律法规要求，为公务员在工作中提供安全和健康保障。这一条款与公务员的工作、安全和健康息息相关，必须具体实在，否则难以保护公务员的合法权益。

2. 工作纪律。工作纪律是指公务员在机关工作过程中必须遵守的规则和秩序。包括工作时间纪律，办事规则，专业技术要求，保密纪律等等。机关制订的内部工作规则是工作纪律的组成部分，当然机关工作纪律必须符合法律、法规的规定方能生效。

3. 聘任合同终止的条件。聘任合同的终止是指聘任合同双方当事人在聘任合同中约定的期限已到或者当事人约定的终止条件出现，合同立即终止。因此，除因合同期满外，聘任合同双方当事人可以约定终止条件，结束双方权利、义务关系，这样可以确保合同履行有实际意义，同时也有利于解决人事争议。聘任合同的终止必须符合法定的或约定的条件。当发生下列情况之一时，聘任合同即告终止：(1)聘任合同当事人在签订合同时规定的合同期限已满，合同立即终止履行。(2)聘任合同当事人在合同中约定的终止合同的条件出现，合同终止执行。(3)聘任合同当事人协商一致，达成协议，同意解除聘任关系，聘任合同终止。(4)用人单位依法规定的解除聘任合同的条件出现或者裁减人员而解除合同的，聘任合同终止履行。(5)公务员辞聘或者允许公务员解除聘任合同的条件出现，聘任合同即行终止。(6)公务员死亡或伤残，公务员退休引起聘任合同的提前终止。(7)经公务员主管部门或人民法院确认聘任合同无效而终止履行。终止聘任合同是一项法律行为，必须依法办理必要的手续，任何一方擅自终止聘任合同或非法终止聘任合同都应承担违约责任。

聘任合同除必备条款外，当事人可以协商约定其他内容。协商条款，是指当事人双方在协商一致的基础上认为需要规定的其他内容，如约定试用期等有关事项。协商条款也是聘任合同内容的一个组成部分。

聘任合同的试用期就是在订立聘任合同的时候，规定一定时间的试用期限，为一个月至六个月。机关可以根据公务员在这一阶段的表现，进一步考查被聘人员的情况，看其是否与所担任的工作相称，如发现不符合条件或不胜任工作的，机关可以解除聘任合同，经过试用期符合条件的，可以正式聘任。另一方面，公务员可以在试用期内考察机关所承诺的条件是否符合实际情况，自己从事的工作是否与自己的兴趣、爱好、特长相符合，如不愿继续工作，也可以提出解除聘任合同。总之，在试用期内双方享有平等的权利，都有权解除聘任合同。本条第二款规定的聘任合同试用期限，最长不得超过六个月，关于具体期限，可以由双方协商，依据机关和公务员的具体情况，可长可短。

第九十九条　机关依据本法和聘任合同对所聘公务员进行管理。

【释义】 本条是关于聘任制公务员的管理的规定。

一、聘任制公务员须依据本法进行管理

公务员法的主体内容是对委任制公务员管理予以规范，而聘任制公务员的管理一方面具有自身的特点，另一方面也有与委任制公务员管理相同的地方。

（一）聘任制与委任制的相同点。公务员管理的一般原则和制度精神也适用于聘任制公务员的管理。聘任制公务员的管理与委任制公务员的管理都坚持党的基本路线、坚持干部“四化”方针，坚持德才兼备、任人唯贤的用人标准，坚持党管干部的原则，坚持公开、平等、竞争、择优。聘任制公务员与委任制公务员都执行相同的职务和级别，都要在国家核定的行政编制和职数限额内录用、任职或者聘任，都执行相同的奖励与纪律规定，都有权对侵犯其合法权益的行为提出控告等。

（二）聘任制与委任制的不同点。聘任制公务员主要依据合同管理，聘任合同的内容包括聘任期限、职位及其职责、工资福利保险待遇、违约责任以及合同变更、解除、终止的条件等。一些管理环节上也有不同。如机关聘任公务员具有较大的灵活性，只要满足机关工作需要，就可聘任。聘任公务员的程序一般灵活、简便，既可以采取公开招聘的方式，也可以直接选聘。只要双方达成一致意见，就可签订聘任合同。聘任制公务员不适用“降级”“撤职”“开除”等行政处分，如严重违反工作纪律或用人机关规章制度的；或者严重失职，营私舞弊，对用人单位利益和名誉造成重大损害的；或者被依法追究刑事责任的，都予以解除合同。聘任制公务员在聘任期间，没有职务晋升的问题，但可以按照聘任合同的约定，定期增长工资和其他福利待遇。聘任制公务员按合同辞聘、解聘，等等。

需要特别指出的是，实行聘任制需要在编制部门核定的编制和规定的职数范围内进行，并要求划出单独的编制，因此需要现行编制管理制度作相应调整。

二、聘任制公务员须依据聘任合同进行管理

这里的聘任合同，必须是遵守法律、法规的原则订立的聘任合同，不能违反法律、法规签订聘任合同。所谓合法的聘任合同，包括三方面内容：

（一）主体资格合法。聘任合同当事人一方公务员，必须具备法定条件。本法规定，公务员应当具备下列条件：一是具有中华人民共和国国籍；二是年满十八周岁；三是拥护中华人民共和国宪法；四是具有良好的品行；五是具有正常履行职责的身体条件；六是具有符合职位要求的文化程度和工作能力；七是法律规定的其他条件。同时，对于曾因犯罪受过刑事处罚的，或者曾被开除公职的，以及有法律规定不得录用为公务员的其他情形的人员，机关不能聘任。违反规定，聘任合同一律无效。

（二）合同内容合法。本法规定，聘任合同应当以书面形式订立,并具备必备条款。因此,口头合同不符合法律要求,聘任合同一律采用书面形式。合同内容应当包括聘任合同期限、职位及其职责要求、工资福利保险、违反聘任合同的责任等。

(三)签订程序合法。也就是说,要遵守订立聘任合同的程序和原则。聘任合同应送公务员主管部门备案,以便监督检查聘任合同内容的真实性和合法性。

第一百条　国家建立人事争议仲裁制度。

人事争议仲裁应当根据合法、公正、及时处理的原则,依法维护争议双方的合法权益。

人事争议仲裁委员会根据需要设立。人事争议仲裁委员会由公务员主管部门的代表、聘用机关的代表、聘任制公务员的代表以及法律专家组成。

聘任制公务员与所在机关之间因履行聘任合同发生争议的,可以自争议发生之日起六十日内向人事争议仲裁委员会申请仲裁。当事人对仲裁裁决不服的,可以自接到仲裁裁决书之日起十五日内向人民法院提起诉讼。仲裁裁决生效后,一方当事人不履行的,另一方当事人可以申请人民法院执行。

【释义】　本条是关于人事争议仲裁制度的规定。

一、人事争议仲裁制度

聘任争议的处理是职位聘任中的一个重要问题。聘任争议是一种合同争议,通过人事争议仲裁方式予以解决是比较妥当的。同时,在机关用人制度中引入仲裁制度,一方面可以促进机关的依法管理工作;另一方面,个人对裁决不服的可以向人民法院起诉,也有利于充分保障聘任制公务员的合法权益。

仲裁是一种在世界范围内被广泛采用的解决争议的有效方式。从字义上解释,“仲”表示地位居中,“裁”表示衡量、判断,“仲裁”即居中公断之意。“仲裁”的英文为 arbitration,又称公断,表示由第三方在双方之间进行裁断。仲裁指争议双方在争议发生前或争议发生后达成协议,自愿将争议交给第三者作出裁决,双方有义务执行的一种解决争议的方法。根据这一定义可归纳出仲裁的基本特征:

(一)提交仲裁以双方当事人自愿为前提。仲裁必须具有三方活动主体,即仲裁双方当事人及仲裁人。仲裁人的行为以双方当事人自愿为基础,当事人一方或双方不同意提交仲裁,则第三方仲裁人不能进行裁断。

(二)仲裁的客体是当事人之间发生的一定范围的争议。可仲裁的争议的范围不仅取决于当事人的意愿,而且取决于法律或者法律惯例,大体包括经济纠纷、海事纠纷、劳动纠纷、人事争议等。

(三)裁决具有强制性。当事人一旦选择用仲裁方式解决其争议,仲裁人所作的裁决即具有法律效力,对双方当事人都有拘束力,当事人应当履行,否则权利人可以向人民法院申请强制执行。

与解决争议的其他方式相比,尤其是与诉讼相比,仲裁赋予当事人以更多的自由,具有极大的灵活性和便利性。当事人有权选择仲裁员、有权协议约定仲裁程序,在涉外仲裁中,可以选择仲裁所适用的实体法等。所以,仲裁能够得到当事人的信任,可以避免诉讼中的繁琐程序,可以不公开审理从而保守当事人的商业秘密,可以及时处理争议同时节省费用,可以减少当事人之间的感情冲突从而防止影响日后正常的商业交往等等。这些优点都是其他解决纠纷的方式特别是诉讼所不具有的。正因为如此,仲裁越来越成为受欢迎的解决争议的良好方式。

仲裁因其优点被适用于许多领域和不同方面。在一国之内,仲裁既适用于解决民商事纠纷,也适用于解决劳动纠纷和其他行政纠纷;在国际上,仲裁适用于解决国际商事纠纷,也适用于解决国家之间的争端。由于适用于不同的领域和方面,加之各国国情不同，在仲裁的立法和实践上存在着许多差异，有些甚至是实质差异。在我国，据统计，有十五个法律、八十多个行政法规、二百三十多个地方性法规对仲裁作了规定，主要涉及的领域有对外经济贸易纠纷、海事纠纷、劳动争议、经济纠纷、农业承包合同纠纷、房地产纠纷、消费纠纷等。国内各仲裁机构依据有关法律、法规，解决了大量纠纷，有效地维护了社会法律、经济秩序，保护了当事人的合法权益，同时，培养了一批有较高业务素质的仲裁人员。

二、人事争议仲裁的原则

人事争议仲裁首先要合法。仲裁的自主特征导致了法学理论对仲裁的依据，即仲裁是否须依法裁决的分歧，进而导致制度上的不同安排。例如，德国和日本在法律上对仲裁员是否必须依据法律作出裁决未作明确规定，但两国可请求撤销的裁决都未包括实体法律上有错误的裁决，据此可以推断，仲裁员不必一定按照法律规定作出裁决，仲裁员可以按照商业习惯、诚信原则或者正义原则作出决定。但仲裁员所作的裁决不能违反公共秩序。在学理上，德国学者普遍认为，在仲裁协议无规定的情形下，仲裁员应当适用法律。我国仲裁法规定，仲裁应当根据事实，符合法律规定，公平合理地解决纠纷。本条第二款规定，人事争议仲裁要坚持合法、公正、及时处理的原则，这种规定，既考虑到了我国仲裁的现实情况，又有利于维护当事人的合法权益，同时也照顾到了仲裁的特点。

三、人事争议仲裁机构

人事争议仲裁由人事争议仲裁委员会处理。人事争议仲裁委员会由公务员主管部门的代表、机关代表和聘任制公务员代表以及法律专家组成。仲裁委员会处理案件实行仲裁庭、仲裁员制度。仲裁委员会组成的公务员主管机关、用人机关、聘任制公务员三方代表的原则，体现了仲裁委员会构成的广泛性，可以保证仲裁工作的客观公正。至于办案实行仲裁庭、仲裁员制度，则是仲裁案件的通行制度。

四、人事争议仲裁的时限和裁决的执行

聘任制公务员与所在机关之间因履行聘任合同发生争议的，可以自争议发生之日起六十日内向人事争议仲裁委员会申请仲裁。如果超过六十日，仲裁委员会可以不受理。仲裁委员会受理后，对案件作出裁决，当事人应当履行。当事人对仲裁裁决不服的，可以自接到仲裁裁决书之日起十五日内向人民法院提起诉讼。仲裁裁决生效后，一方当事人不履行的，另一方当事人可以申请人民法院执行。

第十七章　法 律 责 任

法律责任是指公民、法人或其他组织实施违法行为所必须承担的法律后果，即因违法行为而在法律上受到的相应制裁。法律责任从性质上说可分为三种：行政责任（包括行政处分和行政处罚）、民事责任和刑事责任。从具体承担方式上划分，法律责任又可分为人身责任、财产责任、行为责任等。为保障法律规定的公务员制度得到切实执行，公务员法专设一章，对法律责任问题作出了明确的规定。本章共四条，分别对公务员管理中的各种违法情形及处罚、公务员辞去公职或者退休后的从业限制及对违反从业限制行为的制裁、机关因错误的具体人事处理对公务员应当承担的法律责任以及公务员主管部门的工作人员违反本法规定的责任作出了规定。

第一百零一条　对有下列违反本法规定情形的，由县级以上领导机关或者公务员主管部门按照管理权限，区别不同情况，分别予以责令纠正或者宣布无效；对负有责任的领导人员和直接责任人员，根据情节轻重，给予批评教育或者处分；构成犯罪的，依法追究刑事责任：

（一）不按编制限额、职数或者任职资格条件进行公务员录用、调任、转任、聘任和晋升的；

（二）不按规定条件进行公务员奖惩、回避和办理退休的；

（三）不按规定程序进行公务员录用、调任、转任、聘任、晋升、竞争上岗、公开选拔以及考核、奖惩的；

(四)违反国家规定,更改公务员工资、福利、保险待遇标准的;

(五)在录用、竞争上岗、公开选拔中发生泄露试题、违反考场纪律以及其他严重影响公开、公正的;

(六)不按规定受理和处理公务员申诉、控告的;

(七)违反本法规定的其他情形的。

【释义】 本条是对公务员管理中的违法情形及处罚的规定。

一、违反本法规定的情形

(一)不按编制限额、职数或者任职资格条件进行公务员录用、调任、转任、聘任和晋升的

编制管理是公务员管理的重要内容。所谓“编制限额”,就是“编制限定的员额”;“职数限额”,就是“职务配备的员额”。我国国家机关贯彻“精简、效能”的原则,每一公务员机关都要根据确定的职能、机构和编制,明确不同机关公务员的编制限额以及领导职务和非领导职务配备的员额。编制员额一经确定,便具有法律效力,此后公务员的录用、调任、转任、聘任和晋升,必须在编制限定的员额内进行,不得擅自突破。但是在现实中一些机关还存在超编制、超职数配备干部的情形,因人设职、因人设事,造成机构臃肿和队伍膨胀。公务员法明确规定对违反编制、职数规定超额配备人员行为依法追究责任,目的在于进一步加强编制管理,遵循精简、统一、高效的原则,适应国家政治、经济、社会发展的需要。

国家实行公务员职位分类制度,对每一职位都有相应的任职资格要求,为了保证公务员队伍的素质,防止不正之风,真正实现公务员队伍的优化、精干,公务员的录用、调任、转任、聘任、晋升等都必须符合相应资格条件的要求。

(二)不按规定条件进行公务员奖惩、回避和办理退休的

法治原则是公务员管理的一项基本原则,它要求机关在公务员管理中必须依法定的权限、法定的实体规范和法定程序办事,否

则即构成对法治原则的违反。公务员法中的实体规范,包括公务员的权利义务及法律规定的享受权利、履行义务所应具备的条件。根据这一原则,公务员主管机关和各用人机关应当按照法定的条件对公务员进行奖惩、启动回避和办理退休手续。本法第四十九条规定了对公务员个人或者集体应予奖励的十种情形。第五十三条规定了公务员的十六种违反纪律情形。第六十八条、六十九条规定了公务员应予回避的情形。第八十七条和第八十八条规定了公务员办理退休或提前退休需要具备的年龄、身体以及工作年限等条件。机关在掌握条件时,既不能故意提高标准,也不能放宽标准,应当严格依照法律的规定。机关在公务员这些工作中违反了上述有关规定,就构成实体上的违法,必须承担相应的法律责任。

(三)不按规定程序进行公务员录用、调任、转任、聘任、晋升、竞争上岗、公开选拔以及考核、奖惩的

所谓"规定程序",是指机关在公务员管理活动中所应遵循的法定的方式、顺序、时限等规范。公务员法对公务员录用、调任、转任、聘任、晋升、竞争上岗、公开选拔以及考核、奖惩等不仅规定了实体性内容,而且还规定了有关程序。从某种意义上来说,法定程序是特定权利义务的实现过程,它对于权利义务的实现具有重要意义。法治原则不仅要求机关要严格按照实体规则办事,同时也不得违反程序规则。机关在公务员管理中必须按照法律规定的方式、顺序和时限办事。如违反法律规定有关规定,就构成了程序违法行为,应承担相应的法律责任。

(四)违反国家规定,更改公务员工资、保险、福利待遇标准的

新中国成立以后相当长的时间,我国对国家机关工作人员的工资和保险福利待遇的变更问题缺乏明确的法律规定,有的地方出现了随意变更退休金标准、拖欠工资、滥发奖金津贴的情形,甚至个别机关将擅自增加或扣减工资及保险福利待遇作为左右单位工作人员的一种手段。依法获得劳动报酬和享受保险、福利待遇,

是公务员的一项基本权利，是按劳分配的重要体现，这一权利的实现，必须受到法律保障。各级公务员机关变更公务员的工资、养老保险金及其他保险、福利待遇标准，必须严格按照国家有关工资、保险、福利等方面的法律、法规和政策执行。为此，公务员法第七十八条规定，任何机关不得违反国家规定自行更改公务员工资、福利、保险政策，擅自提高或者降低公务员的工资、福利、保险待遇。任何机关不得扣减或者拖欠公务员的工资。同时，公务员法明确规定了违反法律规定的责任。这对于切实保障公务员的经济权利不受非法侵害，保障国家工资、保险福利政策的统一性和严肃性，保障公务员的合法权益具有重要意义。

（五）在录用、竞争上岗、公开选拔中发生泄露试题、违反考场纪律以及其他严重影响公开、公正的

宪法规定，公民在“法律面前一律平等”。在公务员管理方面，应当坚持公开、公正、择优的原则，这就要求机关及其工作人员应当办事公道，不徇私情，平等对待不同身份、民族或者性别的公民。公务员法规定，在录用、竞争上岗和公开选拔中，采取考试的方式，其核心价值即在于公平、平等、竞争、择优。从某种意义上说，公务员制度之所以被认为是先进的人事制度，就在于其选拔人才的方式抛开了血缘、门第、出身等先天性因素，而将知识、能力、业绩等因素作为选拔录用的基本标准。如果在考试的过程中出现泄露试题、违反考场纪律或者事先内定人选等弄虚作假、徇私舞弊的行为，就难以把好公务员队伍的入口，难以保证公务员的素质，同时也将严重影响机关的声誉，严重影响公开、公正的原则。因此必须从制度上对在考试中舞弊者进行严惩。

（六）不按规定受理和处理公务员申诉、控告的

申诉控告权是法律赋予公务员的权利，目的就是使公务员在合法权益受到侵犯时有获得救济的途径和渠道。根据我国行政诉讼法的规定，机关对公务员的人事处理属于内部行政行为，公务员

不服的，不得向法院提起行政诉讼。因此，申诉控告权是公务员保障自身合法权益的重要权利。本法第九十条、九十二条和第九十三条对公务员提出申诉控告的范围、期限和程序作出了规定。对于公务员提出的符合法律规定情形的申诉、控告，公务员主管机关或者作出人事处理的机关的上一级机关应当按照法律规定的期限和程序予以受理。如果上述机关不按规定受理的，县级以上领导机关应当予以纠正，责令有关机关予以受理，并追究有关机关及其工作人员的责任。

（七）违反本法规定的其他情形的

除了上述几种外，还有一些其他的违反公务员法的情形，公务员法专门规定了一项，对“违反本法规定的其他情形”的应该追究相应的法律责任，作为兜底条款，为追究违反公务员法的其他相关情形提供法律责任依据。

二、违法行为主体及对违法行为负有监管责任的主体

1. 可能的违法主体。既包括公务员主管机关及其工作人员，也包括各个用人单位（机关）及其工作人员，还包括其他主管部门，例如，违反国家规定，更改公务员工资、福利、保险待遇标准的机关，可以是财政主管部门。

2. 监督主体。根据本条的规定，对违法行为负有监管责任的主体，包括县级以上领导机关和公务员主管部门。公务员主管机关是公务员管理事务的主管部门，当然对违法行为负有监管责任。但如果公务员主管机关本身违法，县级以上领导机关即对其负有监管的责任。这里的“县级以上领导机关”是指公务员主管部门所属的机关，包括县级以上党委、人民政府等。

三、对违反本法的行为应当承担的法律责任

本条对上述违法行为规定的承担法律责任的形式是行政责任和刑事责任。行政责任包括行政处罚和行政处分。本条规定的行政责任为行政处分。

在出现上述违法行为后，县级以上领导机关或者公务员主管部门负有两个职责：第一，要区别不同情况，对违法行为分别予以责令纠正或者宣布无效。例如，对违反国家规定，更改公务员工资、福利、保险待遇标准的，应当责令有关机关予以纠正。对不按规定的不按编制限额、职数或者任职资格条件录用公务员的，机关应当宣布录用无效，并撤销已被录用的人员的公务员身份，已被录用的人员不享有公务员的权利。第二，对负有责任的领导人员和直接责任人员，根据情节轻重，给予批评教育或者处分。处分适用于机关内部，是上级对有隶属关系的下级违反纪律的行为或者是尚未构成犯罪的轻微违法行为给予的纪律制裁。

如果违法行为情节严重，已构成犯罪的，应当依据刑法追究负有责任的领导人员和直接责任人员的刑事责任。刑法的有关规定包括刑法第二百五十四条、第三百九十七条和第四百一十八条。刑法第二百五十四条规定："国家机关工作人员滥用职权、假公济私，对控告人、申诉人、批评人、举报人实行报复陷害的，处二年以下有期徒刑或者拘役；情节严重的，处二年以上七年以下有期徒刑。"刑法第三百九十七条规定："国家机关工作人员滥用职权或者玩忽职守，致使公共财产、国家和人民利益遭受重大损失的，处三年以下有期徒刑或者拘役；情节特别严重的，处三年以上七年以下有期徒刑。本法另有规定的，依照规定。"刑法第四百一十八条规定："国家机关工作人员在招收公务员、学生工作中徇私舞弊，情节严重的，处三年以下有期徒刑或者拘役。"

第一百零二条　公务员辞去公职或者退休的，原系领导成员的公务员在离职三年内，其他公务员在离职两年内，不得到与原工作业务直接相关的企业或者其他营利性组织任职，不得从事与原工作业务直接相关的营利性活动。

公务员辞去公职或者退休后有违反前款规定行为的，由其原

所在机关的同级公务员主管部门责令限期改正；逾期不改正的，由县级以上工商行政管理部门没收该人员从业期间的违法所得，责令接收单位将该人员予以清退，并根据情节轻重，对接收单位处以被处罚人员违法所得一倍以上五倍以下的罚款。

【释义】 本条是对公务员辞去公职或者退休后的从业限制及对违反本法规定行为的制裁。

一、本条规定的立法目的

公务员在职期间掌握一定的公权力，对隶属的单位具有一定的影响。这种权力的惯性和影响力一经形成就具有相对的稳定性和渗透性，即便在公务员本人离开公务员机关后的一段时间内仍具有不可低估的影响作用。近年来，有的公务员在位时为企业在土地划拨、项目审批、协调融资等方面谋利，不要即时利益，等从领导岗位上退下来后坐享企业“反哺”。这种权力期权化，具有一定隐蔽性和欺骗性，但本质上仍是利用公权力为他人不正当谋利，都损害了公平、公正的原则，违反了公务员廉洁的义务，也破坏了市场经济公平竞争的秩序。为了加强公务员机关的廉政建设，防止公务员以权谋私，法律不仅要对公务员在职期间的行为加以严格约束，而且还必须对公务员离职后的行为作出一定的限制。

对此，国外一些公务员法有相关的立法例，如日本国家公务员法第一百零九条规定：公务员离职两年以内，不得到其离职前五年间任职的、与人事院规则规定的国家机关或特定独立行政法人有密切关系的私营企业任职，违者将处一年以下徒刑或三万日元以下罚款。韩国公务员伦理法规定，凡由总统令所确定的有关政府职员，自退职日起的两年内，不得到与其退职前两年间曾工作过的部门有密切业务关系、并具有一定规模的以营利为目的的私人企业就业。

我国的法官法和检察官法针对法官、检察官的职业特点，也有相关的规定。如法官法第十七条前两款规定：“法官从人民法院离任后二年内,不得以律师身份担任诉讼代理人或者辩护人。”“法官从人民法院离任后,不得担任原任职法院办理案件的诉讼代理人或者辩护人。”检察官法第二十条前两款规定:“检察官从人民检察院离任后二年内,不得以律师身份担任诉讼代理人或者辩护人。”“检察官从人民检察院离任后,不得担任原任职检察院办理案件的诉讼代理人或者辩护人。”

二、本条规定的适用

1. 适用对象

根据本条规定,公务员辞去公职或者退休的,其离职后的从业活动须受到一定的限制。对于公务员因其他情形,如被辞退、被开除而离职的,本法未作规定。这主要是考虑到被辞退和被开除的人员,已经失去了良好的个人声誉,其离职后即使到与其原工作业务直接相关的营利性组织任职或者从事营利性活动,也难以在其原所在机关“发挥作用”,因此本法未作规定。

2. 适用时间

根据本法的规定,公务员辞去公职或者退休的,原系领导成员的公务员在离职三年内,其他公务员在离职两年内,其从业活动受到限制。超过法律规定期限的,公务员的从业不再受到限制。

3. 适用的行为

根据本条的规定,公务员辞去公职或者退休的,在规定的期限内,不得到与原工作业务直接相关的企业或者其他营利性组织任职,不得从事与原工作业务直接相关的营利性活动。

这里需要注意以下几个问题:

第一,如果公务员离职后从业,但并非在与原工作业务直接相关的领域内,则无论其从事的是否为营利性活动,均没有从业的限制。

第二,如果公务员离职后从事学术研究活动,或者在非营利性组织中任职从事公益活动,尽管其中有经营性活动,即使从事的活动与其原工作业务直接相关,也不在限制的范围之内。本条中的营利性组织或营利性活动是指以营利为目的组织或活动。在非营利性组织或公益活动中,也可能有经营性行为,但其收益最后是用为公益事业的,因此不属于营利性的。例如,某慈善团体为了筹集慈善资金,在法律允许的范围进行投资及经营活动,期间该慈善团体有时会以经营者的形象出现,但由于其将获得的收益仍用于慈善事业,该慈善团体即不属营利性组织。

第三,如何理解"与原工作业务直接相关",如何把握"相关"的程度?应当说,公务员法规定的这一标准是一个具有主观性和抽象性的标准。这是因为,公务员法是一个框架性的法律,而各个机关的职能、业务范围和管理权限各不相同,因此,本法中难以对何谓"与原工作业务直接相关"作出具体规定。事实上,从国外的一些立法例来看,有关的标准也是具有主观色彩的。例如,前述日本国家公务员法和韩国公务员伦理法均使用了"密切关系"的概念,而何为密切关系,也需要进行解释。在执行本条规定时,一方面各个机关应当就本机关公务员离职后不得到哪些营利性组织任职或者从事哪些活动制定有关的规范,报经公务员主管部门后,作为公务员离职后从业活动的指引。另一方面,公务员离职后,在规定的期限内从业,应当履行谨慎注意的义务,即如拟从业的活动与原来的工作有关,并可能引致其他人合理怀疑的,可以就此向其原机关或公务员主管部门事先征询意见。

三、对违反本条规定行为的制裁

对于公务员辞去公职或者退休后的情况,其原所在机关应当做好了解和相关的跟进、调查工作。如果发现其有上述违反本法规定的情形,应当及时向其同级公务员主管部门反映情况。公务员主管部门有权责令离职公务员改正其违法行为。

公务员辞去公职或者退休后违反规定从业的,本法授权工商行政管理部门对于有上述违法行为的人员,给予罚款的行政处罚,即没收其从业期间的全部收入。这里的违法所得,是指离职公务员违反本法规定,在营利性组织中任职所获得的报酬,或者从事营利性活动所获得的收入。对于接收单位,工商行政管理部门有权责令其将离职公务员予以清退,并根据情节轻重处以被处罚人员违法所得一倍以上五倍以下的罚款。

第一百零三条 机关因错误的具体人事处理对公务员造成名誉损害的,应当赔礼道歉、恢复名誉、消除影响;造成经济损失的,应当依法给予赔偿。

【释义】 本条是对机关因错误的具体人事处理而对公务员应当承担的法律责任的规定。

一、本条规定的立法目的和意义

1. 规定机关就其错误的人事处理向公务员承担责任是依法行政原则的要求。我国宪法规定了依法治国的基本方略,机关不仅要在公共管理过程中依法行政,在机关内部的公务员管理中也必须坚持这一原则,依法办事。本法第五条规定,公务员的管理应当依照法定的权限、条件、标准和程序进行。规定机关因错误的人事处理决定,侵犯公务员合法权益的,应当对公务员承担法律责任,正是依法管理原则的体现,也是机关实行以人为本和有错必纠原则的体现。

2. 公务员作为国家工作人员,既负有法定的义务,也享有法定的权利。同时,公务员作为国家的公民,也享有公民的基本权利和自由。机关对公务员的管理一方面要加强监督,保障公务员队伍的廉洁高效,同时也要保障公务员的合法权益。

二、"错误的具体人事处理"的范围

所谓"具体的人事处理"是指公务员主管机关或者公务员所在机关针对特定公务员个人作出的影响其权利义务的人事处理决定。"具体的人事处理"对其他公务员不产生影响。除具体的人事处理外，机关作出的人事处理还有一类属于非具体的人事处理，例如在机构改革中，政府决定撤并某类机构，这种撤并决定涉及机构中的人员的职位与人事关系的变动，也属于一种人事处理决定，但它是针对不特定人员的人事处理，一般是由机关以规范性文件形式作出的，属于行政法上的抽象行政行为。

“具体的人事处理”范围涉及公务员管理的各个环节，如录用、考核、职务的任免与升降、奖励、惩戒、交流与回避、工资福利保险、辞职辞退退休，等等。机关的人事处理，根据对公务员是否有利为标准，可以分为授益性和不利的人事处理。录用、奖励、职务晋升的决定等，均属于授益性的人事处理。辞退、处分等属于不利的人事处理。一些人事处理是属于授益性的，还是属于不利的，需要具体情况具体分析。例如，机关作出的交流决定，如果符合公务员的个人意愿，对该公务员来说是授益性的，否则则为不利的人事处理。

由于我国行政诉讼法未将机关内部行为纳入行政诉讼范围，因此，一项具体人事处理是否错误，是由公务员主管机关或者作出具体人事处理的机关的上级机关或者县级以上领导机关来认定。一般来说，“错误的具体人事处理”即为违法的人事处理，包括：作出处理决定的机关主体资格不合法，或者作出处理决定的机关超越权限，或者人事处理的内容违反法律规定，以及人事处理的程序不符合法律的规定。但有时“错误的具体人事处理”与“违法的具体人事处理”并不完全等同。有些违法的人事处理，在形式上或者主体上有瑕疵，但经过补正后其效力不受影响，作出决定的机关无须撤销该决定，而只需承担补正的责任。“错误的具体人事处理”则是给公务员的权利义务带来实质影响，并且应当是予以撤销的决定。

三、机关因错误的具体人事处理对公务员承担行政责任

机关对错误的具体人事处理，首先应当予以纠正。本法第九

十二条规定:“公务员申诉的受理机关审查认定人事处理有错误的,原处理机关应当及时予以纠正。”第二,处理机关应当就错误的具体人事处理对公务员合法权益造成的侵害后果承担相应的责任。

从行政责任的承担方式划分,行政责任分为:1. 行为责任,包括停止违法行为、撤销违法的行政行为、履行职务或法定义务、恢复原状、返还原物等;2. 精神责任,包括通过批评、赔礼道歉承认错误;3. 财产责任,包括赔偿损失、罚款;4. 人身责任,例如行政拘留。

根据本法的规定,机关对错误的具体人事处理承担责任的形式包括:赔礼道歉、恢复名誉、消除影响,以及对造成的经济损失依法给予赔偿。赔礼道歉适用于行为人因主观上的过错侵犯他人的人身权、财产权的情形。消除影响、恢复名誉,主要适用于侵犯人身权的情形,有时也适用于侵犯知识产权的情形。

关于赔偿经济损失的范围、标准,本法未作明确规定。1994年5月,八届全国人大常委会第七次会议审议通过了国家赔偿法,该法规定国家对行政主体在行政活动中侵犯人身权、财产权的行为予以赔偿。但该法对公务员管理行为造成的损害能否请求行政赔偿,未作明确规定。对公务员能否依据国家赔偿法提出赔偿要求,存在争论。一种意见主张,机关对公务员的管理行为违法,侵犯公务员的人身权或者财产权并造成实际损害的,应属于行政赔偿的范畴。理由是:第一,任何纠纷都有必要用特定的手段加以解决,而公务员管理行为的合法性争议可通过内部管理程序解决,而公务员管理行为引起的赔偿纠纷没有有效的内部解决制度,因而应当适用国家赔偿法。第二,按照国家赔偿的归责原则,凡是行政机关的管理行为,无论是外部行为,还是内部行为,只要是违法侵权造成损害的,都可以请求行政赔偿。由于我国行政诉讼法规定,对公务员的管理属于机关内部行为,不属于行政诉讼的范围,法院不能对机关作出的人事处理进行裁决，因此，也就难以就行政赔偿请求予以认定。从目前情况，机关因错误的具体人事处理对公务员造成经济损失的，赔偿的标准、程序等，仍适用机关内部的规定与程序。

第一百零四条　公务员主管部门的工作人员，违反本法规定，滥用职权、玩忽职守、徇私舞弊，构成犯罪的，依法追究刑事责任；尚不构成犯罪的，给予处分。

【释义】　本条是对公务员主管部门工作人员的违法行为追究法律责任的规定。

公务员制度建立以来，各地区、各部门执行情况总体是好的，但在个别地方和部门也存在不少问题，不正之风和腐败现象时有发生。例如，有的擅自增加机构编制或者突破编制增加人员；有的在录用和选拔干部不按规定，甚至“买官卖官”；有的通过制造“假档案”“假学历”“假身份”，将一些不具备条件的人塞进公务员队伍。有的在市（地）县乡机构改革和撤乡并镇工作中，突击提拔干部和超职数配备干部，或者先违规录用、再按干部分流，以及在定岗分流中“暗箱操作”、任人唯亲。有的在干部考察中隐瞒或歪曲事实真相，或者临时动议决定干部任免或者个人或班子内少数人决定干部任免。有的违反人事档案管理规定，私自或者允许他人擅自涂改、抽取、伪造或销毁档案材料。

本条是对特殊主体即公务员主管部门工作人员违反本法规定，应负法律责任的规定。公务员主管部门负责公务员事务管理工作，公务员主管部门的工作人员，必须严格遵守本法关于公务员管理的规定。公务员主管部门的工作人员如果知法犯法，将对公务员制度造成严重的损害。因此，对于公务员主管部门的工作人员，违反本法规定，滥用职权、玩忽职守、徇私舞弊，必须依法追究其法律责任。

本条中的“滥用职权”，是指国家机关工作人员故意超过职权范围行使职权或者不适当地使用职权，致使公共财产、国家和人民利益遭受损失的行为。“玩忽职守”，是指国家工作人员严重不负责任，致使公共财产、国家和人民利益遭受损失的行为。“徇私舞弊”，是指为了私情或者私利而弄虚作假。

对于公务员主管部门的工作人员有上述情形的，情节严重的，构成犯罪的，依据刑法第三百九十七条和第四百一十八条的规定，追究其刑事责任。刑法第三百九十七条规定：“国家机关工作人员滥用职权或者玩忽职守，致使公共财产、国家和人民利益遭受重大损失的，处三年以下有期徒刑或者拘役；情节特别严重的，处三年以上七年以下有期徒刑。”“国家机关工作人员徇私舞弊，犯前款罪的，处五年以下有期徒刑或者拘役；情节特别严重的，处五年以上十年以下有期徒刑。本法另有规定的，依照规定。”刑法第四百一十八条规定：“国家机关工作人员在招收公务员、学生工作中徇私舞弊，情节严重的，处三年以下有期徒刑或者拘役。”

对于公务员主管部门的工作人员有上述情形，尚不构成犯罪的，则要根据本法和其他法律法规给予其纪律处分。

第十八章　附　　则

一般来说，“附则”规定的是杂项条款，一般包括法律中涉及的名词或术语的解释，关于法律适用范围的参照扩大或排除，关于制定实施办法的授权，关于法律的施行时间等。本章共三条，对领导成员概念作出了解释，并规定了本法施行的时间。

第一百零五条　本法所称的领导成员，是指机关的领导人员，不包括机关内设机构担任领导职务的人员。

【释义】　本条是对领导成员概念的解释。

一、“领导成员”的概念及其与其他概念的联系与区别

本条中的“机关”是指中共中央、全国人大常委会、国务院、全国政协、中央纪律检查委员会的工作部门，县级以上地方各级党委、人大常委会、政府、政协、纪委及其工作部门，乡镇党委和政府，以及各级人民法院、各级人民检察院。所谓“领导成员”或“机关的领导人员”，即上述机关领导班子组成人员。“机关的内设机构”指上述机关内部的职能机构。以国家发展和改革委员会为例，该委员会为国务院组成部门，属于本条中的机关，根据国务院制定的《国家发展和改革委员会主要职责内设机构和人员编制规定》，国家发展和改革委员会设二十六个职能机构，这二十六个司局级单位即为国家发展和改革委员会的内设机构。所谓“机关内设机构担任领导职务的人员”，是指机关内设机构中按照职数和本法的规定任命为领导职务的实行委任制的公务员。

本法中与“领导成员”相关的概念有“领导职务”公务员、“选

任制”公务员及“委任制”公务员等，需要注意它们之间的联系与区别。“领导职务”公务员范围最大，既包括领导成员（或称机关的领导人员），又包括机关内设机构担任领导职务的人员；既包括选任制公务员，又包括委任制公务员。“领导成员”与“选任制”公务员最为接近，但范围又不完全相同。“选任制”公务员是指机关领导人员中经过人民代表大会及其常委会选举、决定任命以及以其他以选举的方式产生的领导人员。“领导成员”既包括选任制公务员，还包括机关领导班子中由上级任命的领导成员。例如国务院某组成部门的副部长是由国务院任命的，属于该部的领导成员，但不属于选任制的公务员。

二、本法中涉及对领导成员的有关规定

本法中涉及对领导成员的规定，主要包括以下几个方面：

1. 关于领导成员对本法的适用，本法第三条中规定，法律对公务员中的领导成员的产生、任免、监督另有规定的，从其规定。

2. 对领导成员的考核，本法第三十五条中规定，对领导成员的定期考核，由主管机关按照有关规定办理。

3. 关于领导成员实行任期制，本法第二十八条中规定，领导成员职务按照国家规定实行任期制。

4. 关于领导成员的转任，本法第六十五条中规定，对省部级正职以下的领导成员应当有计划、有重点地实行跨地区、跨部门转任。

5. 关于领导成员辞去公职，本法第八十条中规定，领导成员辞去公职的申请，任免机关应当自接到申请之日起九十日内予以审批。

6. 关于领导成员辞去领导职务，本法第八十二条中规定，领导成员因工作严重失误、失职造成重大损失或者恶劣社会影响的，或者对重大事故负有领导责任的，应当引咎辞去领导职务。领导成员应当引咎辞职或者因其他原因不再适合担任现任领导职务，本人不提出辞职的,应当责令其辞去领导职务。

7. 关于领导成员离职后从业的限制,本法第一百零二条中规定,公务员辞去公职或者退休的,原系领导成员的公务员在离职三年内,其他公务员在离职两年内,不得到与原工作业务直接相关的企业或者其他营利性组织任职,不得从事与原工作业务直接相关的营利性活动。

第一百零六条　法律、法规授权的具有公共事务管理职能的事业单位中除工勤人员以外的工作人员,经批准参照本法进行管理。

【释义】　本条是对特定的事业单位参照本法管理的规定。

一、本条规定的目的

随着行政管理专业性、技术性的日益加强,现有的行政机关难以满足行政管理的需要,并且什么事都由行政机关来管,一是未必都能管好,二是未必成本更低、更有效率。授权非行政机关行使公共事务管理职能的情况,在现代社会中是普遍的。目前,我国实际中存在一些法律、法规授权从事公共事务管理职能活动的事业单位,从其履行职能的性质看,其行使的实际上就是行政管理权,但使用的是事业编制和事业经费。例如,2003 年 4 月 26 日十届全国人大常委会第二次会议通过的《全国人大常委会关于中国银行业监督管理委员会履行原由中国人民银行履行的监督管理职责的决定》规定:“由国务院依照现行《中华人民共和国中国人民银行法》、《中华人民共和国商业银行法》和其他有关法律的规定,确定中国银行业监督管理委员会履行原由中国人民银行履行的审批、监督管理银行、金融资产管理公司、信托投资公司及其他存款类金融机构等的职责及相关职责。”从管理的需要出发，对于这类单位的工作人员，可以参照公务员法的有关义务、权利及人事管理规定。

二、"法律、法规授权的具有公共事务管理职能的事业单位"的条件

根据国务院制定的《事业单位登记管理暂行条例》,事业单位是指国家为了社会公益目的,由国家机关举办或者其他组织利用国有资产举办的,从事教育、科技、文化、卫生等活动的社会服务组织。根据该条例的规定,事业单位依法举办的营利性经营组织,必须实行独立核算,依照国家有关公司、企业等经营组织的法律、法规登记管理。

根据行政法的基本原则和一般原理,法律、法规授权的具有管理公共事务职能的事业单位应当具备一定的条件:第一,被授权的事业单位应与所授权行使的行政职能无利害关系;第二,被授权的事业单位应具备了解和掌握与所行使的行政职能有关的法律、法规和有关专业知识的工作人员;第三,被授权组织应具备所授行政职能行使所需要的基本设备和条件;第四,对于某些特别行政职能,被授权的事业单位还应具备某些特别的条件,如保密、安全、技术、经验以及工作人员的特殊素质要求。

三、参照本法规定进行管理的事业单位的认定

目前,法律、法规授权的具有公共事务管理职能的事业单位情况较为复杂,既包括证券监督管理委员会、保险监督管理委员会、银行业监督管理委员会、国家电力监管委员会等,又包括渔业法规定的县级以上人民政府渔业行政主管部门所属的渔政监督管理机构等,是否需要统一参照本法的规定,本法未作明确规定,需要根据各单位的具体情况,经过有权机关进行审批。

第一百零七条　本法自 2006 年 1 月 1 日起施行。全国人民代表大会常务委员会 1957 年 10 月 23 日批准、国务院 1957 年 10 月 26 日公布的《国务院关于国家行政机关工作人员的奖惩暂行规定》、1993 年 8 月 14 日国务院公布的《国家公务员暂行条例》同

时废止。

【释义】 本条是关于本法实施日期及有关法律决定、行政法规的废止的规定。

一、本法的施行时间

所谓法律的施行时间即法律的生效时间。我国立法法第五十一条规定:“法律应当明确规定施行日期。”法律中明确规定法律的生效时间,一般涉及法律有无溯及力的问题。法律的溯及力就是新法律施行后,对生效前发生的事件和行为是否适用新法的问题。如果适用,就是具有溯及力;如果不适用就是不具有溯及力。如果具有溯及力,法律要明确规定适用原则,如“从旧兼从轻”的原则。一般法律没有溯及力,这种不溯及既往的原则为各国立法所共同遵循的通例。本法也适用这一原则。

法律实施和公布是不同的概念。法律的公布是指由特定机关将通过的法律向全社会予以公告,法律的施行则是指法律开始生效。法律从何时开始生效,一般根据该项法律的性质和实际需要来决定,通常有三种方式:

第一种是法律条文中明确规定自公布之日起施行。这种方式在我国立法中曾较多地运用,但近年来逐渐减少,主要适用于对法律、法规的修订或者法律、法规较少涉及公民权利义务的情形。如九届全国人大常委会第二十四次会议审议通过的《关于修改〈中华人民共和国工会法〉的决定》等,即是采取这种方式。

第二种是法律公布后先予试行或暂行,而后由立法部门加以补充完善,再通过为正式法律,但在试行期间,该法律也具有约束力。如环境保护法(试行)(1979 年)、森林法(试行)(1979 年)、食品卫生法(试行)(1982 年)、民事诉讼法(试行)(1982 年)、《全国人民代表大会常务委员会关于授权国务院改革工商税制发布有关税收条例草案试行的决定》(1984 年)、企业破产法(试行)(1986 年)和村民委员会组织法(试行)(1987 年)。这一方式主要是在改革开放初期，立法经验较少时为立法机关所采用。近年来这种方式在全国人大及其常委会的立法中已不再使用，而上述“试行”的法律大多数已被修订。

第三种是法律公布后并不立即生效施行，经过一定时期后才开始施行，法律中明确规定生效施行的日期。这是近年来我国在制定新法时使用的主要方式。根据本条的规定，本法自 2006 年 1 月 1 日起施行，采用的也是这种方式。本法采用这种方式的原因，一方面在于法律公布后一段时间施行，可以有比较充分的时间大力宣传法律，使各级机关和公务员以及其他公民、组织学习和掌握这部法律中的一系列规定，待法律施行时使法律能够得到切实地执行，维护法律的尊严。另一方面，本法中一些规定还比较原则，需要国务院及公务员主管部门制定一系列的实施细则、实施办法和配套措施，为今后很好地贯彻实施这部法律打下扎实的基础，为此也要留有一定的时间。

二、关于有关决定和法规的废止

根据本法的规定，本法生效时，全国人民代表大会常务委员会 1957 年 10 月 23 日批准、国务院 1957 年 10 月 26 日公布的《国务院关于国家行政机关工作人员的奖惩暂行规定》、1993 年 8 月 14 日国务院公布的《国家公务员暂行条例》同时废止。

1957 年《国务院关于国家行政机关工作人员的奖惩暂行规定》对国家行政机关工作人员奖励和处分的情形、方式，奖惩的权限和程序均作出了规定，长期以来对国家行政机关工作人员的管理发挥了重要作用。但由于制定时间较早，暂行规定在用语表述及有关规定方面，均需作出调整和修改，以适应公务员制度的建立以及改革开放、发展社会主义市场经济和转变政府职能的新形势的要求。1993 年国务院制定了《国家公务员暂行条例》，对国家公务员的纪律和奖惩作出了全面的规定。但暂行规定在本法生效前，多年来一直是有效的。这主要是由于暂行规定虽是由国务院制定和公布的，但在法律程序上是经全国人大常委会批准的，从法律位阶上，与由全国人大及其常委会制定的法律属于同一位阶，因此，不能因国务院制定的《国家公务员暂行条例》的施行而被废止，对暂行规定的废止仍应由其原批准机关即全国人大常委会决定。鉴于公务员法对公务员的奖惩作出了全面的规定，可以完全替代暂行规定的规定，因此，本法中明确规定废止该规定。

1993 年国务院制定的《国家公务员暂行条例》，标志着我国公务员制度的建立。随着我国人事制度的改革和发展，制定公务员法的条件已经成熟。本法沿用了暂行条例的基本框架，对公务员管理的主要方面和环节作出了规定，本法施行后，暂行条例的规定不再适用。

第二部分　附　　录

中华人民共和国公务员法

（2005 年 4 月 27 日第十届全国人民代表大会常务委员会第十五次会议通过　根据 2017 年 9 月 1 日第十二届全国人民代表大会常务委员会第二十九次会议《关于修改〈中华人民共和国法官法〉等八部法律的决定》修正）

目　　录

第一章　总　　则

第一条　为了规范公务员的管理，保障公务员的合法权益，加强对公务员的监督，建设高素质的公务员队伍，促进勤政廉政，提高工作效能，根据宪法，制定本法。

第二条　本法所称公务员，是指依法履行公职、纳入国家行政编制、由国家财政负担工资福利的工作人员。

第三条　公务员的义务、权利和管理，适用本法。

法律对公务员中的领导成员的产生、任免、监督以及法官、检察官等的义务、权利和管理另有规定的，从其规定。

第四条　公务员制度坚持以马克思列宁主义、毛泽东思想、邓小平理论和“三个代表”重要思想为指导，贯彻社会主义初级阶段的基本路线，贯彻中国共产党的干部路线和方针，坚持党管干部原则。

第五条　公务员的管理，坚持公开、平等、竞争、择优的原则，依照法定的权限、条件、标准和程序进行。

第六条　公务员的管理，坚持监督约束与激励保障并重的原则。

第七条　公务员的任用，坚持任人唯贤、德才兼备的原则，注重工作实绩。

第八条　国家对公务员实行分类管理，提高管理效能和科学化水平。

第九条　公务员依法履行职务的行为，受法律保护。

第十条　中央公务员主管部门负责全国公务员的综合管理工作。县级以上地方各级公务员主管部门负责本辖区内公务员的综合管理工作。上级公务员主管部门指导下级公务员主管部门的公务员管理工作。各级公务员主管部门指导同级各机关的公务员管理工作。

第二章　公务员的条件、义务与权利

第十一条　公务员应当具备下列条件：

（一）具有中华人民共和国国籍；

（二）年满十八周岁；

（三）拥护中华人民共和国宪法；

（四）具有良好的品行；

（五）具有正常履行职责的身体条件；

（六）具有符合职位要求的文化程度和工作能力；

（七）法律规定的其他条件。

第十二条　公务员应当履行下列义务：

（一）模范遵守宪法和法律；

（二）按照规定的权限和程序认真履行职责，努力提高工作效率；

（三）全心全意为人民服务，接受人民监督；

（四）维护国家的安全、荣誉和利益；

（五）忠于职守，勤勉尽责，服从和执行上级依法作出的决定和命令；

（六）保守国家秘密和工作秘密；

（七）遵守纪律，恪守职业道德，模范遵守社会公德；

（八）清正廉洁，公道正派；

（九）法律规定的其他义务。

第十三条　公务员享有下列权利：

（一）获得履行职责应当具有的工作条件；

（二）非因法定事由、非经法定程序，不被免职、降职、辞退或者处分；

（三）获得工资报酬，享受福利、保险待遇；

（四）参加培训；

（五）对机关工作和领导人员提出批评和建议；

（六）提出申诉和控告；

（七）申请辞职；

（八）法律规定的其他权利。

第三章　职务与级别

第十四条　国家实行公务员职位分类制度。

公务员职位类别按照公务员职位的性质、特点和管理需要，划分为综合管理类、专业技术类和行政执法类等类别。国务院根据本法，对于具有职位特殊性，需要单独管理的，可以增设其他职位类别。各职位类别的适用范围由国家另行规定。

第十五条　国家根据公务员职位类别设置公务员职务序列。

第十六条　公务员职务分为领导职务和非领导职务。

领导职务层次分为：国家级正职、国家级副职、省部级正职、省部级副职、厅局级正职、厅局级副职、县处级正职、县处级副职、乡科级正职、乡科级副职。

非领导职务层次在厅局级以下设置。

第十七条　综合管理类的领导职务根据宪法、有关法律、职务层次和机构规格设置确定。

综合管理类的非领导职务分为：巡视员、副巡视员、调研员、副调研员、主任科员、副主任科员、科员、办事员。

综合管理类以外其他职位类别公务员的职务序列，根据本法由国家另行规定。

第十八条　各机关依照确定的职能、规格、编制限额、职数以及结构比例，设置本机关公务员的具体职位，并确定各职位的工作职责和任职资格条件。

第十九条　公务员的职务应当对应相应的级别。公务员职务与级别的对应关系，由国务院规定。

公务员的职务与级别是确定公务员工资及其他待遇的依据。

公务员的级别根据所任职务及其德才表现、工作实绩和资历确定。公务员在同一职务上，可以按照国家规定晋升级别。

第二十条　国家根据人民警察以及海关、驻外外交机构公务员的工作特点，设置与其职务相对应的衔级。

第四章　录　　用

第二十一条　录用担任主任科员以下及其他相当职务层次的非领导职务公务员，采取公开考试、严格考察、平等竞争、择优录取的办法。

民族自治地方依照前款规定录用公务员时，依照法律和有关规定对少数民族报考者予以适当照顾。

第二十二条　中央机关及其直属机构公务员的录用，由中央公务员主管部门负责组织。地方各级机关公务员的录用，由省级公务员主管部门负责组织，必要时省级公务员主管部门可以授权设区的市级公务员主管部门组织。

第二十三条　报考公务员，除应当具备本法第十一条规定的条件外，还应当具备省级以上公务员主管部门规定的拟任职位所要求的资格条件。

国家对行政机关中初次从事行政处罚决定审核、行政复议、行政裁决、法律顾问的公务员实行统一法律职业资格考试制度，由国务院司法行政部门商有关部门组织实施。

第二十四条　下列人员不得录用为公务员：

（一）曾因犯罪受过刑事处罚的；

（二）曾被开除公职的；

（三）有法律规定不得录用为公务员的其他情形的。

第二十五条 录用公务员，必须在规定的编制限额内，并有相应的职位空缺。

第二十六条 录用公务员，应当发布招考公告。招考公告应当载明招考的职位、名额、报考资格条件、报考需要提交的申请材料以及其他报考须知事项。

招录机关应当采取措施，便利公民报考。

第二十七条 招录机关根据报考资格条件对报考申请进行审查。报考者提交的申请材料应当真实、准确。

第二十八条 公务员录用考试采取笔试和面试的方式进行，考试内容根据公务员应当具备的基本能力和不同职位类别分别设置。

第二十九条 招录机关根据考试成绩确定考察人选，并对其进行报考资格复审、考察和体检。

体检的项目和标准根据职位要求确定。具体办法由中央公务员主管部门会同国务院卫生行政部门规定。

第三十条 招录机关根据考试成绩、考察情况和体检结果，提出拟录用人员名单，并予以公示。

公示期满，中央一级招录机关将拟录用人员名单报中央公务员主管部门备案；地方各级招录机关将拟录用人员名单报省级或者设区的市级公务员主管部门审批。

第三十一条 录用特殊职位的公务员，经省级以上公务员主管部门批准，可以简化程序或者采用其他测评办法。

第三十二条 新录用的公务员试用期为一年。试用期满合格的，予以任职；不合格的，取消录用。

第五章 考　　核

第三十三条 对公务员的考核，按照管理权限，全面考核公务员的德、能、勤、绩、廉,重点考核工作实绩。

第三十四条 公务员的考核分为平时考核和定期考核。定期考核以平时考核为基础。

第三十五条 对非领导成员公务员的定期考核采取年度考核的方式,先由个人按照职位职责和有关要求进行总结,主管领导在听取群众意见后,提出考核等次建议,由本机关负责人或者授权的考核委员会确定考核等次。

对领导成员的定期考核,由主管机关按照有关规定办理。

第三十六条 定期考核的结果分为优秀、称职、基本称职和不称职四个等次。

定期考核的结果应当以书面形式通知公务员本人。

第三十七条 定期考核的结果作为调整公务员职务、级别、工资以及公务员奖励、培训、辞退的依据。

第六章 职 务 任 免

第三十八条 公务员职务实行选任制和委任制。

领导成员职务按照国家规定实行任期制。

第三十九条 选任制公务员在选举结果生效时即任当选职务;任期届满不再连任,或者任期内辞职、被罢免、被撤职的,其所任职务即终止。

第四十条 委任制公务员遇有试用期满考核合格、职务发生变化、不再担任公务员职务以及其他情形需要任免职务的,应当按照管理权限和规定的程序任免其职务。

第四十一条 公务员任职必须在规定的编制限额和职数内进行,并有相应的职位空缺。

第四十二条 公务员因工作需要在机关外兼职,应当经有关机关批准,并不得领取兼职报酬。

第七章 职务升降

第四十三条 公务员晋升职务，应当具备拟任职务所要求的思想政治素质、工作能力、文化程度和任职经历等方面的条件和资格。

公务员晋升职务，应当逐级晋升。特别优秀的或者工作特殊需要的，可以按照规定破格或者越一级晋升职务。

第四十四条 公务员晋升领导职务，按照下列程序办理：

（一）民主推荐，确定考察对象；

（二）组织考察，研究提出任职建议方案，并根据需要在一定范围内进行酝酿；

（三）按照管理权限讨论决定；

（四）按照规定履行任职手续。

公务员晋升非领导职务，参照前款规定的程序办理。

第四十五条 机关内设机构厅局级正职以下领导职务出现空缺时，可以在本机关或者本系统内通过竞争上岗的方式，产生任职人选。

厅局级正职以下领导职务或者副调研员以上及其他相当职务层次的非领导职务出现空缺，可以面向社会公开选拔，产生任职人选。

确定初任法官、初任检察官的任职人选，可以面向社会，从通过国家统一法律职业资格考试取得法律职业资格的人员中公开选拔。

第四十六条 公务员晋升领导职务的，应当按照有关规定实行任职前公示制度和任职试用期制度。

第四十七条 公务员在定期考核中被确定为不称职的，按照规定程序降低一个职务层次任职。

第八章 奖 励

第四十八条 对工作表现突出，有显著成绩和贡献，或者有其他突出事迹的公务员或者公务员集体,给予奖励。奖励坚持精神奖励与物质奖励相结合、以精神奖励为主的原则。

公务员集体的奖励适用于按照编制序列设置的机构或者为完成专项任务组成的工作集体。

第四十九条 公务员或者公务员集体有下列情形之一的,给予奖励:

(一)忠于职守,积极工作,成绩显著的;

(二)遵守纪律,廉洁奉公,作风正派,办事公道,模范作用突出的;

(三)在工作中有发明创造或者提出合理化建议,取得显著经济效益或者社会效益的;

(四)为增进民族团结、维护社会稳定做出突出贡献的;

(五)爱护公共财产,节约国家资财有突出成绩的;

(六)防止或者消除事故有功,使国家和人民群众利益免受或者减少损失的;

(七)在抢险、救灾等特定环境中奋不顾身,做出贡献的;

(八)同违法违纪行为作斗争有功绩的;

(九)在对外交往中为国家争得荣誉和利益的;

(十)有其他突出功绩的。

第五十条 奖励分为:嘉奖、记三等功、记二等功、记一等功、授予荣誉称号。

对受奖励的公务员或者公务员集体予以表彰,并给予一次性奖金或者其他待遇。

第五十一条 给予公务员或者公务员集体奖励,按照规定的权限和程序决定或者审批。

第五十二条 公务员或者公务员集体有下列情形之一的,撤销奖励:

(一)弄虚作假,骗取奖励的;

(二)申报奖励时隐瞒严重错误或者严重违反规定程序的;

（三）有法律、法规规定应当撤销奖励的其他情形的。

第九章 惩　　戒

第五十三条 公务员必须遵守纪律，不得有下列行为：

（一）散布有损国家声誉的言论，组织或者参加旨在反对国家的集会、游行、示威等活动；

（二）组织或者参加非法组织，组织或者参加罢工；

（三）玩忽职守，贻误工作；

（四）拒绝执行上级依法作出的决定和命令；

（五）压制批评，打击报复；

（六）弄虚作假，误导、欺骗领导和公众；

（七）贪污、行贿、受贿，利用职务之便为自己或者他人谋取私利；

（八）违反财经纪律，浪费国家资财；

（九）滥用职权，侵害公民、法人或者其他组织的合法权益；

（十）泄露国家秘密或者工作秘密；

（十一）在对外交往中损害国家荣誉和利益；

（十二）参与或者支持色情、吸毒、赌博、迷信等活动；

（十三）违反职业道德、社会公德；

（十四）从事或者参与营利性活动，在企业或者其他营利性组织中兼任职务；

（十五）旷工或者因公外出、请假期满无正当理由逾期不归；

（十六）违反纪律的其他行为。

第五十四条 公务员执行公务时，认为上级的决定或者命令有错误的，可以向上级提出改正或者撤销该决定或者命令的意见；上级不改变该决定或者命令，或者要求立即执行的，公务员应当执行该决定或者命令，执行的后果由上级负责，公务员不承担责任；但是，公务员执行明显违法的决定或者命令的，应当依法承担相应的责任。

第五十五条 公务员因违法违纪应当承担纪律责任的，依照本法给予处分；违纪行为情节轻微，经批评教育后改正的，可以免予处分。

第五十六条 处分分为：警告、记过、记大过、降级、撤职、开除。

第五十七条 对公务员的处分，应当事实清楚、证据确凿、定性准确、处理恰当、程序合法、手续完备。

公务员违纪的，应当由处分决定机关决定对公务员违纪的情况进行调查，并将调查认定的事实及拟给予处分的依据告知公务员本人。公务员有权进行陈述和申辩。

处分决定机关认为对公务员应当给予处分的，应当在规定的期限内，按照管理权限和规定的程序作出处分决定。处分决定应当以书面形式通知公务员本人。

第五十八条 公务员在受处分期间不得晋升职务和级别，其中受记过、记大过、降级、撤职处分的，不得晋升工资档次。

受处分的期间为：警告，六个月；记过，十二个月；记大过，十八个月；降级、撤职，二十四个月。

受撤职处分的，按照规定降低级别。

第五十九条 公务员受开除以外的处分，在受处分期间有悔改表现，并且没有再发生违纪行为的，处分期满后，由处分决定机关解除处分并以书面形式通知本人。

解除处分后，晋升工资档次、级别和职务不再受原处分的影响。但是，解除降级、撤职处分的，不视为恢复原级别、原职务。

第十章 培 训

第六十条 机关根据公务员工作职责的要求和提高公务员素质的需要，对公务员进行分级分类培训。

国家建立专门的公务员培训机构。机关根据需要也可以委托其他培训机构承担公务员培训任务。

第六十一条 机关对新录用人员应当在试用期内进行初任培

训;对晋升领导职务的公务员应当在任职前或者任职后一年内进行任职培训;对从事专项工作的公务员应当进行专门业务培训;对全体公务员应当进行更新知识、提高工作能力的在职培训,其中对担任专业技术职务的公务员,应当按照专业技术人员继续教育的要求,进行专业技术培训。

国家有计划地加强对后备领导人员的培训。

第六十二条 公务员的培训实行登记管理。

公务员参加培训的时间由公务员主管部门按照本法第六十一条规定的培训要求予以确定。

公务员培训情况、学习成绩作为公务员考核的内容和任职、晋升的依据之一。

第十一章 交流与回避

第六十三条 国家实行公务员交流制度。

公务员可以在公务员队伍内部交流,也可以与国有企业事业单位、人民团体和群众团体中从事公务的人员交流。

交流的方式包括调任、转任和挂职锻炼。

第六十四条 国有企业事业单位、人民团体和群众团体中从事公务的人员可以调入机关担任领导职务或者副调研员以上及其他相当职务层次的非领导职务。调任人选应当具备本法第十一条规定的条件和拟任职位所要求的资格条件,并不得有本法第二十四条规定的情形。调任机关应当根据上述规定,对调任人选进行严格考察,并按照管理权限审批,必要时可以对调任人选进行考试。

第六十五条 公务员在不同职位之间转任应当具备拟任职位所要求的资格条件,在规定的编制限额和职数内进行。

对省部级正职以下的领导成员应当有计划、有重点地实行跨地区、跨部门转任。

对担任机关内设机构领导职务和工作性质特殊的非领导职务的

公务员，应当有计划地在本机关内转任。

第六十六条 根据培养锻炼公务员的需要，可以选派公务员到下级机关或者上级机关、其他地区机关以及国有企业事业单位挂职锻炼。

公务员在挂职锻炼期间，不改变与原机关的人事关系。

第六十七条 公务员应当服从机关的交流决定。

公务员本人申请交流的，按照管理权限审批。

第六十八条 公务员之间有夫妻关系、直系血亲关系、三代以内旁系血亲关系以及近姻亲关系的，不得在同一机关担任双方直接隶属于同一领导人员的职务或者有直接上下级领导关系的职务，也不得在其中一方担任领导职务的机关从事组织、人事、纪检、监察、审计和财务工作。

因地域或者工作性质特殊，需要变通执行任职回避的，由省级以上公务员主管部门规定。

第六十九条 公务员担任乡级机关、县级机关及其有关部门主要领导职务的，应当实行地域回避，法律另有规定的除外。

第七十条 公务员执行公务时，有下列情形之一的，应当回避：

（一）涉及本人利害关系的；

（二）涉及与本人有本法第六十八条第一款所列亲属关系人员的利害关系的；

（三）其他可能影响公正执行公务的。

第七十一条 公务员有应当回避情形的，本人应当申请回避；利害关系人有权申请公务员回避。其他人员可以向机关提供公务员需要回避的情况。

机关根据公务员本人或者利害关系人的申请，经审查后作出是否回避的决定，也可以不经申请直接作出回避决定。

第七十二条 法律对公务员回避另有规定的，从其规定。

第十二章　工资福利保险

第七十三条　公务员实行国家统一的职务与级别相结合的工资制度。

公务员工资制度贯彻按劳分配的原则，体现工作职责、工作能力、工作实绩、资历等因素，保持不同职务、级别之间的合理工资差距。

国家建立公务员工资的正常增长机制。

第七十四条　公务员工资包括基本工资、津贴、补贴和奖金。

公务员按照国家规定享受地区附加津贴、艰苦边远地区津贴、岗位津贴等津贴。

公务员按照国家规定享受住房、医疗等补贴、补助。

公务员在定期考核中被确定为优秀、称职的，按照国家规定享受年终奖金。

公务员工资应当按时足额发放。

第七十五条　公务员的工资水平应当与国民经济发展相协调、与社会进步相适应。

国家实行工资调查制度，定期进行公务员和企业相当人员工资水平的调查比较，并将工资调查比较结果作为调整公务员工资水平的依据。

第七十六条　公务员按照国家规定享受福利待遇。国家根据经济社会发展水平提高公务员的福利待遇。

公务员实行国家规定的工时制度，按照国家规定享受休假。公务员在法定工作日之外加班的，应当给予相应的补休。

第七十七条　国家建立公务员保险制度，保障公务员在退休、患病、工伤、生育、失业等情况下获得帮助和补偿。

公务员因公致残的，享受国家规定的伤残待遇。公务员因公牺牲、因公死亡或者病故的，其亲属享受国家规定的抚恤和优待。

第七十八条 任何机关不得违反国家规定自行更改公务员工资、福利、保险政策,擅自提高或者降低公务员的工资、福利、保险待遇。任何机关不得扣减或者拖欠公务员的工资。

第七十九条 公务员工资、福利、保险、退休金以及录用、培训、奖励、辞退等所需经费,应当列入财政预算,予以保障。

第十三章 辞职辞退

第八十条 公务员辞去公职,应当向任免机关提出书面申请。任免机关应当自接到申请之日起三十日内予以审批,其中对领导成员辞去公职的申请,应当自接到申请之日起九十日内予以审批。

第八十一条 公务员有下列情形之一的,不得辞去公职:

(一)未满国家规定的最低服务年限的;

(二)在涉及国家秘密等特殊职位任职或者离开上述职位不满国家规定的脱密期限的;

(三)重要公务尚未处理完毕,且须由本人继续处理的;

(四)正在接受审计、纪律审查,或者涉嫌犯罪,司法程序尚未终结的;

(五)法律、行政法规规定的其他不得辞去公职的情形。

第八十二条 担任领导职务的公务员,因工作变动依照法律规定需要辞去现任职务的,应当履行辞职手续。

担任领导职务的公务员,因个人或者其他原因,可以自愿提出辞去领导职务。

领导成员因工作严重失误、失职造成重大损失或者恶劣社会影响的,或者对重大事故负有领导责任的,应当引咎辞去领导职务。

领导成员应当引咎辞职或者因其他原因不再适合担任现任领导职务,本人不提出辞职的,应当责令其辞去领导职务。

第八十三条 公务员有下列情形之一的,予以辞退:

(一)在年度考核中,连续两年被确定为不称职的;

（二）不胜任现职工作，又不接受其他安排的；

（三）因所在机关调整、撤销、合并或者缩减编制员额需要调整工作，本人拒绝合理安排的；

（四）不履行公务员义务，不遵守公务员纪律，经教育仍无转变，不适合继续在机关工作，又不宜给予开除处分的；

（五）旷工或者因公外出、请假期满无正当理由逾期不归连续超过十五天，或者一年内累计超过三十天的。

第八十四条 对有下列情形之一的公务员，不得辞退：

（一）因公致残，被确认丧失或者部分丧失工作能力的；

（二）患病或者负伤，在规定的医疗期内的；

（三）女性公务员在孕期、产假、哺乳期内的；

（四）法律、行政法规规定的其他不得辞退的情形。

第八十五条 辞退公务员，按照管理权限决定。辞退决定应当以书面形式通知被辞退的公务员。

被辞退的公务员，可以领取辞退费或者根据国家有关规定享受失业保险。

第八十六条 公务员辞职或者被辞退，离职前应当办理公务交接手续，必要时按照规定接受审计。

第十四章 退 休

第八十七条 公务员达到国家规定的退休年龄或者完全丧失工作能力的，应当退休。

第八十八条 公务员符合下列条件之一的，本人自愿提出申请，经任免机关批准，可以提前退休：

（一）工作年限满三十年的；

（二）距国家规定的退休年龄不足五年，且工作年限满二十年的；

（三）符合国家规定的可以提前退休的其他情形的。

第八十九条 公务员退休后，享受国家规定的退休金和其他待遇，国家为其生活和健康提供必要的服务和帮助，鼓励发挥个人专长，参与社会发展。

第十五章 申 诉 控 告

第九十条 公务员对涉及本人的下列人事处理不服的，可以自知道该人事处理之日起三十日内向原处理机关申请复核；对复核结果不服的，可以自接到复核决定之日起十五日内，按照规定向同级公务员主管部门或者作出该人事处理的机关的上一级机关提出申诉；也可以不经复核，自知道该人事处理之日起三十日内直接提出申诉：

（一）处分；

（二）辞退或者取消录用；

（三）降职；

（四）定期考核定为不称职；

（五）免职；

（六）申请辞职、提前退休未予批准；

（七）未按规定确定或者扣减工资、福利、保险待遇；

（八）法律、法规规定可以申诉的其他情形。

对省级以下机关作出的申诉处理决定不服的，可以向作出处理决定的上一级机关提出再申诉。

行政机关公务员对处分不服向行政监察机关申诉的，按照《中华人民共和国行政监察法》的规定办理。

第九十一条 原处理机关应当自接到复核申请书后的三十日内作出复核决定。受理公务员申诉的机关应当自受理之日起六十日内作出处理决定；案情复杂的，可以适当延长，但是延长时间不得超过三十日。

复核、申诉期间不停止人事处理的执行。

第九十二条 公务员申诉的受理机关审查认定人事处理有错误的，原处理机关应当及时予以纠正。

第九十三条 公务员认为机关及其领导人员侵犯其合法权益的,可以依法向上级机关或者有关的专门机关提出控告。受理控告的机关应当按照规定及时处理。

第九十四条 公务员提出申诉、控告,不得捏造事实,诬告、陷害他人。

第十六章 职 位 聘 任

第九十五条 机关根据工作需要,经省级以上公务员主管部门批准,可以对专业性较强的职位和辅助性职位实行聘任制。

前款所列职位涉及国家秘密的,不实行聘任制。

第九十六条 机关聘任公务员可以参照公务员考试录用的程序进行公开招聘,也可以从符合条件的人员中直接选聘。

机关聘任公务员应当在规定的编制限额和工资经费限额内进行。

第九十七条 机关聘任公务员,应当按照平等自愿、协商一致的原则,签订书面的聘任合同,确定机关与所聘公务员双方的权利、义务。聘任合同经双方协商一致可以变更或者解除。

聘任合同的签订、变更或者解除,应当报同级公务员主管部门备案。

第九十八条 聘任合同应当具备合同期限,职位及其职责要求,工资、福利、保险待遇,违约责任等条款。

聘任合同期限为一年至五年。聘任合同可以约定试用期,试用期为一个月至六个月。

聘任制公务员按照国家规定实行协议工资制,具体办法由中央公务员主管部门规定。

第九十九条 机关依据本法和聘任合同对所聘公务员进行管理。

第一百条 国家建立人事争议仲裁制度。

人事争议仲裁应当根据合法、公正、及时处理的原则,依法维护争议双方的合法权益。

人事争议仲裁委员会根据需要设立。人事争议仲裁委员会由公务员主管部门的代表、聘用机关的代表、聘任制公务员的代表以及法律专家组成。

聘任制公务员与所在机关之间因履行聘任合同发生争议的，可以自争议发生之日起六十日内向人事争议仲裁委员会申请仲裁。当事人对仲裁裁决不服的，可以自接到仲裁裁决书之日起十五日内向人民法院提起诉讼。仲裁裁决生效后，一方当事人不履行的，另一方当事人可以申请人民法院执行。

第十七章 法律责任

第一百零一条 对有下列违反本法规定情形的，由县级以上领导机关或者公务员主管部门按照管理权限，区别不同情况，分别予以责令纠正或者宣布无效；对负有责任的领导人员和直接责任人员，根据情节轻重，给予批评教育或者处分；构成犯罪的，依法追究刑事责任：

（一）不按编制限额、职数或者任职资格条件进行公务员录用、调任、转任、聘任和晋升的；

（二）不按规定条件进行公务员奖惩、回避和办理退休的；

（三）不按规定程序进行公务员录用、调任、转任、聘任、晋升、竞争上岗、公开选拔以及考核、奖惩的；

（四）违反国家规定，更改公务员工资、福利、保险待遇标准的；

（五）在录用、竞争上岗、公开选拔中发生泄露试题、违反考场纪律以及其他严重影响公开、公正的；

（六）不按规定受理和处理公务员申诉、控告的；

（七）违反本法规定的其他情形的。

第一百零二条 公务员辞去公职或者退休的，原系领导成员的公务员在离职三年内，其他公务员在离职两年内，不得到与原工作业务直接相关的企业或者其他营利性组织任职，不得从事与原工作业务直接相关的营利性活动。

公务员辞去公职或者退休后有违反前款规定行为的，由其原所在机关的同级公务员主管部门责令限期改正；逾期不改正的，由县级以上工商行政管理部门没收该人员从业期间的违法所得，责令接收单位将该人员予以清退，并根据情节轻重，对接收单位处以被处罚人员违法所得一倍以上五倍以下的罚款。

第一百零三条 机关因错误的具体人事处理对公务员造成名誉损害的，应当赔礼道歉、恢复名誉、消除影响；造成经济损失的，应当依法给予赔偿。

第一百零四条 公务员主管部门的工作人员，违反本法规定，滥用职权、玩忽职守、徇私舞弊，构成犯罪的，依法追究刑事责任；尚不构成犯罪的，给予处分。

第十八章 附 则

第一百零五条 本法所称领导成员，是指机关的领导人员，不包括机关内设机构担任领导职务的人员。

第一百零六条 法律、法规授权的具有公共事务管理职能的事业单位中除工勤人员以外的工作人员，经批准参照本法进行管理。

第一百零七条 本法自2006年1月1日起施行。全国人民代表大会常务委员会1957年10月23日批准、国务院1957年10月26日公布的《国务院关于国家行政机关工作人员的奖惩暂行规定》、1993年8月14日国务院公布的《国家公务员暂行条例》同时废止。

关于《中华人民共和国公务员法(草案)》的说明

人事部部长 张柏林

委员长、各位副委员长、秘书长、各位委员:

我受国务院的委托,现对《中华人民共和国公务员法(草案)》作说明。

1993年8月,国务院制定了《国家公务员暂行条例》(以下简称暂行条例),在各级国家行政机关建立了公务员制度。之后,中共中央以及中共中央办公厅先后发文规定党的机关、人大机关、政协机关以及民主党派、群团机关的工作人员参照暂行条例进行管理。暂行条例施行10年来,对优化干部队伍、促进廉政勤政、增强干部队伍活力、提高工作效能,发挥了重要的作用。

2000年8月,中组部、人事部在深入调查研究,总结暂行条例实施经验的基础上,着手研究起草公务员法。2001年12月,中组部和人事部向中央报送了《关于制定公务员法有关问题的请示》,就制定公务员法的必要性、立法的指导思想、坚持党管干部的原则、将党的机关工作人员纳入公务员的范围等问题提出建议。2001年12月27日,中央政治局常委会讨论并原则同意了这个请示。

2002年初至2004年初,中组部、人事部在征求中央和国家机关各部门以及各省、自治区、直辖市党委组织部和政府人事厅(局)及有关专家学者意见的基础上,经反复研究论证,形成了《中华人民共和国公务员法(草案送审稿)》(以下简称送审稿),由人事部于2004年3月报送国务院审批。法制办收到此件后,立即征求了中央办公厅、中央统战部等中央部门,全国人大内司委、法律委和全国人大常委会法工委,国务院各部委,高法院、高检院,全国总工会、共青团中央、全国妇联,中央党校、国家行政学院、社科院,各省、自治区、直辖市人民政府以及有关民主党派的意见。在此基础上,法制办会同中组部、人事部对送审稿作了反复研究修改,形成了《中华人民共和国公务员法(草案)》(以下简称草案)。在正式提请国务院常务会议讨论之前,专门向全国人大内司委、法律委和全国人大常委会法工委作了汇报。草案已经国务院第71次常务会议讨论通过。草案共20章,103条。现就草案中的几个主要问题说明如下:

一、立法的指导思想和遵循的原则

起草公务员法总的指导思想是,以马克思列宁主义、毛泽东思想、邓小平理论和"三个代表"重要思想为指导,贯彻党的十六大精神,坚持党管干部的原则,体现现行干部管理体制的要求,改革和完善公务员制度,为全面建设小康社会提供组织保证和人才支持。

在公务员法起草过程中注意把握了以下原则:一是坚持党管干部的原则。在总则中明确贯彻中国共产党的干部路线和方针,在具体制度中体现党对各类公务员的统一管理。二是坚持建设中国特色的公务员制度。与中国特色的社会主义政治制度相适应,从现阶段的中国国情出发,着重解决公务员制度建设中的主要问题。三是保持公务员制度的连续性和稳定性,同时吸收改革的成果,完善公务员制度。

二、关于公务员的范围

草案根据多年来我党对干部管理的实际做法,从有利于保持各类机关干部的整体一致性,有利于统一管理,有利于党政机关之间干部的交流使用出发,将公务员范围表述为:"本法所称公务员,是指依照法律规定管理国家事务和履行社会公共事务管理职能、使用国家行政编制、由国家财政负担工资福利的机关中除工勤人员以外的工作人员”(第二条)。

按照草案规定的公务员范围,对下列几类人员宜作以下具体落实:一是法官、检察官纳入公务员范围的同时,根据其职务特点,草案规定另行设置法官、检察官职务,与法官法、检察官法相衔接;二是民主党派机关工作人员与共产党机关工作人员一样纳入公务员的范围;三是人民团体、群众团体的工作人员,鉴于其性质虽不同于国家机关工作人员,但管理上历来属于干部范畴,草案仍按现行做法,规定对其参照公务员法进行管理(第一百零二条)。

关于公务员法与法官法、检察官法、人民警察法的关系,根据立法法关于同位价法律特别法优于一般法的规定,对法官、检察官、人民警察履行职责的特殊要求,除适用公务员法的有关规定外,仍可适用有关的法律规定。

三、公务员管理的原则和公务员必备的基本条件

为了推进公务员管理的科学化、制度化、民主化,造就高素质的公务员队伍,草案明确了公务员管理应坚持的四项原则,即:公开、平等、竞争、择优原则,科学、民主、法治、效能原则,任人唯贤、德才兼备原则和监督约束与激励保障并重原则(第四条)。

为了保证公务员应具备的基本素质,草案规定了取得公务员身份必须具备的基本条件:(一)具有中华人民共和国国籍,享有公民的政治权利;(二)遵守宪法和法律;(三)具有良好的品行;(四)年满18周岁;(五)具有正常履行职责的身体条件;(六)具有符合职位要求的学历和能力;(七)法律规定的其他条件(第五条)。

四、关于公务员的义务与权利

公务员作为国家公职人员,基于职责的要求,有其特定的义务和权利。据此,草案规定了公务员应当履行的义务,主要有:遵守宪法

和法律,依法办事,依照规定履行职责;保持同人民的密切联系,接受人民监督,努力为人民服务;维护国家和人民的安全、荣誉和利益;忠于职守,坚持学习,勤奋工作;遵守纪律,恪守职业道德;清正廉洁,公道正派,克己奉公等(第八条)。

同时,草案规定了公务员享有的权利,主要有:依照规定行使本工作岗位的职权并获得履行职责应当具有的工作条件;非因法定事由、非经法定程序,不被免职、降职、辞退、处分;获得工资报酬,享受福利、保险待遇;对机关及其领导人员的工作提出批评和建议;提出申诉和控告等(第九条)。

五、关于公务员的职务职级

暂行条例把公务员职务分为领导职务和非领导职务,草案沿用了这一规定。同时,草案规定,国家可以根据工作需要,在非领导职务中设置专业技术职务和行政执法职务,并规定,国家根据法官、检察官的工作特点设置相应的职务;根据人民警察以及海关和驻外外交机构公务员的工作特点,设置相应的职务和衔级。此外,人民警察和海关公务员的衔级已有法律规定,驻外外交机构公务员的衔级尚无法律规定,依据宪法关于外交人员的衔级由全国人大常委会规定的规定,草案具体规定了驻外外交机构公务员的 7 等衔级,即:大使衔、公使衔、参赞衔、一等秘书衔、二等秘书衔、三等秘书衔和随员衔(第十二条)。

公务员职务职级的划分与设置将结合公务员工资制度改革作较大调整,目前难以作出具体规定。据此,草案作出授权性规定:公务员职级与职务的对应关系,由国务院规定(第十四条)。

六、关于考核与奖惩

(一)关于考核。暂行条例将考核档次分为:优秀、称职、不称职三个档次。总结近年考核工作的经验,为了更好地发挥考核的激励作用,草案增加了一个考核等次,规定定期考核的结果分为优秀、称职、基本称职和不称职四个等次(第二十六条),并规定定期考核的结果作为调整公务员职务、职级、工资以及公务员奖励、培训、辞退的依据(第二十七条)。

(二)关于奖励。草案规定:“对在工作中表现突出,有显著成绩和贡献,或者有其他突出事迹的公务员或者公务员集体,给予奖励”(第四十条)。草案沿用暂行条例的规定,将奖励的种类分为:嘉奖、记三等功、记二等功、记一等功、授予荣誉称号(第四十二条)。

(三)关于纪律与处分。为了严肃公务员的纪律,草案规定了15项公务员必须遵守的纪律,即禁止公务员发生的行为,主要有:散布有损政府声誉的言论,组织或者参加旨在反对政府的集会、游行、示威活动,组织或者参加罢工;玩忽职守,贻误工作;对抗上级决定和命令;压制批评,打击报复;弄虚作假,欺骗领导和群众;贪污、腐化、行贿、受贿,利用职权为自己和他人谋取私利;挥霍公款,浪费国家资财;滥用职权,侵犯群众利益,损害政府和人民群众的关系等(第四十五条)。同时规定,违反纪律的行为应当给予行政处分(第四十六条)。草案沿用暂行条例的规定,规定了六种处分的种类,即警告、记过、记大过、降级、撤职、开除(第四十七条),并对公务员行政处分的程序作了原则规定(第四十八条)。

七、关于工资福利

考虑到公务员工资制度改革方案将作为公务员法的配套措施,草案只对工资管理的基本制度、原则和重要内容作了规定:

公务员实行国家统一的职务与职级相结合的工资制度和正常增资机制(第六十六条);公务员的工资水平应当与国民经济发展相协调、与社会进步相适应,并与企业相当人员的工资水平基本平衡(第六十八条);公务员按照国家规定享受福利待遇,国家根据经济社会发展提高公务员的福利待遇水平(第六十九条);国家建立公务员保险制度,保障公务员在退休、患病、工伤、生育、失业等情况下获得帮助和补偿(第七十条)等。

八、职务任免与辞职辞退

草案根据目前公务员职务任免的实际做法，规定公务员职务实行选任制和委任制，领导成员职务实行任期制（第二十八条）。

草案在暂行条例的基础上，进一步完善了辞职辞退制度，对公务员不得辞去公职（第七十四条）、担任领导职务的公务员的辞职（第七十五条）、辞退公务员（第七十六条）以及不得辞退公务员的情形（第七十七条）作了规定。同时规定，公务员辞职或者被辞退离职前应当办理公务交接手续，必要时按照规定接受审计（第七十九条）。

九、关于职位聘任与人事争议仲裁

为了适应机关工作的实际需要，草案规定，对一些专业性较强的职位和辅助性职位，实行聘任制。考虑到公务员职位聘任制与公务员的选任制和委任制性质不同，聘任制公务员与机关的关系实质是劳动合同关系，草案针对公务员聘任制的特点，设专章对聘任制的适用范围、聘任合同的签订、变更、解除、协议工资制以及因聘用合同发生争议的解决渠道等内容作了规定（第十七章），并参照劳动争议仲裁，对聘任制公务员人事争议仲裁的原则、人事争议仲裁委员会的组成和人事争议仲裁程序作了原则规定（第九十三条）。

此外，草案还对违反公务员管理制度的行为规定了法律责任（第十九章）。

《中华人民共和国公务员法（草案）》和以上说明是否妥当，请予审议。

全国人大法律委员会关于《中华人民共和国公务员法(草案)》审议结果的报告

全国人民代表大会常务委员会:

十届全国人大常委会第十三次会议对公务员法草案进行了初步审议。会后,法制工作委员会将草案印发中央有关部门、各省、自治区、直辖市和较大市以及法律教学科研单位征求意见;法律委员会、内务司法委员会和法制工作委员会还联合召开座谈会,听取中央有关部门和部分专家的意见。法律委员会、法制工作委员会根据各方面的意见,对草案进行了反复研究,并与公务员法草案起草小组先后多次交换意见。法律委员会于4月7日召开会议,根据常委会组成人员的审议意见和各方面的意见,对草案进行了逐条审议。4月21日,法律委员会召开会议,再次进行了审议。内务司法委员会、中组部、人事部和国务院法制办的有关负责同志列席了会议。法律委员会认为,为了规范公务员的管理,保障公务员的合法权益,加强对公务员的监督,建设高素质的公务员队伍,促进勤政廉政,提高工作效能,制定公务员法是必要的,草案基本可行;同时,提出以下修改意见:

一、草案第二条规定:"本法所称公务员,是指依照法律规定管理国家事务和履行社会公共事务管理职能、使用国家行政编制、由国家财政负担工资福利的机关中除工勤人员以外的工作人员。"按照草案说明,草案规定的公务员范围包括中国共产党和民主党派机关的工作人员、法官、检察官等。对此,主要有三种不同意见:

一是认为草案规定的公务员范围过宽。其主要理由是:这些人员在工作性质、职责权限、工作方式、权利义务、管理体制等方面都不同于行政机关的工作人员,不加区别地纳入公务员的范围,会淡化公务员制度的特点,也给科学设定公务员的纪律、义务、管理规范等带来很多不便。从国际上看,公务员范围通常是指政府机关工作人员。建议按照分类管理的思路,分别立法、分别管理。

二是认为草案规定的公务员范围应再扩大。有的建议参照法官、检察官的模式,将中国人民解放军军官纳入公务员范围;有的建议将交通海事工作人员纳入公务员范围。

三是认为草案关于公务员的定义与所要调整的一些公务员的性质和职责不对应,建议规定得更准确一些。

法律委员会经对上述意见反复研究认为,我国干部管理制度正处在改革过程中,公务员的范围需要同现阶段干部管理体制相符合,同民主政治发展进程相适应。有关部门在起草本法的过程中对这个问题专门作过研究,以不再改动为宜。法律委员会经与起草部门反复研究,建议维持草案规定的范围,但对公务员定义的表述要符合所要规范的公务员范围。据此,法律委员会建议将草案第二条修改为:"本法所称公务员,是指依法履行公职、纳入国家行政编制、由国家财政负担工资福利的工作人员。"(草案二次审议稿第二条)同时,为了使本法和有关组织法、法官法、检察官法等相衔接,建议将草案第七条"公务员中的领导成员的产生、任免、考核、监督等,法律或者有关章程另有规定的,从其规定",修改为:"公务员的义务、权利和管理,适用本法。""法律对公务员中的领导成员的产生、任免、监督以及法官、检察官等的义务、权利和管理另有规定的,从其规定。"(草案二次审议稿第三条)

二、草案第四条对公务员管理应当坚持的原则作了规定。一些常委委员、部门、地方和专家提出,公务员管理的原则非常重要,对公务员管理的各项具体制度具有统领和指导的作用,建议对各项原则的内容予以进一步明确和充实。法律委员会经研究赞成这一意见,建议根据公务员管理的实践经验,将草案第四条修改为:"公务员管理,坚持公开、平等、竞争、择优的原则,依照法定的权限、条件、标准和程序进行。""公务员管理,坚持监督约束与激励保障并重的原则。""公务员的任用,坚持任人唯贤、德才兼备的原则,注重工作实绩。""国家对公务员实行分类管理,提高管理效能和科学化水平。""公务员依法履行职务的行为,受法律保护。"(草案二次审议稿第五条至第九条)

三、草案第十条对职位分类作了规定。第十一条第四款中又规定,"国家可以根据工作需要,在非领导职务中设置专业技术职务、行政执法职务"。一些常委委员、部门、地方和专家提出,草案关于职位分类与设置专业技术职务和行政执法职务的规定的关系不明确,对职位分类规定得不够清楚,建议按分类管理的原则,把主要的职位类别予以列举规定,并按职位类别设置公务员职务序列。法律委员会经与中组部、人事部反复研究认为,职位分类是公务员制度的重要内容,也是对各类公务员进行管理的必要条件。我国公务员制度已经实行十多年,目前有条件对公务员的职位类别作出相应的规定。据此,法律委员会建议将草案上述规定合并修改为:"国家实行公务员职位分类制度。""公务员职位类别按照公务员职位的性质、特点和管理需要,划分为综合管理类、专业技术类和行政执法类等类别。国务院根据本法,对于具有职位特殊性,需要单独管理的,可以增设其他职位类别。各职位类别的适用范围由国家另行规定。"(草案二次审议稿第十五条)同时增加规定:"国家根据公务员职位类别设置公务员职务序列。"(草案二次审议稿第十六条)

四、草案第十二条对法官、检察官的职务和人民警察、海关、驻外外交机构公务员的职务和衔级问题作了规定。其中第四款规定:"驻外外交机构公务员的衔级分为:大使衔、公使衔、参赞衔、一等秘书衔、二等秘书衔、三等秘书衔和随员衔。"内务司法委员会、一些常委委员和外交部提出,草案的这一规定不全面,难以涵盖外交机构公务员管理中的诸多特殊情况。建议就驻外机构公务员的管理单独立法，以便作出比较全面的规定。法律委员会经研究认为，宪法第六十七条规定，全国人大常委会“规定军人和外交人员的衔级制度和其他专门衔级制度”，对于驻外外交机构公务员的衔级问题，可在今后的立法中作出规定，本法可不作具体规定。同时考虑到，法官、检察官的职务和人民警察、海关工作人员的职务和衔级问题，有关法律已有规定，有的职务还需要根据本法另行具体确定，这里只规定实行衔级制度即可。据此，法律委员会建议将这一条修改为：“国家根据人民警察以及海关、驻外外交机构公务员的工作特点，设置与其职务相对应的衔级。”（草案二次审议稿第二十一条）

五、草案第十五条第一款规定：“录用担任主任科员以下及其他相当职务层次的非领导职务公务员，采取公开考试、严格考察的办法，择优录取。”根据法官法、检察官法的规定，担任法官和检察官，必须通过国家统一的司法考试。对此主要有两种不同的意见：

一种意见认为，录用从事审判、检察业务工作的人员，通过司法考试就可以了，没有必要实行两次考试。主要理由是：依照有关法律规定，参加司法考试的都是大学本科毕业以上的人员，要求比较高，难度比较大。

另一种意见认为，公务员录用考试和司法考试是两种不同性质的考试，前者是公务员入门考试，后者是专业资格考试；两种考试的内容也不同，公务员入门考试包括行政职业能力测试等方面的内容，这是每一个担任公务员的人员都应具备的能力；而国家司法考试主要是测试法律专业知识。

法律委员会经对以上两种意见反复研究认为，不论是“一考”还是“两考”，都应重在考察报考者是否具备报考职位的任职要求。从实际情况看，为了避免不必要地增加考生负担，以不实行“一职双考”为好。据此，法律委员会建议增加规定：“确定初任法官、初任检察官的任职人选，可以面向社会，从通过国家统一司法考试取得资格的人员中公开选拔。”（草案二次审议稿第四十五条第三款）

六、草案第四十五条第三项规定，公务员不得“对抗上级决定和命令”。一些常委委员、地方、专家提出,公务员服从上级的命令是公务员应当遵守的纪律,但草案这一规定过于绝对,为防止执行上级违法或者错误的决定或者命令而对公共利益或者公民的合法权益造成重大的不可挽回的损失,公务员有权提出纠正意见;对于执行明显违法或者错误的决定或者命令,公务员本人应承担相应的责任,以增强公务员的责任。法律委员会经研究,赞成这一意见,建议增加一条,规定:“公务员执行公务时,认为上级的决定或者命令有错误的,可以向上级提出改正或者撤销该决定或者命令的意见。上级不改变该决定或者命令,或者要求立即执行的,公务员应当执行该决定或者命令。执行的后果由上级负责,该公务员不承担责任。但是,公务员执行明显违法的决定或者命令的,不得免责。”(草案二次审议稿第五十四条)

七、草案第六十八条第一款规定:“公务员的工资水平应当与国民经济发展相协调、与社会进步相适应,并与企业相当人员的工资水平基本平衡。”一些常委委员、部门、地方提出,公务员的层级比较多,企业人员的层级比较少;企业有效益好的,也有效益差的,收入差距很大,公务员的工资与企业人员的工资很难做到基本平衡。法律委员会经研究,赞成上述意见,建议将这一条规定中的“并与企业相当人员的工资水平基本平衡”一句删去。

八、草案第一百零二条第一款规定:“人民团体、群众团体中除工勤人员以外的工作人员,参照本法进行管理。”一些常委委员提出,人民团体、群众团体属于非政府组织,规定一律参照适用公务员法,不利于其作为非政府组织开展活动。同时,群众团体的数量很大、情况复杂,也不宜笼统规定参照本法进行管理。人民团体、群众团体工作人员管理中的实际问题可以由国家或中央有关部门另行规定予以解决。法律委员会经研究,赞成这一意见,建议删去这一款。

此外,还汇报两个问题:

(一)草案第六十六条第一款规定:“公务员实行国家统一的职务与职级相结合的工资制度。”对此,一些常委委员、部门、地方提出了三种意见:一种意见认为,各地方的经济发展水平、物价水平差距很大，应当允许各地方根据实际情况确定地区附加补贴，以体现不同地区收入差异的客观情况。另一种意见认为，国家应逐步缩小不同地区公务员工资水平的差距，提高艰苦边远地区公务员的待遇。再一种意见提出，目前公务员的工资制度不统一，同一地区的不同机关、不同部门的工资差距比较大，建议公务员的工资实行属地原则。

法律委员会经同人事部反复研究上述意见认为，公务员的工资制度是本法的一项重要内容，关系公务员队伍的稳定和勤政廉政建设，各方面都比较关心。现行工资制度确实存在不少问题，各方面提出的意见也都各有一定的道理，应当逐步加以解决。但这个问题比较复杂，需要慎重研究。关于工资改革方案，国务院正在积极抓紧研究，法律委员会建议维持草案的上述规定，由国务院在制定工资改革方案时充分考虑常委会组成人员和其他方面提出的意见。

（二）草案第八十条规定："公务员达到国家规定的退休年龄或者完全丧失工作能力的，应当退休。"草案对公务员退休的具体年龄未作规定。对此，一些常委会组成人员和部门、地方、专家提出，退休年龄是公务员制度的一项重要内容，草案规定了录用公务员的最低年龄要求，也应对退出公务员队伍的年龄作出规定。关于如何规定退休年龄，有不同意见：一是建议实行男女同龄退休，规定不论男女，都是六十岁退休。二是建议维持现行规定，男六十岁退休，女五十五岁退休。法律委员会经同人事部反复研究认为，男女同龄退休是退休制度改革的方向，要积极创造条件，逐步实现。但是，目前社会就业压力很大，对公务员的退休年龄作调整的客观条件不具备。因此，法律委员会建议对草案上述规定以不作修改较为稳妥。

草案二次审议稿已按上述意见作了修改，法律委员会建议经常委会第十五次会议进一步审议后争取通过。

草案二次审议稿和以上报告是否妥当，请审议。

全国人大法律委员会
2005 年 4 月 21 日

全国人大法律委员会关于公务员法（草案二次审议稿）修改意见的报告

（2005 年 4 月 26 日）

全国人大法律委员会主任委员 杨景宇

全国人民代表大会常务委员会：

本次常委会会议于 2005 年 4 月 25 日对公务员法（草案二次审议稿）分组进行了审议。常委会组成人员认为，草案二次审议稿吸收了常委会组成人员和部门、地方、专家的意见，已经比较成熟，建议本次常委会会议通过；同时，也提出了一些修改意见。当日，法律委员会召开会议，逐条研究了常委会组成人员的审议意见。内司委、中组部、人事部和国务院法制办的有关负责同志列席会议。会议对草案二次审议稿提出以下主要修改意见：

一、草案二次审议稿第十条第二款规定："各级公务员主管部门指导同级机关的公务员管理工作。各机关内设人事机构承担本机关公务员管理的具体事务。"有的常委委员提出，按照我国立法惯例，法律对机关的内设机构是不作规定的，实际上有些机关也并没有单设人事机构。法律委员会经研究，赞成这一意见，建议删去这一款中"各机关内设人事机构承担本机关公务员管理的具体事务"一句，并将"各级公务员主管部门指导同级机关的公务员管理工作"并入这一条的第一款。（建议表决稿第十条）

二、草案二次审议稿第十条第三款规定:“实行双重管理的机关,由上级机关会同同级公务员主管部门对其公务员管理实施指导、监督。”有的常委委员提出,双重管理机关的公务员管理,情况不同,有的以条条为主,有的以块块为主,对其上下左右关系,难以作出统一规范。这类工作关系问题在实践中是清楚的,可以不在法律中作规定。法律委员会经研究,赞成这一意见,建议将这一款删去。

三、草案二次审议稿第三章对公务员的职务职级作了规定。人事部和有的常委委员提出,从本章的内容看,“职级”是与职务相对应的若干级别,国务院拟订的工资改革方案使用的也是“级别”的概念,建议将“职级”改为“级别”。法律委员会经研究,赞成这一意见,建议将这一章的章名修改为“职务与级别”,并将有关条款中的“职级”统一改为“级别”。

四、草案二次审议稿第五十四条对公务员执行上级决定或者命令的责任作了规定。有些常委委员提出,这一条的规定很重要,既要考虑公务员应当执行上级决定或者命令,保证政令畅通,又要考虑公务员要对法律负责,对人民负责。因此,法律应当明确,公务员执行上级决定或者命令,在什么情况下应当承担责任,承担什么样的责任,在什么情况下应予免责。法律委员会经反复认真研究认为,为了保证政令畅通,上级决定或者命令即使有错误,公务员应当提出意见,但要执行,执行后果由上级负责。但是,需要有个例外,如果上级决定或者命令明显违法,如刑讯逼供、做假贩、走私等,公务员当然有权拒绝执行,否则,除上级应当承担责任外,该公务员也要承担相应责任。据此,建议将这一条修改为:“公务员执行公务时,认为上级的决定或者命令有错误的,可以向上级提出改正或者撤销该决定或者命令的意见;上级不改变该决定或者命令,或者要求立即执行的,公务员应当执行该决定或者命令,执行的后果由上级负责,公务员不承担责任;但是,公务员执行明显违法的决定或者命令的,应当依法承担相应的责任。”(建议表决稿第五十四条)

五、草案二次审议稿第六十九条规定:“公务员担任县、乡级机关及部分部门主要领导职务的,应当按照有关规定实行地域回避。”有的常委会组成人员提出,有些人口很少的少数民族集中居住在一个自治县,按照民族区域自治法的规定,这些自治县的县长只能由实行区域自治的民族的公民担任,难以实行地域回避,民族乡也有类似的问题。这个问题在本法中应予明确。法律委员会经研究,建议将这一条修改为:“公务员担任乡级机关、县级机关及其有关部门主要领导职务的,应当实行地域回避,法律另有规定的除外。”(建议表决稿第六十九条)

六、草案二次审议稿第一百零六条规定:“行使公共管理职能的事业单位中除工勤人员以外的工作人员,经批准参照本法进行管理。”有些常委委员提出,依照行政处罚法、行政许可法的规定,行使公共事务管理职能的事业单位,必须由法律、法规授权。法律委员会经研究,赞成这一意见,建议将这一条修改为:“法律、法规授权的具有公共事务管理职能的事业单位中除工勤人员以外的工作人员,经批准参照本法进行管理。”(建议表决稿第一百零六条)

此外,根据常委会组成人员的意见,还对草案二次审议稿作了一些文字修改。

草案建议表决稿已按上述意见作了修改,法律委员会建议本次常委会会议通过。

草案建议表决稿和以上报告是否妥当,请审议。

十届全国人大常委会第十三次会议分组审议公务员法(草案)的意见

十届全国人大常委会第十三次会议对《中华人民共和国公务员法(草案)》(以下简称草案)分组进行了审议。现将审议意见简报如下:

一、总的看法

委员们普遍认为,制定公务员法非常重要,对于改革和完善公务员制度,推动政府职能转变,建设高素质的公务员队伍,促进勤政廉政,加强党的执政能力建设,发展社会主义民主政治,具有重要意义。一些委员认为,草案总结了十多年来公务员制度建设的经验,指导思想明确,符合我国的国情,内容比较全面,框架大体可行,建议抓紧修改完善,早日出台。

一些委员提出,公务员暂行条例已实施 10 多年,随着改革开放和社会主义市场经济的发展,公务员管理中出现了不少新情况、新问题,公务员法需要在对干部人事制度改革的成果进行总结和归纳的基础上制定,要借鉴国际上的一些好的做法,应当符合时代需求和与时俱进的精神。目前草案只是在原条例的基础上进行修补,基本沿袭了暂行条例的框架,没有形成新的管理制度和机制。草案的立法宗旨不太明确,一些公务员制度中的突出问题,如职务职级、工资制度等,尚没有解决方案,公务员究竟包括哪些人员、本法的执法主体都不明确。草案的内容在粗细上亦有不当之处,有的内容太粗,有的内容又过于琐细。草案还不够成熟,需要在广泛征求意见后,作较大的修改完善,对于一些难点问题还须很好地推敲、斟酌。如果新制定的法与10多年前的条例没什么两样,或者绕开一些问题,采取模糊处理的办法而匆忙出台,会给实践留下一系列难以处理的问题。有的委员还提出,草案中有一些是党内文件和进行宣传教育用语,应转换为法律语言。

二、关于公务员的范围

草案第二条规定,“本法所称公务员,是指依照法律规定管理国家事务和履行社会公共事务管理职能、使用国家行政编制、由国家财政负担工资福利的机关中除工勤人员以外的工作人员。”

1. 赞成适当扩大公务员范围

一些委员提出,草案对公务员范围的确定,既参照了国外的做法,又符合中国国情,比较科学、现实。中国的政治体制同多党制国家不同,中国共产党长期执政,民主党派是参政党,党派的工作人员和政府系统的国家公职人员一样,履行管理国家事务的职能。对党派工作人员与其采取参照管理的形式,不如纳入公务员序列管理更规范。公务员的范围没有所谓国际惯例,各国的范围有很大不同。有的委员还提出,政协机关的人员也应当在公务员法中有明确的地位。

2. 扩大公务员范围存在的问题和建议

有些委员提出,草案规定的公务员范围太大,把法官、检察官、党派机关工作人员等都包括进去,不利于公务员的管理,同时还会产生一些新的问题。第一,草案规定公务员依照法律规定履行公共事务管理职能,并使用国家行政编制。但目前很多公共管理职能的履行并未由法律直接规定。什么是行政编制,由什么部门、根据什么标准确定,草案也没有明确规定。第二,公务员范围过大,不利于公务员的管理,尤其是对法官、检察官等有特殊性的人员的录用、考核、管理等,会带来一系列操作上的问题。在制定公务员暂行条例时,最早的名称是“国家工作人员法”,但国家工作人员的概念太笼统,且对不同行业和不同部门管理的内容不同,因此,后来采取公务员的概念,并将适用范围局限在行政机关的工作人员，以实行科学的分类管理。现在看还是有一定好处的。第三，公务员的范围应当有严格限定，不能把拿财政工资的人都叫公务员。目前干部的公信力不高，如在法律中规定公务员范围过大，给老百姓感觉公务员队伍非常庞大，可能产生一些负面影响。第四，国际上公务员的定义基本是一致的，是指从事公共事务管理的公职人员。草案将党派工作人员也都纳入到公务员的范围内，可能在国际上带来一些负面影响和评价。第五，对于党的干部，党内已有党章和一系列规范，包括监督条例、纪律处分条例和党员权利保障条例等等，相当健全，把党的机关工作人员，纳入到公务员这个体系之后，会产生管理制度上的交叉重叠，产生党的章程、党内条例与公务员法之间关系的协调问题，同时还会带来执法主体是谁的问题，这部法律出台后如果要搞执法检查，就很困难。

有的委员提出，由于公职人员、公务员（即公职人员中承担国家管理职责的人员）以及雇员或者工勤人员，有不同的政治地位，承担着不同的法定职责，享受不同的待遇，建议采取列举的方式，按照公职人员、公务员以及雇员（或者工勤人员）三个层次对本法适用范围问题进行界定。本法应主要对公务员作出规定。

三、关于公务员制度的指导思想

草案第三条规定，公务员制度坚持以马克思列宁主义、毛泽东思想、邓小平理论和“三个代表”重要思想为指导，贯彻中国共产党在社会主义初级阶段的基本路线，贯彻中国共产党的干部路线和方针，坚持党管干部原则。

有的委员提出，党管干部要通过国家机构来实现，建议在法律中不具体表述党管干部的原则，这一原则在实际工作中贯彻就可以了。有的委员提出，目前中国共产党向权力机关推荐重要干部，根据草案规定的公务员范围，并不完全是党来推荐，笼统表述为“党管干部的原则”是否恰当，需要斟酌。

有些委员提出，公务员法作为一部法律，应该强调以宪法为基础，贯彻中国共产党的干部路线和方针。

有的委员提出，草案第三条的规定，宪法中已经有了，法律是根据宪法制定的，如果规定这一条，那么每部法律都要加上这些内容。

有的委员提出，考虑到“党在社会主义初级阶段的基本路线”大家都已比较明确，建议这一表述可以不写。

四、关于取得公务员身份的基本条件

草案第五条和第六条规定了取得公务员身份必须具备的基本条件。委员们提出以下意见：

1. 建议进一步增加取得公务员身份的条件。有的委员提出，公务员必须具备行政管理相关知识，对拟任领导职务，特别是高级领导职务的公务员，必须在基层工作一定时间。有的同志建议根据不同类别和不同层次对公务员的素质条件提出不同要求。

2. 建议对草案中的一些表述进行修改。有的委员提出“身份”的概念一般与地位、权利相关联，建议将“公务员身份”改为“公务员资格”。“良好的品行”没有客观标准，无法衡量。对公务员的要求应高于普通公民，“遵守宪法和法律”，应改为“模范遵守宪法和法律”。要求公务员须“享有公民的政治权利”，就已隐含了“年满 18 周岁”的年龄条件，建议将这两项合并。为避免不适当地提高对身体条件的要求，建议将“具有正常履行职责的身体条件”，改为“具有正常履行所在岗位职责所要求的身体条件”。

3. 建议对比较轻微的过失犯罪，不取消公务员身份。有的同志提出，草案规定因犯罪受到刑事处罚的人员不得取得公务员身份，对此应区分刑事处罚的不同情况。比如因交通肇事受刑事处罚，是过失犯罪，不应为此就剥夺其取得公务员身份的权利。

五、关于职务职级

1. 职位分类

草案第二十一条规定，公务员职务分为领导职务和非领导职务。

有的委员提出，依照草案关于职务分类的规定，难以解决实际中存在的问题。建议对此作深入研究，可以考虑将公务员分为政务类和事务类，事务类再分为行政管理类、专业技术类，这既符合国际通行的做法，也可以借鉴中国传统上“官吏分制”的经验。政务类公务员是经选举产生的各级领导人员和政府组成人员，能上能下，接受人民监督。对事务类公务员的激励，既要有相应的工资待遇，更要让他们清楚职业生涯中下一步晋升的台阶。目前在改革过程中，有的单位换一届领导就重新搞一次聘任，处长都面向社会公开招聘，使公务员在工作中不知道下一步的竞争对手是谁，容易助长短期行为。

有的委员建议对非领导职务公务员转任领导职务公务员的问题作出明确规定。

2. 职务职级的对应关系

草案第十四条规定，公务员的职务应当对应相应的职级。公务员职级与职务的对应关系，由国务院规定。

有的委员和同志提出，这一规定过于笼统，建议进一步作出明确规定。

一些委员提出，目前公务员职务职级存在的问题：一是缺乏适合各类公务员成长规律的多样化的职务序列，晋升的渠道比较单一；二是为基层公务员提供的发展空间太小，由于职数的限制，如果没人往上升，下面的人也无法提升，客观上造成“官本位”的思想很严重。建议职务所对应的职级范围要大一些，在制度设计上应该让公务员感到，在非领导职务岗位上只要尽职敬业，就可以正常晋级，退休时也能享受较好的待遇。这对保障公务员的权益，促进基层公务员爱岗敬业，减少“政绩工程”，减少和杜绝“跑官要官”等腐败现象具有重要作用。

3. 特殊类别公务员的职务职级

草案第十二条对法官、检察官、人民警察、海关、驻外外交机构公务员的职务或衔级作了规定。

有的委员建议细化对外交机构公务员的衔级规定，并对外交机构中的非外交人员作出规定。

有的委员提出，法官、检察官、海关关员的职务和衔级等已在相应的法律中有规定，建议草案合并为一条表述，并将有关外交机构的规定单独列为一条。

六、关于录用

1. 录用原则

有些委员提出，草案规定“对少数民族报考者予以适当照顾”，体现了我国宪法和民族区域自治法的有关规定精神。大批少数民族干部在民族自治地方的管理工作中，发挥了不可替代的作用，建议进一步细化对少数民族的优惠政策，可以授权国务院或者民族自治地方作出具体规定。

有的同志建议，应当针对目前不少单位不愿招聘女性公务员的情况，增加规定在录用的过程中不得对女性予以歧视。

2. 公务员考试

有的委员建议仿照司法考试的模式，成立公务员考试委员会，负责考试的形式、试题和评分，使公务员考试更加科学、公正。

有的委员提出，担任法官、检察官不仅要通过司法考试，还要通过公务员考试，两次考试不仅给相关人员造成不应有的负担，也不利于提高效率，不合理。建议对司法考试和公务员考试的关系，作出明确的规定。有的委员建议把两次考试合二为一，一并进行。

3. 录用管理

草案第二十一条规定，公务员的录用，由中央和省级公务员综合管理部门负责组织，必要时，省一级可以授权设区的市级公务员综合管理部门组织。

一些委员提出，公务员的录用采取两级管理比较好，不要再把权力下放，从现在反映出来的情况看，考试还是严格一点为好。

七、关于考核

1. 考核方式

草案第二十五条规定，对领导成员以外的公务员的定期考核采取年度考核的方式，先由个人总结，主管领导在听取群众意见后写出评语并提出考核等次建议，由本机关负责人或者授权的考核委员会确定考核等次。

有的委员提出，现在听取群众意见，往往是本单位同事的意见，反映的是人际关系，难以反映是否称职或优秀。最了解一个公务员称职与否的是其服务对象，建议在考核公务员时听取服务对象的意见。

有的委员提出，考核评价标准应尽可能具体化，建议增加专项打分的办法，使考核准确反映出公务员履职情况。

有的委员提出，草案第二十四条规定了定期考核以平时考核为基础，但考核的过程没有体现出平时考核的基础作用，建议规定年度考核应结合平时考核的情况。

有的委员提出，“先由个人总结，主管领导在听取群众意见后写出评语并提出考核等次建议”，属于工作流程，不必在法律中规定。

2. 考核结果

有的委员建议，考核的结果应当公布，一方面使考核结果体现公开、公正、透明的原则，另一方面也符合公众监督的要求。

八、关于职务任免

1. 任职

草案第二十八条规定，公务员职务实行选任制和委任制。领导成员职务实行任期制。

有的委员提出，草案应对“选任制”、“委任制”的具体含义予以明确。

有的委员建议，对选任制、委任制与聘任制之间的关系作清楚的界定,聘任的人员是视同公务员还是就是公务员,应明确。

2. 公务员的任期

有些委员提出,选任制的公务员,按推断是可以连任的,应对选任制的公务员能连任几届作明确的规定。

有的委员还提出,在要害部门任职时间太长容易出现问题,建议对委任制公务员在同一岗位上的任职年限作规定。

3. 公务员兼职

草案第三十二条中规定,公务员不得在企业以及其他营利性组织、社会中介组织兼任职务。有的委员提出,建议对公务员在不同的社会中介组织中兼职予以区别对待,应当允许在非营利性的组织中兼职。

九、关于职务升降

1. 职务晋升

有的委员提出,公务员的职务晋升问题事关能否有效根治吏治腐败,草案的规定缺乏有力措施。美国、法国、日本的公务员法在晋升职务职级时,对业绩和年功等都有具体规定,而且还可以对晋升中的不公平现象进行申诉。草案没有考虑年功的因素,可能出现干几十年既不晋升职务,也不增加工资,很不合理。

2. 竞争上岗

有的委员提出,草案第三十六条规定了竞争上岗的问题。竞争上岗的方式现在被普遍采用,有的单位用得很好,有的单位用得不好,建议把这几年的经验加以总结,细化程序规定,使竞争上岗制度进一步发挥实效。

3. 考核不称职后的转任

草案第三十九条规定,公务员在定期考核中被确定为不称职的,或者不胜任现职又不宜转任同级其他职务的,按照规定程序降低一个职务层次任职。

有的委员提出,考核被确定为不称职如果还可以转岗,就等于不称职的干部可以不承担责任,换一个岗位照样当官,目前人民群众对此反应很强烈。建议取消不胜任现职可以转任其他职务的规定。

十、关于奖励

有的委员提出,奖励的标准应当更明确,受奖励的比例不宜过大,主要奖励少数贡献突出的人。奖励方式应主要通过职务职级的晋升来激励公务员努力工作。

有的委员建议,在草案中具体规定奖励的权限和奖励的机关。

十一、关于纪律与处分

1. 违纪行为

草案第四十五条对公务员必须遵守的纪律规范作出了规定。

有些委员建议将“散布有损政府声誉的言论”一句话中的“政府”改成“国家机关”或“国家”。

草案规定,公务员不得“经商、办企业或者参与其他营利性的经营活动”。有的委员建议,将“经营”两个字删掉,因为有的干部不参加企业的经营活动,但是参股分红,法律应该把这种情况考虑进去。

草案规定公务员不得“对抗上级决定和命令”。有的委员提出,实践中直接对抗的不多,较多的是有令不行、有禁不止。建议修改为,“对上级决定、命令故意拖延不执行的”。有的委员和同志提出,这一规定不适用于法官或其他专业技术性很强人员。另外,如果过分强调服从上级,还会造成公务员不敢说真话。

草案规定,公务员不得“组织或参加罢工”。有的委员提出,目前国家还没有关于禁止某类群体进行罢工的规定,本法明确提出不允许公务员罢工,是否意味着允许工人等其他群体罢工。

有的委员建议增加两条规定:一是公务员因工作需要,以专家身份参加工程、科研、招标项目进行验收、评标和评审的,需经批准,但是不得领取相应的任何费用;二是公务员执行公务时的一切费用由本单位支付,任何人不得在其执行公务单位报销其费用。

2. 处分

有的委员建议，在部门或者系统中成立公务员惩戒委员会，由其讨论对公务员的处分问题，可以更公正地对公务员进行惩处。

有的委员提出，过去称为行政处分，草案将公务员范围扩大后，去掉了“行政”二字，但处分的依据是什么，应当加以明确。

十二、关于工资福利保险

1. 工资制度的统一与地区差异

草案第六十六条规定，公务员实行国家统一的职务与职级相结合的工资制度。

一些委员提出，实行统一的工资制度非常必要。只要是中华人民共和国公务员，都应该执行同样的工资标准，国家应该把公务员工资统管起来。同一地区、同一城镇不同部门的同级公务员的工资水平应当大体一致，同时适当地考虑地区差异。对艰苦、贫困、边远和少数民族地区的公务员的工资应有所补助，以调动当地公务员的积极性。有的同志提出，公务员工资还应包括地区工资，地区工资与当地的经济发展水平挂钩，以激励该地区公务员努力搞好本地经济，促进当地社会发展。

草案第六十六条第三款规定，“国家实行公务员工资的正常增资机制”，有的同志提出，随着经济的发展，公务员的工资是可以增加的，但如果国家处于非常状态，需要减薪，公务员也应支持国家度过难关。建议将“增资”改为“工资调整”。

2. 工资水平确定的依据

草案第六十八规定，公务员的工资水平应当与国民经济发展相协调、与社会进步相适应，并与企业相当人员的工资水平基本平衡。国家实行工资调查制度。

一些常委会组成人员提出，公务员工资水平“与企业相当人员的工资水平基本平衡”的提法不合适。我国的企业在所有制、规模和人员工资待遇上有很大的差别，同何种企业、哪些人员的工资水平相平衡难以把握,可以考虑根据国家经济发展状况、廉政建设状况、物价水平等因素综合平衡,确定公务员的工资水平。建议对"国家实行工资调查制度"的执行主体加以明确。

3. 休假

草案第六十九条第二款规定,公务员按照国家规定享受休假。有的同志建议修改为"公务员按国家规定享受带薪休假",同时对不同服务年限的公务员应规定不同的带薪休假天数。

十三、关于退休

1. 退休年龄

一些常委会组成人员提出,公务员法中应明确公务员的退休年龄。法律应规定男女公务员同龄退休,这关系到宪法规定的男女平等原则。男女不实行同龄退休,影响女性公务员的政治参与和事业发展,减少了女性公务员进入领导岗位的机遇和可能性,也使女性公务员退休后的工资少于男性。

2. 公务员退休后的待遇

有的委员提出,对于贡献突出的公务员,在退休时可以考虑给予一定奖励。

有的委员提出,公务员在工作期间没有经济能力为自己提供补充的养老金,所以在退休之后所享受的基本养老金应该高于企业,希望公务员法能够明确公务员养老金体制。

有的委员提出,草案应规定提前退休公务员的待遇。

有的委员建议,对公务员在退休后的一定年限内不得到相关企业、营利性组织或社会中介组织中任职作出规定。

十四、关于职位聘任

1. 聘任制人员的性质

有的委员提出,聘任制人员与一般公务员在权利和义务上有何异同,需要予以明确。

有的同志提出，聘任制公务员本质上不是公务员，产生程序、职务、职级都与公务员有区别，建议公务员法对聘任制不作规定。

2. 人事争议仲裁委员会

草案第九十三条规定，国家根据需要设立人事争议仲裁委员会。人事争议仲裁委员会应当由公务员综合管理部门代表、用人单位代表、聘任制公务员等有关人员代表及法律专家组成。裁决生效后，一方当事人不履行的，另一方当事人可以申请人民法院强制执行。

有些委员建议，在人事争议仲裁委员会的组成人员中加入工会代表，工会的职能就是代表和维护公务员的权益，应在人事争议仲裁中发挥其作用。

有的委员建议，在机关内部设立解决人事争议的机构，不仅解决聘任制公务员的人事争议，所有的人事争议都可以到这个机构来裁决。另外，建议对不履行裁决或者法院判决的，对机关的领导人采取一定的措施。

十五、关于管理机构

有些委员提出，草案中的“综合管理部门”的提法非常含糊，应明确公务员管理机构的设置和组成。

有的同志建议，设立管理（咨询）协调机构，负责咨询、协调和申诉处理等，促进公务员权利的平等。

十六、其他

1. 关于领导成员的例外规定。草案第七条规定“公务员中领导成员的产生、任免、考核、监督等，法律或者有关章程另有规定的，从其规定”。有的常委会组成人员提出，法律与章程的地位不同，章程应服从于法律。因此，草案中“有关章程另有规定的，从其规定”的提法不妥当，建议予以修改。另外，章程种类繁多，草案中的“有关章程”是指哪些章程，需要加以明确。

2. 关于公务员权利和义务。有的委员提出，草案对公务员管理方面的内容规定得比较多，对公务员权利保护的规定则有欠缺。对于如何维护公务员的权益，应借鉴国外的做法，在人事部设立专门维护公务员权益的机构，并接受公务员申诉。同时制定公务员守则，对公务员的行为规范作出具体规定。

3. 关于培训。有的委员提出，草案第五十三条有关培训的具体时间的规定可以删除。

4. 关于交流。草案第五十八条第三款规定，对担任机关内设机构领导职务和工作性质特殊的非领导职务的公务员，应当有计划地在本机关内转任。有的委员提出，交流的范围不应太过局限，建议修改为“在需要的时候，可以跨地区、跨机关进行交流和转任”。

草案第六十条规定，公务员应当服从机关的交流决定。有的委员提出，“机关”的提法太笼统，建议修改为“公务员应当服从任免机关的交流决定”。

5. 关于辞职辞退。有的委员建议，草案应明确被辞退的公务员能否被再一次录用为公务员。

有的同志建议增加规定，对于连续3年被确定为基本称职的，予以辞退。

6. 关于申诉控告。草案第八十五条规定，公务员申诉的受理机关审查认定人事处理有错误的，原处理机关应当及时予以纠正。有些委员提出，原处理机关纠正错误之后还应该负责对被错误处分的公务员在申诉期间的损失给予补偿。

有的委员还提出，公务员被开除，不是机关内部的问题，公务员应当有权到法院起诉。对机关的录用决定不服，也应有权到法院提起诉讼。

7. 关于法律责任。有的委员建议，在法律责任一章中对没有尽到考核义务和未正确行使考核权力的行为加以规定。

8. 关于公职人员的含义。草案第一百零一条对公职人员进行了界定。有的委员提出，国有企业、事业单位、人民团体和社会团体的形式和性质多样，国有企业有国有参股和国有控股的，事业单位也有民办的，社会团体中有慈善机构和其他非营利机构。建议对公职人员的规定进一步细化，或将范围明确地列举出来。如本法中不能规范，可以另行规定。

9. 关于本法与法官法、检察官法在适用上的关系。有的委员提出，草案只在“职务职级”一章中明确了法官、检察官的特殊性，在说明里也只点到根据履行职务的特殊要求适用专门法。但实际上，法官、检察官在等级、权利、义务、资格条件、任免程序、回避等方面与一般公务员都是不同的。建议对公务员法与法官法、检察官法、人民警察法在特殊问题的适用上作比较详细的区分，如果分别规定有困难，可以在总则或附则中作一揽子规定。

各地和中央有关部门对《公务员法(草案)》的意见

十届全国人大常委会第十三次会议对《公务员法(草案)》进行了初步审议。会后,法制工作委员会将草案发送各省、自治区、直辖市和较大的市的人大常委会、中央有关部门和有关法学教学研究机构征求意见。现将各地方和有关部门的意见简报如下:

一、总的看法

一些地方和部门提出,制定公务员法对我国公务员制度的规范化、科学化、法治化具有重要的现实意义,非常必要,建议尽快出台。有些部门认为,草案吸收了近年来干部人事制度改革的成果,经多次征求意见并反复修改已经比较成熟、完善。

一些地方和部门提出,草案的一些内容未能总结干部人事制度改革的主要成果和国外公务员管理的先进经验。草案中公务员的范围非常宽泛,且没有进行科学的分类,未做到与相关法律相衔接。对涉及公务员管理的一些制度,如职务职级、工资福利保险等方面规定得比较原则,需要进一步明确和细化。草案分章过多,章与章之间逻辑性和紧密性不足,一些语言表述不规范,一些概念的含义不清楚,需要在体例结构和文字表述方面予以调整。鉴于公务员法社会影响较大,有些做法尚处于摸索阶段,应谨慎出台,建议按照立法法的要求进一步增强立法民主性,扩大社会参与度,广泛征求意见,按照宪法的原则和精神进行修改。

二、关于公务员的范围

草案第二条规定,“本法所称公务员,是指依照法律规定管理国家事务和履行社会公共管理职能、使用国家行政编制、由国家财政负担工资福利的机关中除工勤人员以外的工作人员。”

1. 公务员定义

一些地方和部门提出,草案对公务员的范围采用定义的方式规定,使得哪些人员属于公务员不易把握,仅在草案说明中加以明确不妥,建议作列举式的正面规定。

一些地方和部门提出,草案关于公务员的定义不够准确。第一,公务员的定义与一些人员的性质和职责不能对应。例如,法官和检察官行使的是国家司法职能,并非管理职能。法律没有明确规定政协机关和民主党派的职权,将其理解为具有管理职能比较勉强。有的地方建议增加公务员“服务”的职责,以体现服务型政府的要求。第二,由于草案规定公务员的范围不限于国家行政机关工作人员,法律将人大机关、党派机关、法、检两院等使用的编制称为“行政编制”是不适当的,混淆了不同国家机关的性质和分工,建议修改为“使用国家公务员编制”、“国家机关编制”或“使用国家专项编制”。我国的工、青、妇等人民团体机关也由财政负担工资福利,且使用国家行政编制,但按草案第一百零二条规定,他们属于“参照管理”,而非公务员。

有的部门提出,我国机构编制管理中的编制概念仅有行政编制和事业编制两种,其他表述容易引起歧义,建议将“国家行政编制”修改为“行政编制”,以免产生还有“非国家行政编制”或其他概念的理解。

有的部门建议,因国家主席等国家领导人职权是由宪法规定的,草案第二条中的“依法律规定”修改为“依照宪法和法律规定”。

有的部门建议在公务员的定义中增加规定,公务员须经法定程序产生。

2. 公务员范围

有些地方和部门提出，草案扩大了公务员暂行条例确立的公务员的范围，对公务员管理体制和管理原则有重大影响，建议综合考虑各类人员的特点，对公务员范围作更加规范严谨的界定。目前草案将党的机关、政协机关、民主党派机关、法官、检察官都纳入公务员范围，存在一些问题。第一，各类型机关性质、特点迥异，由公务员法统一调整，不利于科学管理，还可能引起组织管理、监督、权利救济等一系列法律问题。第二、把中国共产党的机关纳入公务员范围，容易造成党政不分。党章规定，党的领导主要是政治、思想和组织领导，党的机关应具有超脱的地位，对党的机关应另行立法管理。第三、把民主党派机关纳入公务员范围，不仅不符合政党组织的特有属性，而且会影响民主党派的外部政治形象和组织上的相对独立。第四、将法官、检察官纳入公务员范围，不利于消除司法权力的地方化和行政化，违背法官和检察官“以法律为上司”的履职原则，与我国正在进行的司法体制改革方向也不相协调。法官法、检察官法已经对法官、检察官的管理作了规范，没有必要再将其纳入公务员法调整。

另有一些部门建议进一步扩大公务员的范围。有的部门提出，现役军官法明确规定，“军官是国家工作人员的组成部分”，选拔符合条件的退役军官进入公务员队伍，是党和政府一贯的政策。建议参照法官、检察官的模式将军官纳入公务员范围，以利于激发军官的责任感和荣誉感，保持军官队伍的稳定性。有的部门提出，交通海事工作人员是专业性很强的行政执法人员，工作特点与人民警察相似，应当纳入公务员范围，并实行职衔制。有的部门提出，公证员是依法履行法律授权的公证职能的公职人员，许多国家也将公证员定性为国家公职人员，建议将公证员作为公职人员加以调整。

有的部门提出，为解决法官、检察官、人民警察等特殊类型公务员的管理特殊需要，与有关法律相衔接，建议增加规定：法律对公务员的产生、任免、考核、监督等另有规定的，从其规定。

三、关于公务员制度的指导思想和管理原则

草案第三条规定，公务员制度坚持以马克思列宁主义、毛泽东思想、邓小平理论和“三个代表”重要思想为指导，贯彻中国共产党在社会主义初级阶段的基本路线，贯彻中国共产党的干部路线和方针，坚持党管干部原则。

有些地方和部门提出，草案第三条的表述不是法律语言，有一些政治术语，不适合在法律中规定。“公务员”与“干部”在内涵与外延上存在较大的差别，不应在本法中同时并用。长期以来，我国“国家干部”涵义不清，缺乏规范，干部管理混乱，建立国家公务员制度，正是为消除传统干部管理制度的弊病。

有些部门提出，“党管干部原则”是公务员管理原则，建议放到第四条中一并表述。

有些地方提出，草案第三条中的大部分提法在宪法中已有明确规定，公务员法不必再作规定，建议删去或作修改。

有些地方和部门建议进一步充实草案关于指导思想的规定。有的部门建议增加规定关于“加强公务员队伍的职业化和专业化”的内容。有的部门建议将“贯彻中国共产党在社会主义初级阶段的基本路线”修改为“贯彻中国共产党在社会主义初级阶段的基本路线、基本纲领和基本经验”。有的地方和部门建议增加“坚持为人民服务的宗旨”。

草案第四条规定了公务员管理原则。有些地方和部门建议增加规定“分类管理”原则、“能上能下”原则、“精简”原则、“男女平等”原则。

四、关于公务员的基本条件

草案第五条第一项规定，取得公务员身份必须具有中国国籍。有些地方提出，随着我国经济社会发展和开放程度的提高，外籍人士担任非领导职务中的专业技术类公务员或聘任制公务员的可能性很

大,建议本法对这种情况留出空间。

草案第五条第六项规定,担任公务员应当“具有符合职位要求的学历和能力”。有的部门提出,这一规定与“任人唯贤原则”不一致,建议删去关于“学历”的要求。

草案第六条规定,因犯罪受到刑事处罚、被开除公职的人员不得取得公务员身份。有些地方和部门提出,该规定过于严格,因过失犯罪受过轻度刑事处罚的,仍可担任公务员。有的部门建议参照党的纪律处分条例第三十条开除党籍的情形进行规定,即故意犯罪被判处主刑(含宣告缓刑),过失犯罪被判处三年以上有期徒刑的,不得担任公务员。有的部门建议增加规定“有不良行为记录者”也不得取得公务员身份。

有的地方和部门提出,草案多次提及“公务员身份”,公务员与教师、医生一样应是一种职业的统称,不表明一种身份。“身份”的表述易引起公务员高于其他职业的误解,建议修改。

五、关于公务员的义务与权利

草案第八条、第九条规定了公务员的义务和权利。

有些地方提出,草案关于公务员义务和权利的规定过于笼统,不够科学,法律规定性不强。草案关于义务的规定,有的没有区分公务员义务和公民义务;有的要求过高,难以实现;有的对特殊类型的公务员不太适用,建议进行修改。

有些地方和部门建议,增加参加培训的义务,以便与草案第十章培训的规定相协调。有的地方建议增加不得经商办企业和未经批准不得兼职的义务。

有些地方和部门建议进一步充实有关公务员权利的规定,如休假的权利、对违法命令的抵抗权。有的部门建议,增加公务员因所在机关调整、撤销、缩编等非因公务员本人原因而导致失业的,公务员应当获得补偿的规定。

六、关于职务职级

1. 职位分类

草案第十条规定了职位分类制度。

有些地方提出,实行职位分类管理对加强公务员科学管理,建立现代公务员制度具有重要意义,建议对职位、职务、职级、职等作科学详细的分类与界定。

有些地方和部门建议将公务员划分为政务类和业务类。

草案第十条第二款规定,国家根据职位的性质、特点和管理需要划分职位类别,设置公务员职务,实行分类管理。第三款规定,机关在确定职能、机构和编制的基础上,进行职位设置,确定职位的职责和任职资格条件。有的部门提出,该规定的内在逻辑是:国家根据各机关的工作性质来确定和划分职位类别,各机关再根据职位类别来设置相应的职位,建议第二款修改为:“国家根据各机关的工作性质和管理需要划分职位类别,设置公务员职务,实行分类管理。”第三款修改为:“各机关根据自身的职位类别设置相应的职位,明确职位的任职资格和职责。”

2. 职务类别

草案第十一条规定公务员职务分为领导职务和非领导职务,并分别规定了各自的职务等级,同时规定国家可在非领导职务中设置专业技术职务、行政执法职务。

有的地方提出,草案第十条规定实行职位分类制度,根据这一规定,公务员分类的标准应当是按照职位即工作性质分工。但草案第十一条规定公务员职务分为领导职务和非领导职务,分类仍以职责性质为标准。第十条与第十一条的规定不协调。

有些地方提出,在实际工作中县级政府各部门内设机构为股级,建议增设正、副股级领导职务,在非领导职务中将科员细分为主办科员(对应股级正职)、副主办科员(对应股级副职)。

有些部门建议增加省部级正、副职非领导职务。

有的部门提出，行政执法职务仅设置在非领导职务中，与行政执法的岗位职责不符，鉴于行政执法类公务员特点鲜明，建议单独成类，在行政执法类中设置领导职务和非领导职务。

有的地方提出，草案对领导职务的职务等级规定得不够科学，容易与相应的行政职务相混淆。

有部门提出，目前领导职务和非领导职务在各类型机关都适用，而各类型机关人员在任职条件、产生方式、管理机构、管理办法以及职责范围等环节上均有较大差异，不作区分，无法体现分类管理的原则。

3. 职务与职级的对应关系

草案第十四条规定，公务员职务应当对应相应的职级。职务与职级的对应关系，由国务院规定。职务与职级是确定公务员工资及其他待遇的依据。

有些地方和部门建议明确职位、职务和职级三者间的关系，并明确职级的具体层级，以便于国务院规定职务与职级的对应关系。

一些地方和部门提出，应当进一步完善职级制度，特别是扩大每一个职务所对应的职级的范围，实行定期晋级，并主要依据职级确定公务员工资标准。这种做法可以使大量职务较低的合格公务员通过定期晋升职级，提高工资待遇，激励他们安心工作，克服以职务工资为主要内容的结构工资制带来的乱提职务和随意升格机构等弊端，破除“官本位”思想，减少“跑官要官”现象。同时，也有利于同军队的军衔制、公安部门的警衔制等制度衔接起来，便于干部交流。

4. 特殊类别公务员的职务和职级

草案第十二条对法官、检察官、人民警察、海关和驻外外交机构公务员的职务或衔级作了规定。

有些地方提出，草案对法官、检察官辅助人员的地位未作规定，他们既不是综合管理人员，通常也不是行政执法人员或专业技术人员，建议草案第十二条第一款修改为“国家根据审判机关、检察机关的特点，设置法官、检察官及其辅助人员的职务。”

有些地方和部门提出，考虑到法官、检察官的特殊性以及与法官法和检察官法的衔接问题，建议将草案第十二条第一款修改为“国家根据法官、检察官的工作特点，设置相应的职务和级别”。由于法官、检察官等人员的职务与职级对应关系与一般国家行政机关不同，所以法官与检察官职务与职级的对应关系不宜由国务院规定，可由国务院会同“两高”或分别由“两高”确定。有的部门提出审计工作具有很强的专业特征，与法官、检察官的职业特征相似，建议在本条第一款中将国家审计人员与法官、检察官一并规定。

有些部门提出，关于人民警察、海关的衔级，有关法律已有规定，建议删去草案第十二条第二、三款的规定。

有的部门提出，草案关于驻外外交机构公务员衔级的规定，远不能涵盖驻外外交机构公务员管理中的诸多特殊情况，对此应当单独立法，建议在附则中规定：“驻外外交机构公务员的管理办法，根据本法另行制定”。

七、关于录用

1. 录用原则

有些地方和部门提出，草案只规定主任科员以下的非领导职务公务员实行“凡进必考”，而处级以上公务员则可以直接调入，且没有年龄、资格条件限制，使得年轻人通过考试录用进入公务员队伍的机关很少，大量的公务员从企事业单位调入或由军转干部安置，形成了低职务公务员队伍的门槛很高，而高职务公务员门槛较低，导致公务员队伍老化、学历偏低等不合理现象，青黄不接和“走后门”的问题比较突出。

一些地方和部门提出，现实中一些地方和部门在招考公务员的过程中存在着一些违反平等原则的限制性规定，在社会上引起一定程度的关注和不满，建议草案第十六条增加规定：报考公务员的资格条件不得有性别、身份、身体条件、户籍等方面的歧视性规定。

有些地方和部门提出，对于退役军人参加公务员录用及直接进入公务员队伍的,应作特别规定,建议增加规定,"录用退出现役的军人为公务员时,应给予适当照顾",并将试用期延长至两年。

有的部门建议,对少数民族报考公务员的照顾不应仅限于民族自治地方。有些地方建议,对少数民族报考者的照顾另行专门规定,并与民族区域自治法的相关规定相结合。

有的地方建议,为了有利于国家边远和艰苦地区吸纳人才,建议增加规定:"对边远、艰苦地区录用本条第一款规定的公务员时,对报考者可以适当照顾。"

2. 公务员考试

有的部门提出,鉴于我国已经建立包括法官、检察官在内的统一的国家司法考试制度,而公务员考试与司法考试之间未形成制度衔接,使法官、检察官面临"一职双考",增加了不必要的负担。建议规定:"对法官、检察官的录用,适用法官法、检察官法。"

3. 录用程序

一些地方和部门建议进一步充实和细化录用的相关规定。

草案第十八条第(六)项规定,由设区的市级以上公务员综合管理部门按照规定的管理权限审批或者备案。有些地方建议对适用审批、备案的具体情况分别加以明确或删去备案的规定。

草案第二十条规定:"录用特殊职位的公务员,经省级以上公务员综合管理部门批准,可以简化程序或者采用其他测评办法。"有些地方和部门提出,"特殊职位"含义应予明确。有些地方认为应删去这一条,以杜绝因"简化程序"而带来的不规范录用行为。

草案第二十一条规定,地方各级公务员的录用,由省级公务员综合管理部门负责,必要时可以授权设区的市级公务员综合管理部门负责组织。有的部门提出,把好"进人关"直接关系到公务员队伍建设的整体水平,从地方公安录警的实践经验看,实行省级统招比较科学和严密,建议不要将录用权下放至设区的市。有的地方提出,县乡一级录用公务员数量大,各县乡需要也有不同,由市级以上公务员综合管理部门统一录用,针对性不强,建议将录用权限部分交由县一级行使。

八、关于考核

1. 考核的内容和方式

草案第二十三条规定，按照管理权限，对公务员的德、能、勤、绩、廉进行考核。有的部门提出，考核的内容过于笼统，应建立科学的考核制度体系，使评价标准与职位分类形成对应关系。有些地方提出，“德”与“廉”有包含的关系，可删去“廉”。

草案第二十四条规定：“公务员的考核分为平时考核和定期考核。”有的地方提出，“平时考核”的规定过于笼统，建议对平时考核的方式、考核组织、考核内容等作规定。

草案第二十五条对考核的方式作了规定。有些地方和部门提出，在考核没有明确标准的情况下，草案规定的考核方式容易强化公务员对主管领导的依附性，建议删去“由领导提出考核等次建议”的内容，可考虑设置考核委员会，并对考核者的相关责任作相关规定。有的部门提出，应对省部级正职以下领导成员的“考核主管机关”予以明确。有的地方提出，第二十五条属于工作的具体方法、步骤，不必在法律中规定，建议删去。

2. 考核结果

有些地方和部门建议，考核结果应当在本机关和系统内予以公布，以利于政务公开和勤政廉政建设的要求。

有些地方和部门提出，“基本称职”是一个模糊的概念，可操作性差，建议删去，或作补充规定，或增加该考核结果应用上的相关规定。

九、关于职务任免

草案第二十八条规定，公务员职务实行选任制和委任制。有些地方和部门提出，应当对选任制和委任制的含义和分别适用的职务作明确规定。职务任免一章仅规定选任制和委任制，而草案中的聘任制公务员也应属于职务任免的范畴，这样实际上将公务员产生途径的有关规定割裂开来，使草案结构完整性和连贯性受到破坏。建议将第十七章的聘任制划归本章一并规定。有的地方建议对职务任免程序、方式作进一步明确规定。

草案第二十八条规定，领导成员职务实行任期制。有些地方和部门建议对任期制进行必要的细化，如明确最高连任届次，实行任期制的领导成员的级别、类别等内容。有的部门提出，由于领导成员还包括单位副职领导人员，法律对这些人员没有任期规定，建议公务员法对任期制暂不作规定。

草案第三十二条规定，公务员因工作需要在机关外兼职的需经任免机关批准。公务员不得在企业以及其他营利性组织、社会中介组织兼任职务。有些地方提出，对于有的公务员，如人大常委会任命的厅局长在外兼职，应由主管部门批准而非任免机关批准。有的部门建议增加规定："公务员不得在与职务公正有冲突的社会组织中兼任职务"。有的地方提出该条规定不属于职务任免一章中的内容，建议做调整。

十、职务升降

1. 晋升原则和晋升条件

草案第三十三条规定，公务员的职务晋升，必须坚持德才兼备的原则，注重工作实绩。有的地方提出，该规定与第四条、第二十三条内容重复，建议删去。

草案第三十四条规定，对特别优秀或工作特殊需要的可破格或越一级晋升职务。有些地方和部门提出，越级晋升尚无相关规定，建议加以明确。对"破格"和"越级"晋升职务，应建立严格的审批程序。对"特别优秀"和"工作特殊需要"应明确认定标准、认定主体。

有些地方提出，应明确公务员晋升领导职务的任职最低年限，另外，晋升为主要领导的还应具备一定的岗位任职经验，如任市、县一级主要领导应有基层领导任职经历。

2. 晋升程序

有些地方和部门提出，草案第三十五条关于职务晋升的规定过于原则，建议进行细化，明确民主推荐的程序、确定考察对象的主体、组织考察和提出任用建议的主体、酝酿范围、任职手续和所依据的是哪些具体规定等。

有些地方提出，草案关于公务员职务晋升的规定应与《党政领导干部选拔任用工作条例》相衔接。

3. 降职

草案三十九条规定，定期考核不称职或不胜任现职的公务员，不宜转任同级其他职务的，可按程序降低一个职务层次任职。有些地方提出，这样规定容易留下漏洞，使一些公务员在此地干不好，还可转到其他地方任职，群众对此反映强烈，且这一规定不适用于最低层次的公务员。

十一、关于奖励

有些地方提出，草案第四十一条第一、二项中关于忠于职守、遵守纪律等的规定属于公务员基本义务，不宜作为奖励标准。有的地方建议将第四项“增进民族团结”修改为“促进社会和谐”。有的部门建议将第七项中的“奋不顾身”改为“表现突出”。有的部门建议增加对在维护国家安全和社会稳定方面做出突出贡献的公务员给予奖励的规定。

有些地方建议增加规定对公务员集体进行奖励的条件或标准。

十二、关于纪律与处分

1. 受处分的情形

草案第四十五条第(一)项规定公务员不得“散布有损政府声誉的言论”。有些地方和部门建议将“政府”改为“国家”。

草案第四十五条第(三)项规定公务员不得“对抗上级决定和命令”。有些地方建议，将“对抗”修改为“拒不执行”。有些地方和部门提出，对于上级违法的决定和命令，公务员应当有权拒绝执行。

一些地方和部门提出，草案的规定强调了公务员要对上级绝对服从，但缺乏相应的制衡配套机制，并且与法官服从于法律的职业特点相冲突，建议完善本法与法官法的衔接问题。

草案第四十五条第（六）项规定公务员不得“贪污、腐化”。一些地方和部门提出，“腐化”的含义不明确。

草案第四十五条第（十三）项规定公务员不得“经商、办企业或者参与其他营利性的经营活动”。有的地方认为“营利性的经营活动”含义不确切。同时，建议增加“未经许可，不得兼职”的内容，并对公务员投资性活动是否在禁止之列予以明确。

2. 处分的程序

有的地方建议，在草案第四十八条中分级分类明确处分的主体。有的部门建议，在第四十八条明确规定处分的生效时间。

有的地方建议增加规定：对公务员实施处分，处分的种类和程度应当与其违纪情节相适应。

有些地方和部门建议增加规定：“给予公务员处分时，应举行听证会，并允许公务员家属旁听”，处分过程应当公开；处分决定应在本机关和系统内予以公布，作出撤职、开除的处分应当向社会公布。

3. 处分的期限和适用

草案第四十九条规定降级、撤职的受处分期间为24个月，有的地方建议，将“撤职”的处分期间改为“30个月”，使“撤职”与“降级”的处分期间有所区别。

草案第五十条规定，除开除外，公务员处分期间期满后，由作出处分决定的机关解除处分。有的部门提出，既然规定了处分期间，且处分期满后受处分公务员的职务和职级晋升不再影响，规定解除处分没有太大意义，建议删去解除处分的规定。

有的部门建议增加规定：对最低级别的公务员应当给予降级处分的，给予记大过处分。

有的地方建议增加规定：公务员在受处分期间有第四十一条规定的应当予以奖励的情形的，可酌情缩短处分期。

十三、关于培训

一些地方建议增加以下内容：

1. 对考核为基本称职或不称职的公务员进行离岗培训，将考核、培训、辞退有机地结合起来。

2. 对晋升非领导职务人员进行培训。

3. 鼓励公务员参加学历教育，所在单位应当在时间和经费上予以支持。

4. 明确“脱产培训”，以保证培训的落实。

十四、关于交流与回避

1. 交流范围

一些地方和部门提出，草案第五十六条、第五十七条规定只有公职人员才能交流进入机关，这不利于吸引优秀人才进入公务员队伍。建议规定：只要是符合条件的人员，非公职人员包括非国有企业人员、律师等也可以进入机关，并可担任领导职务。有的地方提出，草案对调入机关的公职人员的资格缺乏具体的规定。

有些地方提出，按照草案第五十七条、第五十八条的规定，转业军官进入公务员队伍也必须参加考试，并且必须在编制和职数内安置，这就加大了安置的难度，建议对军转干部问题列专门条款加以规定。

草案第五十七条第三款规定，公务员可以调出机关担任其他公职，调出后不保留公务员身份。有的地方提出，对某些特定公务员需要调出时，应当征求本人的意见。

草案第五十八条第三款规定，对担任机关内设机构领导职务和工作性质特殊的非领导职务的公务员，应当有计划地在本机关内转任。有些地方建议，机关内所有的公务员都应当定期地、有计划地在本机关内转任。

2. 交流的期限

有些地方和部门建议规定，公务员原则上五年轮岗一次，在同一岗位上工作不应超过十年，对于省部级正职以下的领导成员应当明确任职满五年的，实行跨地区、跨部门交流。

3. 挂职锻炼

草案第五十九条第二款规定，公务员在挂职锻炼期间，不改变与原机关的人事关系。有些地方建议规定，挂职锻炼可以改变与原单位的人事关系，以利于交流和挂职。

4、回避

有些地方提出，草案第六十一条第一款中“近姻亲关系”不是法律专用术语，建议明确规定“近姻亲包括配偶的父母、兄弟姐妹、子女的配偶及子女配偶的父母兄弟姐妹”。

草案第六十二条规定，公务员担任县、乡机关及部分部门主要领导职务的，应当按照有关规定实行地域回避。有的地方提出，这样规定，一是不利于民族区域自治法的实施；二是不利于今后开展县、乡直选；三是不利于县、乡的长期稳定，限制了本地干部为当地经济社会发展作贡献的空间。建议地域回避问题可由组织部门内部掌握，不必在法律中明确规定。也有些地方建议，将需要实行地域回避的范围由县、乡级机关扩大至设区的市、自治州、地区一级。

草案第六十四条规定了公民对公务员回避的申请权。有的地方提出，该条没有对申请回避权的救济途径作出规定，建议规定利害关系人有权申请复议，有的部门建议明确作出回避决定的机关。

十五、关于工资福利保险

1. 工资

草案第六十六条第一款规定，公务员实行国家统一的职务与职级相结合的工资制度。有的部门和地方建议，工资制度应与公务员实行分类管理的要求相一致，在实行国家统一工资制度的前提下，根据工作性质不同，确定不同工资标准的内容，即实行统一但不是单一的工资制度。有的地方建议，将工资水平纳入国民经济和财政统计数据体系之中，对公务员工资标准作出科学的界定。

草案第六十六条第二款规定,公务员工资制度体现工作职责、能力、工作实绩、年功等因素。有些地方提出,“年功”概念不清,应予明确。

草案第六十六条第三款规定:“国家实行公务员工资的正常增资机制”。有的地方建议将“正常增资机制”改为“定期增资机制”。

草案第六十七条规定了公务员工资结构和福利种类。有的地方建议扩大福利、奖金在工资中的比例。有的部门建议在补贴、补助的种类中增加交通和通讯补贴。

草案第六十八条第一款规定,公务员的工资水平应“与企业相当人员的工资水平基本平衡”。许多地方和部门提出,企业间的工资差距很大,无法衡量,这一规定难以操作。有的部门提出,法律应明确所调查“企业”的性质、“企业相当人员”的含义、工资调查的主体等问题。

一些地方建议,各省、自治区、直辖市可以根据当地经济发展、物价水平等实际情况,确定地区附加补贴,在法律中体现不同地区收入差异的客观情况。有的地方建议规定“逐步缩小不同地区公务员工资水平的差距”,提高艰苦地区、边远地区公务员的待遇,以解决西部艰苦落后地区公务员队伍人才流失的问题。一些地方和部门建议,同一地区各机关部门之间公务员的福利待遇水平应当基本平衡。

草案第六十九条第二款规定,公务员在法定工作日之外加班的,应当给予相应的补休。一些地方建议,除补休外,增加给予加班工资或补贴的规定,以便对经常加班但没有补休的公务员给予补偿。

2. 福利和保险

草案第七十条第一款规定国家建立公务员保险制度。有的地方建议,国家应为被辞退的公务员建立保险制度,至少不能低于一般的社会保险制度。有的地方建议,增加公务员保险制度与社会养老保险制度相衔接的内容,使公务员在辞职辞退后,以前服务的工龄能得到社会的承认,取得与工龄相匹配的社会养老保险缴费年限。有的地方提出,公务员的服务年限应在公务员退休后的社会保障中应有所体现。目前的情况是不论当事人在退休前所在单位的服务年限是多少,在哪一类单位退休就享受哪一类单位的退休金,很不合理。建议分阶段计算退休金,以有利于促进人员的调任与流动。

有的部门建议,将“保险制度”改为“保障制度”。有的地方建议增加规定:“未受过任何纪律处分的公务员退休后可享受廉政退休金”。

有的地方和部门建议,草案第七十条第二款中,公务员因公牺牲、死亡或者病故的,除其直系亲属外,其配偶也应享受国家规定的抚恤和优待。

十六、关于辞职辞退

1. 关于辞职的条件和程序

草案第七十三条第一款对公务员辞去公职的申请与审批作了规定。有的部门建议增加规定,任免机关如在审批期限内未对辞职申请作出答复的,视为同意。

草案第七十四条第(一)项规定,公务员有“未满国家规定的最低服务年限的”情形的,不得辞去公职。一些地方和部门建议将最低服务年限予以明确,或规定由机关自行规定并在协议书内加以约定,并规定“新录用公务员在试用期内不得辞职”。

草案第七十四条第(二)项规定,“在涉及国家安全、重要机密等特殊职位任职或者离开上述职位不满国家规定的解密期限的”,不得辞职。有的部门提出应将“解密期限”改为“脱密期限”。

草案七十四条第(三)项规定,公务员有“重要公务尚未处理完毕,且须由本人继续处理的”,不得辞去公职。有的地方提出,何为“重要公务”、何种情形下“须由本人继续处理”难以把握,在实践中容易成为限制公务员辞职的关卡,建议予以明确或删去这一规定。有的地方和部门建议规定,对不符合辞职条件而不辞而别的公务员,应追究其责任。

2. 辞职后的从业限制

草案第七十三条第二款对公务员辞职后的职业限制作了规定。

有的地方提出,法官法、检察官法已经对法官和检察官辞职后的职业限制作了相应的规定,建议在第七十三条中增加一款:“法律对公务员辞职后的任职限制另有规定的,从其规定。”

有些地方和部门建议,在该款中增加对领导成员和管理人、财、物的公务员辞去公职后从业的地域作限制性规定。

有的部门提出,法律应明确“与原工作业务直接相关”的确定标准和认定主体。

3. 引咎辞职

草案第七十五条第三款、第四款对引咎辞职作出了规定。有些地方和部门建议,引咎辞职制度应该具体化。有些地方和部门建议,应明确提出“责令辞职”的主体,并规定对引咎辞职或被责令辞职的领导成员,在一定时间内不得担任领导职务。

4. 辞退

草案第七十六条列举了公务员被辞退的情形。有的地方建议,对在一定年限内累计一定次数被确定为不称职的,也可以予以辞退。有的地方提出,本法应规定对被辞退的公务员,在一定期限内不得录用为公务员。有的部门提出,应规定公务员有陈述和申辩的权利。

5. 辞职辞退后的安排

草案第七十八条规定,被辞退的公务员,可以领取辞退费或者根据国家有关规定享受失业保险。有些地方提出,辞退费与失业保险应可同时获得,而不是二者选其一。有些地方和部门建议,辞职的公务员也可以领取辞职费或享受失业保险。有的地方建议增加规定,对被辞退的公务员,应提前通知,以便被辞退人对以后的个人生活作出合理安排。有的部门建议,公务员被辞退后,原来工龄累计的养老、医疗保险缴费应转入所在地区的社会保险体系。

草案第七十九条规定,公务员辞职或者被辞退,离职前应当办理公务交接手续,必要时按照规定接受审计。有的部门建议,将“审计”改为“经济责任审计”。有的地方和部门建议,担任主要领导职务或负责财务管理的公务员,在离职前,应当按照国家规定接受审计。有的地方建议,应明确按照什么规定接受哪一级审计。

有的部门建议,在本章中增加一条:“在涉及国家安全、重要机密等特殊职位任职的公务员辞职或被辞退后,本人及所在单位应当接受有关机关依法进行的访问、指导和监督;本人拒不接受访问、指导和监督的,有关机关可依法对其采取强制性措施。”

十七、关于退休

草案第八十条规定,公务员达到国家规定的退休年龄或者完全丧失工作能力的,应当退休。许多地方和部门提出,本法应明确退休年龄,对这一问题不应回避。有些地方和部门建议规定男女同龄退休。

有些地方和部门建议增加规定,对因“完全丧失工作能力”退休的,应当“经国家有关部门鉴定”。有些地方建议,对于专业性较强的专业技术职务,可规定适当推迟公务员退休年龄。

一些地方和部门建议增加规定,公务员在退休后的一定年限内不得到与原工作业务直接相关的企业以及其他营利性组织、社会中介组织任职,不得从事或者代理与原工作业务直接相关的经营性活动。

十八、关于申诉控告

1. 关于申诉

草案第八十三条规定,公务员对涉及本人的某些人事处理不服的,可以申请复核或提出申诉。一些地方和部门提出,草案只规定了内部救济,建议增加司法救济途径。

草案第八十三条规定,公务员定期考核被定为不称职或者基本称职的,可以提出申请复核或提出申诉。有的地方提出,考核被定为基本称职不属于权利受到侵害,在这种情况下,不应赋予公务员提出复核、申诉的权利。

2. 关于控告

草案第八十六条规定,公务员认为机关及其领导人员侵犯其合法权益,可以依法向上级机关或者有关的专门机关提出控告。受理控告的机关应当按照规定及时处理。有的部门提出,草案应对受理控告的机关、控告的程序等作出规定。

草案第八十七条规定,公务员提出申诉、控告,不得捏造事实,诬告、陷害他人。有的部门建议修改为:"公务员提出申诉、控告,应当有具体的请求和事实依据"。有的地方建议,草案应借鉴行政诉讼中的证据规则,明确公务员提出申诉、控告的,公务员所在机关负有举证责任。有些地方和部门建议增加规定:"公务员所在机关及其领导不得对合法提出申诉、控告的公务员进行打击、报复"。

有的地方建议增加申诉超过时效不予受理的规定。

十九、关于职位聘任

1. 关于聘任制

一些地方提出,草案应当对聘任人员是否属于公务员,聘任合同应依据公务员法还是劳动法,合同期满后是否可以续聘,及聘任制的最长合同期限等问题予以明确。

有的部门提出,机关聘任雇员,在当前仍属于探索阶段,与现行公务员制度的衔接仍有一些不明确之处。实行聘任制的人员虽在机关,但对其职务、晋升、工资福利等管理都与公务员管理体制和方式不同。建议本法不对聘任制作规定。

草案第九十条对聘任合同的签订、变更和解除作了规定。有的地方提出,聘任合同具有行政合同的性质,建议增加规定,机关在不违法的情况下,可以单方变更或解除,但应予以补偿。有的建议明确规定聘任制公务员因聘任合同纠纷可提起行政诉讼。

草案第九十一条规定聘任制公务员按照国家规定实行协议工资制,具体办法由中央一级公务员综合管理部门规定。有的地方提出,本法应对协议工资制度的基本内容作出规定,而不是作笼统授权。

有的地方提出,聘任制人员可以为外籍人士。

有的地方提出,"职位聘任"是人事关系的新形式,不决定职务与岗位，建议将“职位聘任”改为“聘用工作人员”。

2. 人事争议仲裁制度

草案第九十三条对人事争议仲裁制度作了规定。有的地方提出，草案中应明确人事争议仲裁制度调整什么法律关系，解决哪一类争议，并建议将聘任制公务员的人事争议仲裁制度与目前事业单位人事争议仲裁制度结合起来。有的地方认为，草案规定的人事争议仲裁制度的适用范围比较混乱，建议删去。

有些地方和部门建议，设专章对人事争议仲裁的原则、机构、人员、管辖、程序作出规定，并将人事争议仲裁的范围扩大到对公务员因录用、调动、纪律处分等与所在机关发生的人事争议。

二十、关于管理机构

1. 有的地方提出，根据立法惯例，管理机构及其职能一般应在总则中作出规定，建议将“管理机构”一章的内容移至“总则”。

2. 一些地方和部门提出，草案关于“管理机构”的规定过于原则，公务员的管理机构涉及人事、组织、选举、监察等部门，法律应当对有关部门的权限予以明确。

3. 草案第九十六条规定：“实行双重管理的机关，由上级机关会同同级公务员综合管理部门对其公务员管理实施指导、监督。”有的地方和部门建议明确实行双重管理机关的“上级机关”和“同级公务员综合管理部门”的职责，以避免在管理上相互发生冲突。

4. 一些地方建议，明确“公务员综合管理机关”的具体含义或将“中央一级公务员综合管理部门”，改为“国家级综合管理部门”。

5. 有的地方建议将草案规定由“省级以上公务员综合管理部门”管理的事项，适当下放到“副省级以上公务员综合管理部门”，使副省级城市享有一定的公务员管理权限。

二十一、关于法律责任

1. 有些地方建议增加关于违规选拔任用公务员及违反回避规定

的法律责任。

2. 草案第九十八条规定,公务员辞去公职后,违反本法第七十三条的规定到与原工作业务直接相关的企业工作或从事相关经营性活动的,由工商行政管理部门予以处罚。有的地方和部门提出,公务员违法从事上述活动,违反的是公务员管理的法律,工商部门不是公务员管理的主管部门,由工商部门予以处罚,超出了其职责、权限,且实践中难以操作,建议修改为由行政监察部门或原工作单位,或者公务员管理部门处理。

3. 草案第九十九条规定:"机关因错误的具体人事处理对公务员造成名誉损害的,应当赔礼道歉、恢复名誉、消除影响;造成经济损失的,应当依法给予赔偿。"有的地方建议,本条应当增加规定"撤销职务的应当恢复职务"。有地方建议将"经济损失"改为"直接经济损失"。

4. 有的地方建议增加规定:"公务员违法行使职权,侵犯公民、法人或其他组织的合法权益,造成损害的,受害人有权依法取得国家赔偿。有关机关依法赔偿后,应当责令有过错的公务员承担部分或者全部赔偿费用,并依法给予行政处分;构成犯罪的,应当依法追究刑事责任。"

二十二、关于附则

1. 草案第一百零一条第一款规定:"本法所称的领导成员,是指机关的领导人员,不包括机关内设机构担任领导职务的人员。"有的部门提出,法律应明确在派出机关、派出机构担任领导职务的人员是否也属于领导成员。

草案第一百零一条第二款规定,公职人员包括"机关和国有企业、事业单位、人民团体和群众团体委派到非国有单位从事公务的人员。"有的地方建议,明确"委派到非国有单位从事公务的人员"的认定标准和范围。

2. 草案第一百零二条规定,人民团体、群众团体参照本法进行管理。行使公共管理职能的事业单位的工作人员，经批准参照本法进行管理。有的地方和部门建议，法律应明确哪些单位属于“人民团体”、“群众团体”、“行使公共管理职能的事业单位”，“人民团体”与“群众团体”的区别是什么，由哪个部门认定。

3. 有的地方建议在附则中对“机关”、“领导机关”、“县级以上领导机关”、“工勤人员”等进行明确界定。

4. 有的地方和部门提出，草案第一百零三条中应当增加规定，本法实施时，《国家公务员暂行条例》同时废止。

二十三、其他

1. 有的建议对符合条件的港澳居民能否报考内地公务员考试并进入内地公务员队伍作出规定。

2. 草案第七条规定，公务员中的领导成员的产生、任免、考核、监督等，法律或有关章程另有规定的，从其规定。有的地方和部门认为，这一规定使法律的效力低于“有关章程”，不合乎立法原理，建议修改。

3. 有的地方建议增加对公务员编制管理的规定，明确编制的设定、批准、变更的权限及程序，并对违反编制管理的行为设定相应的法律责任。

有关专家对公务员法草案的意见

十届全国人大常委会第十三次会议对《公务员法(草案)》进行初次审议后,2005 年 1 月 25 日,全国人大法律委,员会、内务司法委员会和全国人大常委会法工委联合召开座谈会,听取有关专家对公务员法草案的意见。现将有关专家的意见和建议简报如下:

一、总的意见

有的同志提出,1993 年出台的公务员暂行条例,为公务员法的制定打下了基础。现在的这个草案虽然没有超越暂行条例所确立的基本原则和制度,但总结了实际工作的经验,体现了中国特色。

有的同志提出,公务员法是一部宪法性法律,涉及依法治国和执政党依法执政。制定公务员法既要体现中国特色,也要考虑到政治体制不会是一成不变的,应有改革精神,要向前看,不能完全"依葫芦画瓢"。立法既要考虑法律的稳定性,也要有前瞻性。草案是一个现实性、妥协性与过渡性的方案,有些方面不是前进了,而是往后退。如果不在广泛征求各界意见的基础上,进行理论创新与制度创新,作出很好地修改,就匆忙出台,可能在国际上授人以柄,带来很多麻烦。

有的同志提出,整部法律草案详略失调,有把握的就规定得比较详细,没有把握的就规定简略或用授权性规范,没有考虑问题的重要程度。如果对一些基本问题没有搞清楚,法律不宜出台。

二、关于公务员的定义与范围

草案第二条规定:"本法所称公务员,是指依照法律规定管理国家事务和履行社会公共事务管理职能、使用国家行政编制、由国家财政负担工资福利的机关中除工勤人员以外的工作人员。”

1. 关于公务员的定义

有些同志提出，草案以定义的方式对公务员的范围作了规定，但上述定义存在几个问题：第一，草案关于公务员“依照法律规定管理国家事务和履行社会公共事务管理职能”的规定不确切。“依照法律规定”中的“法律”是广义的包括法律、行政法规、地方性法规在内的法律，还是狭义的指全国人大及其常委会制定的法律，指向不清。“国家事务”和“社会公共事务”的内涵是什么不清楚。一些从事国家事务管理的组织，法律并没有规定，说政党从事的是国家事务的管理也不科学。社会公共事务的范围很大，非政府组织也可以从事社会公共事务。第二，根据草案的规定，行政编制和由财政负担工资福利成了先于公务员存在的问题，那么确定编制和财政负担的标准又是什么？这里存在倒因为果的逻辑问题。本法应当规定的是，属于公务员的，才能有编制、“吃皇粮”。民主党派工作人员目前是由国家财政负担，是现实情况，但不宜在法律中对此明确规定。第三，如单纯从草案对公务员的定义看，公务员到底包括哪些人，并不明确，建议设专章将公务员所包括的各类人员明确列举出来。

2. 关于公务员法的调整范围

有些同志认为，草案以“大一统”的方式，把党政机关、行政机关、法院、检察院等性质不同的机关的工作人员都包括进来，使得公务员法的调整范围太过宽泛，很不科学。1983 年开始要搞国家机关工作人员管理条例，后来党的十三大提出分类管理原则，因此制定了一个规范国家行政机关工作人员的“公务员暂行条例”。草案现在的规定又回到了国家机关工作人员条例的路子上了，主要的原因是没有探索出好的管理方法，有关部门觉得还是“大一统”比较好。但“大一统”的方式，使对不同人员进行管理的不同制度之间发生碰撞，草案中许多条文细扣起来，都有问题。从世界上一些其他国家的立法例看，公务员法中公务员概念（即公务员法的适用范围）与宪法、刑法中的公务员概念并不一致。宪法、刑法中公务员的概念一般是广义的，包括所有公职人员。公务员法的调整范围则是特定的，范围比较窄，这与公务员立法的目的密切相关，建立公务员制度就是要突出公务员的专业性与职业性。

一些同志认为，公务员的范围应以国家机关划界，非国家机关工作人员不应纳入公务员范围。(1)“公务员”中的“公务”是指国家公务，不是社会公务，即以国家的名义从事的管理活动。政党管理的事务不是国家事务。党要依法执政，但并不是把政党人员放进公务员队伍，就是依法执政。宪法规定，国家的一切权力属于人民，人民行使国家权力的机关是人民代表大会。行使国家权力的人员，必须经过人大的选举。(2)将政党的工作人员纳入公务员队伍，不符合党政分开的改革方向。党领导国家，并不是说党本身就是国家。党应当通过推荐干部到国家机关中任职来实现党的领导，而不是代替国家机关直接进行管理。如果将领导者与被领导者放到了一起，并不是提高了领导者的地位，而是降低了其地位；不是提高了执政能力，而是降低了执政能力。因此，按公务员暂行条例的处理办法，对政党的工作人员不直接作规定，采取参照的办法比较科学合理。(3)党委组织部作为法定的公务员综合管理部门，以后是不是都要每年到人大内司委来作报告，回答代表的提问？党的机关与司法机关的关系如何处理？能否作为行政诉讼的被告？(4)将党的机关的工作人员纳入公务员范围，难以体现党的机关对其工作人员进行管理的特殊需要，在实际运作上会导致很多矛盾。党的机关与国家机关性质不同，党务职位与行政机关职位对工作人员的要求不同。党的机关的工作人员除履行一般义务外，还要遵守党章。行政机关公务员的录用要遵循平等、竞争、择优的原则，在党的组织中如何能够体现共产党员与非党员的平等竞争？另外，党内提拔任用干部可以根据工作需要安排，无须严格按照行政上的层级晋升。(5)将政党的工作人员纳入公务员范围，不符合世界各国政治运作的经验和规律，没有哪个国家把政党的工作人员纳入公务员队伍。

一些同志认为,公务员不应包括法官。法官要求独立,公务员要求下级服从上级;公务员的一整套管理制度,包括考评等都无法适用于法官;对法官的规范已经有了法官法,如果法官法不够完善,可以修改,没有必要纳入到公务员的范围,导致很多矛盾。

有些同志提出,本法的调整范围应当限于事务类的公务员,政务类的公务员可以适用其他法律。政务官和事务官职责不同,对他们的管理实际上也不同。事务类公务员长期任职,不受政府换届的影响,实行统一的职务职级制度,强调其专业精神和行政管理的科学性、连续性。建立公务员制度主要解决的是公务员的职业化问题。因此公务员法应适用于副部级以下的事务类公务员。对于政务官,我们虽然没有西方的政党轮替执政,但有政府换届,主要强调的是经过民主选举产生,向人大负责、受人大监督,对此,有关的国家机构组织法已经作了规定。

有些同志提出,如果以草案规定的范围立法,可以采取两种方式,一个是分类立法,即分别制定国家行政机关公务员法、政党法、社团法,体现党在法律范围内活动,这样立法成本虽比较高,但是比较清楚,这是上策;二是制定一个公务员法典或者公职人员法,将党、行政、政协、人民团体、法院、检察院以及由财政拨款的公立事业单位的工作人员分别作为一编作出规定,这是下策。

三、关于本法的指导思想与原则

草案第三条规定了本法的指导思想。有些同志认为,“党管干部”作为立法的实际指导思想是没有问题的,是立法的一条红线,但在法律条文中用此表述存在前后用语不统一的问题。国家建立公务员制度是对传统国家干部制度的改革,既然有了公务员,实行了公务员制度,实际上就没有干部了。在法律条文中,用了公务员概念,就不应再用干部的概念,否则造成概念上的不统一,使得法律的科学性大打折扣。

草案第四条规定了公务员管理应当坚持的原则。有的同志提出，草案规定的原则太过笼统，需要细化。

四、关于公务员的条件

草案第五条第（六）项规定：公务员应当“具有符合职位要求的学历和能力。”有的同志提出，公务员法不应片面追求学历，只要具备相应的素质，大家都可以参与竞争，要让所有的人都有机会和信心，能够有一个上升的渠道。这对社会稳定和国家的长治久安有好处。

草案第六条第（二）项规定，“因犯罪受到刑事处罚的”，不得取得公务员身份。有的同志提出，应当将过失犯罪与故意犯罪加以区别，因过失犯罪情节比较轻微的，仍可以担任公务员。

有的同志提出，建议在公务员法中明确港澳台人士也可以进入国家公务员队伍。招录台湾籍人士担任公务员，对反“台独”很有说服力。此外，在公务员法中应明确中央国家机关招收公务员必须面向全国，不得要求有北京市户口，不得有地域歧视。

五、关于公务员的义务与权利

有些同志提出，公务员的权利中应当增加抵制重大、明显违法决定的权利。这是20世纪中叶以来公务员制度的新发展，目的是防止对公共利益或者公民基本权利造成重大的不可挽回的损失。

有的同志建议在公务员的权利中增加工资保障方面的规定。现在一些贫穷地区公务员工资不到位，国家应当保障公务员获得劳动报酬的权利。

六、关于公务员的职务职级

草案第十条第一款规定：“机关实行职位分类制度。”

有些同志提出，职位分类制度是建立科学的公务员制度的基础和核心内容。公务员暂行条例虽规定实行职位分类，但我们实际上实行的是品位分类。职位分类是“对事不对人”，品位分类是“对人不对事”。除在国税系统做过一些试点外，职位分类制度在我国还没有真正建立起来。实行品位分类,易导致人浮于事,机构重叠,职能交叉。这个问题不解决,公务员的能力难以发挥出来。要从品位分类改为职位分类,至少要半职位半品位。草案对职位分类的规定太原则,改进的步子太小,对如何分类、分类的标准等都未作规定,建议结合公务员的范围予以细化。

有的同志提出,草案关于公务员的职位、职级的规定,改革不大,突破不多。要促进公务员的职业化和专业化,就要建立另外一套评价机制,公务员的职级与职务的对应关系要适当拉开一些,职务可以不升,但职级可以不断升。同时,当职务出现空缺时,既可以从内部提拔晋升,也可以从外部招聘,以促进公务员的专业化。

有的同志提出,非领导职务享有领导的待遇,但不负担领导责任,实际上成为解决部分干部待遇的一个途径,无形中增加了很多层次。这种职务设置,影响工作效能,实践证明效果不好,建议取消。

七、关于公务员的录用

草案第十五条规定:录用主任科员以下的非领导职务,采取公开考试,择优录取。有的同志提出,为提高公务员队伍的素质,避免公务员录用、任用中出现"暗箱操作",应当强调"逢进必考"的原则,扩大考试录用的范围,至少应扩大到县处级副职。

草案第十六条规定,"报考公务员除具备本法第五条规定的基本条件外,还应当具备拟任职位所要求的资格条件和省级以上公务员综合管理部门规定的其他条件。"有些同志提出,建议对公务员综合管理部门设定的报考条件作出一定的限制,例如,不得规定因民族、性别、出身等的歧视性条件。

草案第十八条第(六)项规定,录用公务员须"设区的市级以上公务员综合管理部门按照规定的管理权限审批或者备案"。有的同志提出,这里的"审批"与"备案"是什么关系,是否可以任意选择,应当予以明确。

草案第十九条规定:"公务员录用考试采取笔试和面试的方式进

行，考试内容根据职位要求设置”。有的同志提出，考试内容的设计应当更科学，应当针对不同层级的职位设置不同的考试，并规定不同的报考的资格条件，如学历条件。现在的考试是“一锅煮”，不管什么职位，博士、硕士、学士一起上，往往博士不如硕士，硕士不如学士，不利于吸收高层次的人才进入公务员队伍。

草案第二十条规定，“录用特殊职位的公务员，经省级以上公务员综合管理部门批准，可以简化程序或者采用其他测评办法”。第七十四条第（二）项规定，公务员“在涉及国家安全、重要机密等特殊职位任职或者离开上述职位不满国家规定的解密期限的”，不得辞去公职。有的同志提出，这两个“特殊职位”所指是否相同，应当明确。

草案第二十一条规定，“地方各级机关公务员的录用，由省级公务员综合管理部门负责组织，必要时省级公务员综合管理部门可以授权设区的市级公务员综合管理部门组织。”有的同志提出，这里的授权是一种什么法律性质的行为，不是很清楚。

八、关于公务员的考核

草案第二十三条规定，对公务员的考核包括“德、能、勤、绩、廉”几个方面。有的同志提出，“德”即包括“廉”，这两个方面不应并列规定。另外，草案关于考核的规定太笼统，缺乏科学的评价机制。

草案第二十五条第一款规定，“本机关负责人或者授权的考核委员会确定考核等次”。有的同志提出，“考核委员会”是什么性质的机构，其人员构成与运作程序是什么，都缺乏明确的规定。

有的同志提出，目前公务员队伍存在着官僚作风，只对上不对下。草案规定的考核只是在系统内部运作，可以考虑对政务类公务员进行考核时，老百姓可以对其工作进行评议，评议结果作为考核的依据之一。

九、关于公务员的职务任免

草案第二十八条规定：“公务员职务实行选任制和委任制。”有的同志提出，职务任免中只规定了选任制和委任制，与公务员的产生方式不协调，破坏了整个公务员体系，实际上整个公务员队伍中都存在着考任制、选任制、委任制和聘任制四类，本法对这些人员的任免都应当有所交待。

十、关于公务员的职务升降

草案第三十四条第二款规定，“特别优秀的或者工作特殊需要的，可以按照规定破格或者越一级晋升职务”。有的同志提出，这一规定随意性比较大，应进一步明确批准的主体和程序。

草案第三十五条规定了公务员晋升领导职务的程序，其中“民主推荐”、“组织考察”、“在一定范围内进行酝酿”等均不是法律用语，需要对其涵义加以界定，如推荐和考察的方式，如何确定考察对象、如何酝酿等。

十一、关于公务员的纪律与处分

有的同志提出，目前对公务员的管理在实践中有两个极端，一方面公务员的权力很大，缺乏有效的约束；另一方面公务员的权利又很小，受到不公正待遇后缺乏有效的救济途径。建议对公务员的处分，增加一些程序性规范，例如给予撤职、开除处分的，公务员有要求举行听证的权利。由于实践中给予撤职、开除处分的并不多，不会给国家机关增加太多的负担。

有的同志建议设立专门的惩戒委员会，负责对公务员进行纪律处分。

有的同志提出，草案第五十条关于解除处分的规定需要进一步研究，有些处分，如警告，不存在解除的问题。

十二、关于公务员的工资福利保险

草案第六十六条第二款规定，“公务员工资制度贯彻按劳分配的原则，体现工作职责、能力、工作实绩、年功因素，保持不同职务、职级之间合理工资差距”。有的同志提出，“年功”概念来自于日本，在我国法律中是第一次出现，需要作出法定的解释。

草案第六十八条规定：“国家实行工资调查制度，定期进行公务员和企业相当人员工资水平的调查比较，并根据工资调查比较结果，调整公务员工资水平”。有的同志提出，草案对“工资调查制度”的规定过于原则，应当予以细化，同时建议将工资调查制度与人事管理部门的职责挂钩。

有的同志提出，公务员工资应当考虑当地消费水平，草案应当规定在同一个地区同一级别的公务员待遇应当一致，避免同一地区不同机关待遇不一的现象。

十三、关于公务员的辞职辞退

草案第七十五条第四款规定：“领导成员引咎辞职或者因其他原因不再适合担任现任领导职务，本人不提出辞职，应当责令其辞去领导职务”。有的同志提出，责令辞职制度将自愿和强制两种因素揉到了一起，性质界定不清，可能导致当事人无法寻求救济。

草案第七十八条规定，“辞退公务员，按照管理权限决定”。有的同志提出，这里的“管理权限”含义是什么，是根据什么规定的，不清楚。另外，对辞退的程序应当细化，为被辞退人提供有效的维权途径。

十四、关于公务员的申诉控告

草案第八十四条第二款规定：“复核、申诉期间不停止人事处理的执行。”有的同志提出，行政复议法中对具体行政行为不停止执行规定了一些例外，如：行政复议机关认为需要停止执行的；申请人申请停止执行，行政复议机关认为其要求合理，决定停止执行的；以及法律规定停止执行的。对复核、申诉期间不停止人事处理执行，也应当规定一些例外情况。

草案第八十六条规定：“公务员认为机关及其领导人员侵犯其合

法权益，可以依法向上级机关或者有关的专门机关提出控告。受理控告的机关应当按照规定及时处理。”有的同志提出，对于公务员合法权益受到侵犯，涉及其作为一个公民所拥有的人身权、财产权，因此不仅可以提出申诉、控告，还应有权提起民事诉讼或行政诉讼。

一些同志提出，应当扩大行政复议与行政诉讼的范围，对强制提前退休、辞退，开除等，应纳入行政复议与行政诉讼的范围中。起诉权并不是胜诉权，只要公务员所在机关的决定合法正确，法院还是会维持的。

有的同志建议增加规定，公务员对上级的性骚扰可以提起申诉控告。

十五、关于职位聘任

有的同志认为，现在有八个地方省级行政机关进行聘任制的试点，搞政府雇员制，但目前来看，发展的并不顺利，还不是成熟的制度，相关的基本问题还没有搞清楚，有的在一定程度上是做“政治秀”与“政绩秀”。目前在公务员法中规定还不成熟。聘任制公务员是否要适用选任制、委任制公务员的所有规范，草案对此规定的不清楚。

有些同志提出，根据1997年人事部颁布的《人事争议处理暂行规定》，国家行政机关与工作人员之间因录用、调动、履行聘任合同发生的争议，可以申请人事争议仲裁。但根据草案的规定，人事争议仲裁制度只适用于聘任制公务员，不适用于其他公务员，缩小了人事争议仲裁制度的适用范围。由于公务员与所在机关发生涉及到工资、福利、保险、工作调动等属于劳动权范畴的争议，不能适用劳动仲裁和民事诉讼。为保护公务员的权益，应当扩大人事争议仲裁的范围，使公务员与所的在机关发生争议时，也可以申请人事争议仲裁。

十六、关于管理机构

有的同志提出，本法中所规定的“公务员综合管理部门”的性质、地位和职责是什么，不清楚，应当明确。“公务员综合管理部门”到底是国务院的部门，还是党的组织部门，或者像中央军委那样的一套班子、两块牌子？如果公务员法将党的工作人员包括进来，综合管理部门则不能是国务院的部门，应当设立类似中央军委的机构，这可能涉及到要修改宪法，对此应当明确，不能马虎过去。有的同志提出，如果一定要搞“综合管理机构”，建议将中组部、人事部合并。有的同志提出，公务员条例中管理主体是政府，草案中的管理主体则是党委。公务员暂行条例的制定与成立人事部密切相关，否则没有必要设立人事部。那么在草案确立的体制下，人事部的位置如何摆？

十七、其他

1. 草案第七条规定，“公务员中的领导成员的产生、任免、考核、监督等，法律或者有关章程另有规定的，从其规定。”有的同志提出，根据这一规定，意味着公务员法的效力等级还不及“章程”，这不符合法治原则。

2. 有的同志建议在培训机构中加上高等学校。目前许多高校都已介入了公务员的培训工作，包括 MPA 教育也是对公务员的一种培训。

3. 关于草案中的一些语言表述问题。有些同志提出，草案第八十八条、第八十九条和第九十条中，“机关”一词前面没有任何定语，这在法律语言中尚未有过。草案第三十六条、第四十三条等多条中出现“有关规定”，但究竟指什么，不清楚。